CONNAISSANCE DE L'ORIENT

COLLECTION UNESCO
D'ŒUVRES REPRÉSENTATIVES

SÉRIE JAPONAISE

PUBLIÉE EN VERTU D'UN ACCORD ENTRE L'UNESCO ET LE GOUVERNEMENT JAPONAIS
AVEC LA COOPÉRATION DES EXPERTS DU
CONSEIL INTERNATIONAL DE LA PHILOSOPHIE ET DES SCIENCES HUMAINES
ET DE M. ETIEMBLE, REPRÉSENTANT LES ÉDITIONS GALLIMARD.

Le pauvre cœur des hommes

(KOKORO)

1914

par Natsume Sôseki

1867-1916

TRADUIT DU JAPONAIS
PAR HORIGUCHI DAIGAKU
ET GEORGES BONNEAU

GALLIMARD / UNESCO

AVERTISSEMENT DES TRADUCTEURS

A la demande de l'Institut international de Coopération intellectuelle, le Ministère Impérial des Affaires Étrangères a prié le Pen Club du Japon de rechercher, dans le courant de la littérature japonaise contemporaine, le roman le plus digne d'être publié, en traduction, sous le sceau de la Société des Nations. A l'unanimité, la Commission nommée par le Conseil d'Administration du Pen Club du Japon choisit le Kokoro *de Natsumé Sôséki, et, désignant les traducteurs, chargeait Tanikawa Tetsuzô de présenter l'œuvre en une courte préface. Dans le même temps, Shimazaki Tôson, Président du Pen Club du Japon, demandait personnellement aux traducteurs de transmettre intact en langue française le legs japonais qui leur était confié. Cette promesse, les traducteurs l'ont donnée, et, en conscience, estiment l'avoir tenue.*

La responsabilité était lourde. Dans la chaîne des romanciers de Meiji, Sôséki est l'esprit le plus profondément oriental, le plus difficilement traduisible. Mais, dans l'œuvre de Sôséki, nulle œuvre peut-être ne présentait autant de difficultés que ce Kokoro *écrit peu de temps avant que l'auteur mourût et où le banal le plus relâché se mêle sans cesse au profond le plus obscurément condensé. Élaborée sur le texte des* Œuvres complètes de Natsumé Sôséki, *Tôkyô, Société pour la Publication des Œuvres complètes de Natsumé Sôséki, Siège social à la Librairie Iwanami, Tome VI, 15 mai 1920, la traduction a demandé une pleine année de quotidienne collaboration. Ordre et force des mots, mouvement du récit et des dialogues, concrète précision des images, profondeurs brutales d'une pensée toute zenniste, tout a été respecté en cette traduction qui, construite scrupule par scrupule, est donnée comme l'ombre même, le* double *du texte original.*

Le caractère officiel de l'édition du présent ouvrage, la substantielle préface de Tanikawa Tetsuzô, dispensent les traducteurs de juger ici le Kokoro *de Sôséki. Il leur suffira de sug-*

gérer que si ce roman constitue, d'évidence, un document particulier d'une exceptionnelle valeur, il est un angle au moins par où il touche à l'humain, à l'universel. Kokoro *est une tragédie de l'expiation : et les traducteurs voudraient, ici, écrire* Nécessité. 'Ανάγκη *grecque, karma bouddhique, tache originelle chrétienne, le péché est sur l'homme, et il faut que l'homme porte sa pierre. C'est ce qui fait l'irrémédiable misère de la condition humaine. Et c'est pourquoi, quand ils eurent médité sur ce titre de* Kokoro *donné par Sôséki à son roman, les traducteurs, ayant le choix entre* Le Cœur humain, Un Cœur, *et* Notre Cœur, *se sont arrêtés à une quatrième traduction, qui est* Le Pauvre Cœur des Hommes.

PRÉFACE

DE TANIKAWA TETSUZÔ

Des écrivains du Japon moderne, Natsumé Sôséki est, sans nul doute, le plus aimé. Né en 1867, il mourut en 1916. Mais, depuis sa mort, vingt années et plus sont passées sans que ses œuvres cessent de toucher un très large public. La chose est rare dans notre Japon d'aujourd'hui, où la renommée des écrivains n'a qu'une très éphémère durée. Qui suit attentivement journaux et revues peut voir, à un mois à peine de leur mort, s'estomper et disparaître les auteurs qui y figuraient en vedette. Littérature, à y bien voir, étayée sur le journalisme, la réclame, le cinéma, et qu'on peut ranger sous l'étiquette de Taishû-Bungaku, Littérature populaire. *C'est cette littérature-là qui a les faveurs de la foule. La littérature, au contraire, que nous appelons* Jun-Bungaku, Littérature pure, *n'a, quant à elle, qu'un tout petit nombre de lecteurs. Or, c'est le privilège même de l'œuvre de Sôséki de tenir à la fois de l'une et de l'autre littératures, et de toucher ainsi, aujourd'hui comme au premier jour, l'échelle entière des classes sociales japonaises.*

Si je viens de faire cette distinction entre littérature pure et littérature populaire, c'est pour rester dans les cadres de notre littérature japonaise actuelle. La même distinction serait sans doute inutile si je parlais du roman occidental, où, depuis longtemps, je pense, il est admis que le vrai roman est celui qui, amalgamant les caractères de l'une et de l'autre littératures, touche d'emblée l'univers des lecteurs. Aussi bien, que Sôséki ait touché le Japon entier ne veut pas dire, loin de là, qu'il ait atteint à l'universelle universalité des maîtres du roman occidental. Je ne puis, en toute loyauté, faire de Sôséki un pionnier du roman, au sens absolu du terme. Mais je voudrais, ici même, essayer de préciser son originalité proprement japonaise.

On a souvent insisté sur le savoir occidental de Sôséki. Je sais bien que Sôséki, spécialiste de littérature anglaise, dut, jusqu'à l'âge de quarante ans, se faire professeur pour vivre; qu'il occupa la chaire d'anglais de l'Université Impériale de Tôkyô; que ses cours, publiés depuis, témoignent des plus brillantes qualités d'exposition; que ses étudiants d'alors avaient pour lui une estime intellectuelle unanime; et que, jusqu'au succès foudroyant de son roman Je suis un Chat, *qui décida de sa vocation de romancier, tout ce passé atteste l'influence de la culture européenne sur la formation de Sôséki. Et quand je dis européenne, je ne parle pas seulement de la culture anglaise : Sôséki avait lu les modernes français, allemands, russes. Mais ce n'est pas dans ces diverses influences occidentales qu'on trouvera le fond même de l'inspiration de Sôséki. La culture foncière de Sôséki est une culture orientale. Comme tous les jeunes gens de son époque, Sôséki avait une solide culture chinoise, et excellait dans la composition des poèmes chinois. Culture chinoise : culture, aussi, proprement japonaise. A la suite de son camarade d'études Masaoka Shiki, rénovateur génial du haikai de Meiji, Sôséki, avant même de s'essayer au roman, maniait en maître le haikai. Bref, c'est à cette culture orientale, aux racines profondément implantées en lui, et non à sa connaissance de l'Occident, que Sôséki doit son originalité de romancier. Mais en quoi cette culture orientale a-t-elle, au juste, marqué Sôséki ?*

Depuis ses plus lointaines origines, il y a, dans la tradition de la culture orientale, une forte tendance à fuir les troubles vulgaires de la vie sociale pour chercher refuge au sein de la nature tranquille. A notre mot japonais Bunjin, Lettré, *reste attachée une odeur d'ermitage. On dit : « Vivre en correspondance avec la fleur, l'oiseau, le vent, la lune. » On dit aussi : « Le vent et le courant. » Et ce double mot enferme, pour ainsi dire, toute l'esthétique de notre Extrême-Orient. Et telle est bien la première tendance de Sôséki, qui s'exprime chez lui non pas sous une forme facile et populaire, mais dans son essence la plus profonde. Cette esthétique, on saisit sans peine combien la formule de la prose occidentale moderne en reste à jamais éloignée. Et sans doute eût-elle définitivement isolé Sôséki du reste du monde, s'il n'y avait en lui une autre tendance, celle-là infiniment humaine, et qui, par moments, fait de l'ermite-lettré un romancier, au sens occidental du mot. La portée de l'œuvre de Sôséki en témoigne. Et cependant, inextricable contradiction, jamais le succès même de ses romans les plus humains n'a pu détacher Sôséki de l'espèce de hauteur d'où l'ermite en lui regardait le genre humain. Tel est le double mouvement entre lequel Sôséki jamais n'a pu se défendre d'osciller.*

Ainsi s'explique tout ensemble et que le romancier chez Sôséki n'ait jamais atteint à la pleine puissance des grands maîtres du roman occidental, et que cependant il n'ait jamais, à ce jour, cessé de nous être cher, à nous autres, Japonais.

***

Kokoro, *paru en 1914, est un roman du genre psychologique. Vers la fin du roman, se trouve cette phrase : « La seule chose profonde que j'aie sentie en ce monde, c'est le péché qui est sur l'homme. » Pour avoir profondément senti le péché qui est sur l'homme, un homme s'enferme dans la solitude, et, bientôt, se tue. Telle est, récit et pensée, la trame de* Kokoro. *Trahi par ses proches, le personnage central du roman commence par se dépouiller lui-même de l'estime où il tenait l'univers des hommes. Mais, peu après, il en arrive à trahir lui-même son meilleur ami : alors il se dépouille aussi de l'estime où il se tenait soi-même. Et le péché de l'homme est sur lui.*

La composition du livre, divisé en trois parties, est simple. Le Moi *du roman, un étudiant, rencontre le personnage que désormais il appellera* Maître, *et dont le charme énigmatique l'attire de jour en jour. A la manière, un peu, d'un héros de roman policier, l'étudiant cherche à percer le secret du Maître : et, pas à pas, le lecteur est amené au cœur de l'intrigue. Telle est la première partie. La deuxième partie forme une sorte de digression : de retour dans sa province, l'étudiant soigne son père mourant. La partie centrale du roman est la troisième. Le Maître, avant de se tuer, a écrit pour l'étudiant, et pour lui seul, son testament moral, sa confession. Cette confession, en même temps qu'elle résout toutes énigmes, rend sensible l'espèce de nécessité intérieure qui, peu à peu, a acculé le Maître au suicide.*

Je crains qu'il n'y ait, en ce long roman d'analyse, des états d'âme qui déconcertent le lecteur occidental. Aussi bien échappent-ils déjà aux jeunes gens de notre Japon moderne. Pourquoi, par exemple, le Maître n'avoue-t-il pas à sa femme, qui est au fond la cause du drame, qu'il a jadis trahi pour elle son ami le plus cher? De peur, dit le Maître, de souiller, fût-ce d'un seul remords, la moindre des pensées de sa femme. Mais n'est-ce pas justement ce silence trop têtu qui, faisant à la fois le malheur du Maître et celui de sa femme, amène le drame? Drame évitable, à mon sens, et que le héros s'obstine à ne pas éviter. Et c'est là sans doute le point faible du roman. Pourtant, cette attitude inexplicable, il resterait peut-être à l'expliquer par notre ancien code moral japonais : attitude toute de stoïcisme et de silence.

Aussi bien, dans l'ordre des mœurs, certaines scènes de la fin de Meiji donneront au lecteur occidental une impression d'étrange : vie des étudiants, relations d'hommes à femmes, rapports familiaux chez les gens de la campagne. Tableaux, cependant, qui forment le très naturel arrière-fond du roman, et, fût-ce à des yeux étrangers, demeurent un précieux jalon dans l'histoire changeante de notre Japon moderne.

Une dernière remarque. Quand il reçoit le testament du Maître, l'étudiant quitte le chevet de son père mourant pour accourir, mais trop tard, vers le Maître. Qu'à son père par le sang un fils puisse préférer un père spirituel, c'est bien là, en un sens, une révolte de l'individuel contre le social préétabli. Est-ce à dire que Sôséki ait pris parti pour l'ordre nouveau contre l'ordre ancien? Je ne le crois pas. Sôséki n'a rien d'un esprit rebelle. Et s'il y a là contradiction, elle tient moins à un parti pris du romancier qu'à la complexité mouvante de la matière même du roman. La sagesse n'est pas ici de relever, du point de vue d'une immobile logique, les contradictions de l'œuvre, mais d'accepter l'œuvre dans son ensemble et pour ce qu'elle est : un reflet de cette vie vraie, qui est, pour tous les hommes, grosse de heurts, sans cesse. Par là encore, peut-être le Kokoro *de Sôséki touche-t-il à l'humain, et sera-t-il plus universellement goûté que je n'ose moi-même l'espérer* (Traduction de Horiguchi Daigaku et Georges Bonneau).

[...] une ombre effrayante traversait parfois mon cœur, comme une flèche noire. [...] Cette ombre, c'était le péché qui est sur l'homme. La seule chose profonde que j'aie sentie en ce monde, c'est le péché qui est sur l'homme. C'est ce sentiment [...] qui me faisait souhaiter d'être cravaché dans la rue par chacun des inconnus que j'y croisais. Et, à monter marche par marche l'escalier de cette expiation, c'est ce même sentiment qui me poussait, non content d'appeler la cravache des autres, à désirer me cravacher moi-même. Et, plus encore qu'à désirer me cravacher moi-même, à désirer me détruire moi-même.

N. S.

PREMIÈRE PARTIE

LE MAITRE ET MOI

Lui, toujours je l'appelais *Maître* : c'est pourquoi en ce livre aussi je ne l'appellerai que *Maître*, sans découvrir son vrai nom. Ce n'est pas tant qu'aux yeux du monde je redouterais de le faire. Mais ce nom de *Maître* est pour moi le plus naturel. Chaque fois qu'il me souvient de lui, *Maître* est sur mes lèvres : aussi bien, quand j'écris, le même nom est sous ma plume. Recourir aux froides initiales ne me saurait venir à l'esprit.

Le Maître, je l'avais rencontré à Kamakura. En ce temps-là, j'étais encore un lycéen plein de jeunesse. C'était les vacances d'été, et un de mes amis en avait profité pour aller aux bains de mer. Par carte, il me demanda avec insistance de venir le rejoindre. Je réunis quelque argent et décidai de partir. Mais j'avais mis deux ou trois jours à réunir l'argent, et je n'étais pas à Kamakura depuis trois jours que, subitement, l'ami qui m'avait invité reçut de sa province un télégramme le rappelant. « Mère malade », disait le télégramme. Mais mon ami en doutait. Il y avait quelque temps déjà que ses parents le poussaient, dans son pays, à un mariage qui lui agréait mal. Au regard des usages de ce temps-ci, il était trop jeune pour se marier. Mais surtout, et c'était là l'important, il n'aimait pas. Aussi, fuyant la province où il aurait dû passer ses vacances, il était venu se reposer non loin de Tôkyô.

Il me montra le télégramme et me demanda conseil sur ce qu'il devait faire. A vrai dire, je ne le savais guère. Mais si vraiment sa mère était malade, il était moralement obligé de retourner près d'elle. Si bien qu'enfin il se décida à partir, et que, venu exprès le retrouver, je fus de mon côté laissé seul.

La rentrée était lointaine encore. Je pouvais à mon

gré ou rester à Kamakura ou repartir pour Tôkyô. Bref, je décidai de rester quelque temps à l'auberge. Fils d'un richard du Chûgoku, mon ami n'était pas gêné. Mais notre lycée était un lycée sévère, notre jeunesse une jeunesse peu gâtée, et notre vie matérielle était à bien peu près la même. Aussi, resté seul, je n'eus pas à me donner la peine de changer d'auberge.

L'auberge se trouvait en un quartier peu fréquenté de Kamakura. Billards, ice-creams, tous ces luxes nouveaux, un long chemin à travers champs nous en séparait. Et si on allait en pousse, cela coûtait vingt sen. Pourtant, de tous côtés, les villas se dressaient nombreuses. Et la proximité de la plage donnait à ce quartier, pour les baigneurs, une situation privilégiée.

Chaque jour, j'allais à la mer. Entre de vieux chaumes noircis de fumée, je descendais vers la plage. Et qu'en un tel voisinage il pût habiter un si grand nombre de ces gens des villes ne laissait jamais de m'étonner : tant il y avait d'hommes et de femmes qui, venus là en villégiature, remuaient sur le sable. Parfois la mer, à la manière d'un bain public, débordait à ce point de têtes noires qu'elle en semblait grouillante. Mais parmi tous ces gens, je n'avais pas, quant à moi, une seule connaissance. Enveloppé de l'animation d'un tel paysage, je me contentais de m'étirer sur le sable; ou bien, dans l'eau, offrant les genoux au choc des vagues, je m'amusais à sauter en rond.

Le Maître, c'est précisément dans cette cohue que je le découvris. Il y avait sur la plage deux maisons de thé, et, le hasard seul guidant mon choix, j'avais pris l'habitude de fréquenter l'une d'elles. Moins favorisés que les propriétaires des vastes villas du quartier de Hasé, où chacun a sa cabine de bains à lui, les baigneurs de ce coin de plage ne se pouvaient passer de ce qu'on pourrait appeler une cabine commune : pour nous, ces deux abris. Là, on buvait le thé, là on se reposait; encore, on y donnait à rincer son maillot, on y lavait à l'eau douce son corps poisseux de sel, on y déposait son chapeau, son ombrelle. Moi, je n'avais pas de maillot. Mais j'avais crainte de me faire voler, et je ne me baignais jamais que je n'eusse tout confié à cette maison de thé.

II

C'est dans cette même maison de thé que je vis le Maître pour la première fois. Il se déshabillait pour s'aller baigner. Moi, je venais de sortir de l'eau et j'exposais au vent mon corps trempé. Entre nous deux, cent têtes noires s'interposaient en écran, et n'eût été un détail particulier, je ne sais trop si, en fin de compte, je n'eusse pas laissé passer le Maître sans même le remarquer : il y avait sur la plage une telle bousculade, et je me sentais la tête si vague! Mais tout de suite mon regard s'attacha au Maître, parce qu'un Européen était avec lui.

Cet Européen avait la peau si blanche que, dès mon retour à la maison de thé, il avait attiré mon attention. Il était vêtu d'un kimono d'été japonais : il le jeta négligemment sur un banc, puis, les bras croisés, face à la mer, il se dressa, sans rien d'autre sur le corps que le même petit caleçon dont nous autres nous servons. Ce fut là ce qui d'abord me frappa. Deux jours auparavant, j'avais poussé ma promenade jusqu'à la plage de Yuigahama, et là, accroupi sur le sable, j'avais longuement observé la manière dont les Européens se baignaient. La dune où je m'étais assis surplombait de très près l'arrière-porte de l'hôtel européen. Tout en me reposant, je regardais les gens sortir pour aller prendre leur bain. Tous, autant qu'ils étaient, couvraient dos, bras et cuisses d'un long maillot. Les femmes surtout prenaient grand soin de cacher leur chair. La plupart même entouraient leur tête d'un bonnet de caoutchouc : marrons, bleu ciel, bleu marine, on voyait ces bonnets flotter entre les vagues. Après ce spectacle, que cet Européen vêtu d'un seul caleçon se tînt sans gêne debout devant nous me paraissait chose extraordinairement rare.

L'Européen cependant, baissant les yeux vers un Japonais courbé à son côté, lui dit quelques mots. Le Japonais ramassait sur le sable sa serviette tombée. Il s'en couvrit aussitôt la tête, et se dirigea vers la mer. Cet homme, c'était le Maître.

Par simple curiosité, je regardai descendre côte à côte vers la plage les silhouettes des deux hommes. Ils allaient droit devant eux, foulant les vagues. Sur ce fond en pente douce, la foule des baigneurs s'agitait bruyante : ils la franchirent, et, parvenus à un endroit moins envahi, se mirent à nager. Jusqu'à ce que leurs têtes se fissent toutes petites, ils gagnèrent le large. Puis, toujours en ligne droite, ils revinrent vers la plage. De retour à la maison de thé, sans prendre le temps de s'asperger d'eau douce, ils s'essuyèrent, remirent leur kmiono, et brusquement disparurent.

Après leur départ, assis sur mon même banc à fumer des cigarettes, vaguement je songeais au Maître :

— Sûr, j'ai déjà vu ce visage! pensai-je malgré moi.

Mais, quelque effort que fît ma mémoire, le temps et le lieu de cette rencontre m'échappaient complètement.

C'était un temps où, bien que sans ennuis, je mourais d'ennui. Aussi, le lendemain, calculant bien mon heure, je retournai à la maison de thé. L'Européen n'était pas venu, et le Maître était seul, portant un chapeau de paille. Le Maître enleva ses lunettes, les déposa sur un banc, se coiffa vite de sa serviette, et, à grands pas, descendit sur la plage. Le Maître, comme la veille, se fraya un chemin entre les baigneurs bruyants, et, seul, se mit à nager. Il me vint soudain l'envie de me lancer à sa poursuite. Éclaboussant ma tête avec l'eau peu profonde, je gagnai un certain fond, d'où, prenant le Maître pour but, je me mis à tirer ma coupe. Mais le Maître ne suivit pas son chemin de la veille : traçant une sorte de courbe, il prit une direction inattendue et revint vers le rivage. Ainsi, je manquai mes fins. De retour sur la terre ferme et balançant mes bras ruisselants, je rentrai à la maison de thé. Mais, déjà soigneusement rhabillé, le Maître sortait en me croisant.

III

Le lendemain, j'étais à la même heure sur la plage, et je vis le Maître. Le surlendemain aussi. Mais je n'eus pas l'occasion de lui parler, de le saluer. Au reste, l'attitude du Maître était plutôt peu sociable. A heure fixe, indifférent à toute chose, il arrivait; et de même il s'en allait, à toute chose indifférent. Quelle que fût l'animation du voisinage, il ne semblait jamais y prêter la moindre attention. Et quant à l'Européen qui l'accompagnait le premier jour, il n'avait plus reparu depuis. Le Maître toujours était seul.

Un jour pourtant que le Maître, comme d'habitude, revenu de la mer à grands pas, s'apprêtait à remettre le kimono d'été qu'il avait déposé à la place accoutumée, il trouva, je ne sais pourquoi, ce kimono plein de sable. Et comme, le dos tourné, il avait, pour faire tomber le sable, secoué deux ou trois fois son kimono, il arriva que ses lunettes, qui étaient sous le vêtement, tombèrent par un interstice du banc. Quand le Maître eut noué sa ceinture, ses lunettes parurent lui manquer, et il se mit à les chercher aux alentours. Alors je me précipitai, plongeai sous le banc tête et mains, et ramassai les lunettes :

— Merci, me dit le Maître en les recevant de mes mains.

Le lendemain, à la suite du Maître, je sautai dans la mer. Puis je me mis à nager dans la même direction que lui. Comme nous avions à peu près fait deux cents mètres vers le large, le Maître se retourna vers moi et m'adressa la parole. Immense et bleue, s'étalait la mer. Rien ne flottait aux environs, hors nous deux. Et la forte lumière du soleil, aussi loin que les yeux portaient, illuminait l'eau et les montagnes. La liberté, la joie emplissaient ma chair, que je faisais mouvoir dans la mer en une danse folle. Le Maître cependant arrêta ses mouvements, se mit sur le dos et fit la planche sur les vagues. Je l'imitai. Le coloris du ciel bleu miroitait jusqu'à entrer dans les yeux à la manière d'une flèche, et je sentais à mon visage les violentes couleurs qu'il me jetait :

— Qu'on est bien, n'est-ce pas! criai-je à pleine voix.

Peu après, semblant se dresser sur la mer, le Maître changea de position :

— Ne rentrons-nous pas ? me proposa-t-il.

J'étais de nature assez résistante, et j'aurais pu sur la mer prolonger mes ébats. Mais dès que le Maître m'eût exprimé son désir :

— Bien sûr, dis-je de bonne grâce, bien sûr, rentrons!

Et tous les deux, par le même chemin, nous retournâmes vers la plage.

C'est de ce jour-là que je fus lié avec le Maître. Mais où habitait le Maître, je l'ignorais encore.

Deux jours passèrent. Et c'est le troisième jour dans l'après-midi, si je ne me trompe, que je revis le Maître à la maison de thé :

— Comptez-vous encore rester quelque temps ici ? me demanda-t-il brusquement.

Je me savais si étourdi que pour répondre à une telle question je m'estimai insuffisamment préparé. Aussi :

— Vraiment, je ne sais guère! répondis-je.

Mais quand mes yeux rencontrèrent le souriant visage du Maître, je me sentis gêné :

— Et vous, Maître ? demandai-je, sans pouvoir m'empêcher de retourner la question.

Et ce fut la première fois que de ma bouche sortit ce nom de *Maître*.

Ce soir-là, je visitai le logement du Maître. Ce logement n'était pas un hôtel, mais, sur les vastes dépendances d'un temple, une construction à l'image d'une villa; et je sus que nul de ceux qui habitaient là n'avait de lien de parenté avec le Maître. En conversant :

— Maître! Maître! disais-je sans cesse.

Mais le Maître souriait alors d'un sourire amer. Et je m'excusai en lui disant que j'avais l'habitude de m'adresser ainsi à mes aînés. J'essayai de lui demander ensuite ce qu'il était advenu de l'Européen de l'autre jour. Le Maître me répondit que cet homme était un original et qu'il avait déjà quitté Kamakura. Il ajouta différents détails, et que, lui qui avait si peu de relations parmi les Japonais mêmes, il était lui-même surpris d'avoir pu se lier avec cet Européen. Vers la fin de notre entretien, m'adressant au Maître, je lui dis que je pensais l'avoir déjà rencontré, mais que je ne pouvais me rappeler le lieu de cette rencontre. Vaguement, dans ma jeune naïveté, j'espérais que cette impression serait aussi la sienne. Et, du fond de mon cœur, j'attendais du Maître une confirmation. Mais lui, après un temps de méditation :

— Non, vraiment, votre visage ne me rappelle rien : ne confondriez-vous pas ?

Et comme il me faisait cette réponse, j'avais en moi comme un désespoir.

No details of any kind on either subject, they are unwritten sheets of paper

IV

A la fin du mois, je revins à Tôkyô. Le Maître avait bien avant moi quitté Kamakura. En nous séparant :

— Ne pourrai-je désormais vous rendre parfois visite? lui avais-je demandé.

— Oui, venez! m'avait, sans plus, répondu le Maître.

Quand je lui avais présenté cette demande, je pensais déjà être entré dans l'intimité du Maître, et j'espérais de lui des paroles plus chaleureuses. La réticence de sa réponse ébranla mon assurance.

Souvent le Maître me décevait ainsi. Le Maître s'en apercevait-il ou non? Tantôt il me donnait l'impression que oui, tantôt que non. Mais malgré les légers désespoirs que j'en avais chaque fois, je ne pouvais envisager de m'éloigner de lui. Au contraire, à chaque heurt, j'avais désir de pousser plus avant mon affection. Il me semblait que si je l'aimais davantage un jour viendrait où ce que j'attendais de lui serait offert à mes yeux. Si jeune que je fusse encore, je ne pouvais concevoir que mon jeune sang pût, indifféremment, nourrir pour une autre personne enthousiasme aussi spontané. Pour quelle raison sentais-je surgir en moi à l'égard du Maître sentiment aussi exclusif, je ne le comprenais pas : en fait, ce n'est qu'après sa mort que j'ai commencé à le comprendre. Ce n'était pas qu'au tout début de nos relations le Maître me détestât. Si le Maître avait pour moi, de temps à autre, ce salut qui me semblait sec, ces gestes qui me semblaient froids, ce n'était pas pour m'éloigner en me manifestant déplaisir de me voir. C'était que le Maître, en cela si digne d'être plaint, estimait de nulle valeur son propre commerce, et, érigeant en barrière sa froideur, en donnait avertissement. Si le Maître refusait l'affection d'autrui, il était clair que, plutôt que de mépriser les autres, c'était lui-même qu'il méprisait.

C'était, bien sûr, avec l'intention de rendre visite au Maître que j'étais revenu à Tôkyô. Entre mon retour et le commencement des classes, il y avait un battement d'une quinzaine. Et je comptais bien en profiter pour aller le voir un jour. Mais, une fois de retour, un à un les jours passant, je sentais s'affaiblir par degrés les sentiments que j'avais eus à Kamakura. De plus, l'atmosphère de la capitale m'accaparait comme par le passé, avec un renouveau de souvenirs générateurs de sensations fortes, et donnait à mon esprit comme une teinte nouvelle.

Les cours avaient repris, et un mois à peu près venait de s'écouler. En mon esprit, une sorte de détente se dessinait. Je me mis à promener par les rues une figure mal satisfaite et à chercher des yeux je ne sais quoi aux murs des salles de classe. Au fond de moi, à nouveau, la figure du Maître se détachait. Et, à nouveau, j'eus désir de le revoir.

Quand pour la première fois je me rendis chez lui, le Maître était absent. J'y retournai, il m'en souvient, le dimanche suivant. Le ciel pur pénétrait la chair, comme pour faire mieux sentir quel beau jour c'était là. Cette fois encore, le Maître était absent. A Kamakura, j'avais appris de la bouche même du Maître qu'il restait presque toujours chez lui et n'aimait pas de sortir. Venu deux fois, deux fois déçu, je me souvenais de cette conversation. Et sans raison, confusément, je sentais en moi comme un mécontentement. Je restai quelque temps à la porte, et, fixant la servante, je demeurai, quasi-hésitant, debout à la même place. J'avais, l'autre fois, fait passer ma carte. S'en souvenant, la servante, avant de se retirer, me pria d'attendre. Ce fut alors qu'une femme vint, la femme du Maître sans doute. Comme elle était jolie!

J'appris d'elle où le Maître était allé. Chaque mois à cette même date, il avait l'habitude de se rendre au cimetière de Zôshigaya pour y déposer des fleurs sur une tombe :

— Il vient de sortir voilà dix minutes à peine! me dit-elle, compatissant à ma déconvenue.

Je la saluai et m'éloignai. A travers les rues animées, je fis une centaine de pas. Puis je résolus de me rendre, moi aussi, à Zôshigaya. Allais-je ou non rencontrer le Maître? La curiosité me venait d'essayer. Et cela me fit, d'un coup, changer de direction.

V

J'entrai par la gauche de la pépinière qui précède le cimetière, et, par une large avenue de chaque côté bordée d'érables, me dirigeai vers le fond du cimetière. Il y avait dans ce fond une maison de thé. C'est de là que je vis soudain sortir une silhouette qui me parut celle du Maître. Je m'en approchai jusqu'à voir la monture de ses lunettes étinceler au soleil. Et sans autre précaution :

— Maître ! criai-je à pleine voix.

Le Maître s'arrêta court et m'aperçut.

— Comment ! Comment !

Le Maître répétait son exclamation, et sa voix, dans l'air calme de ce plein jour, résonnait étrangement. Surpris, je me trouvai sans réponse.

— Vous m'avez suivi ! Et comment avez-vous fait ?

Le Maître avait une attitude plutôt tranquille, une voix plutôt posée. Mais, dans toute son expression, il y avait comme une ombre difficile à définir.

Vite, à mots pressés, comment j'étais arrivé jusqu'à lui, je l'expliquai au Maître.

— Ma femme vous a-t-elle dit sur la tombe de qui j'étais venu prier ?

— Non, elle ne m'a rien dit de tel.

— Ah, bien ! D'ailleurs, pourquoi vous eût-elle dit cela, à vous qu'elle voyait pour la première fois ! Il n'y avait nulle raison, vraiment !

Le Maître enfin semblait comme soulagé. Quant à moi, le sens de ses réflexions m'échappait complètement.

Le Maître et moi, pour nous en retourner, coupâmes entre les tombes. *Isabelle Un Tel... Login, Serviteur de Dieu...* lisait-on. Et, sur d'autres tombes, *Tout Être porte en soi l'Essence du Bouddha...* enseignaient, plantées droites, les planchettes funéraires bouddhiques. Ailleurs : *Un Tel, Ministre plénipotentiaire...* Nous passâmes encore devant une petite tombe, portant *André* en caractères chinois :

— Tiens, comment faut-il lire cette inscription? demandai-je au Maître.

— *André* est probablement la lecture voulue! répondit le Maître, souriant d'un sourire forcé.

Ainsi chaque tombe offrait aux yeux un style différent. Mais le Maître ne semblait pas autant que moi en apprécier le comique ou l'ironie. Tombes en pierres rondes, tombes de granit grêles et hautes, je désignais du doigt toutes les tombes, ne pensant, les unes et les autres, qu'à les tourner en ridicule. Le Maître avait, d'abord, supporté en silence mon bavardage. Mais, à la fin :

— Je ne pense pas, me dit-il, que vous ayez jamais encore envisagé sérieusement la Mort!

Alors, je me tus. Et le Maître non plus n'eut plus une parole.

A un carrefour du cimetière, un grand ginkgo se dressait, cachant pour ainsi dire le ciel. Comme nous passions dessous, le Maître eut un regard vers les branches :

— D'ici à quelques semaines, ce sera bien beau, cet arbre tout entier jauni! Sous l'or des feuilles tombées, le sol sera comme enseveli!

Sûr, chaque mois, sans faute, le Maître devait passer sous cet arbre!

En face de nous, nivelant un sol inégal, un ouvrier aménageait un nouveau coin de cimetière. Il posa sa houe pour nous observer. Coupant à gauche, nous fûmes tout de suite sur la chaussée.

Je n'avais pas d'autre but, et me contentai de marcher aux côtés du Maître. Le Maître était plus que d'ordinaire silencieux. C'est cependant sans trop de déception qu'à pas lents je faisais route avec lui.

— Vous rentrez directement chez vous?

— Oui : je n'ai rien à faire ailleurs.

Tous les deux, et de nouveau silencieux, nous redescendîmes la pente du côté du sud.

— Cette tombe sur laquelle vous vous rendez, c'est

celle d'un de vos proches ? essayai-je de demander.

— Non.

— Mais quelle est cette tombe ? Celle d'un parent éloigné ?

— Non.

Le Maître bornait là ses réponses, et j'arrêtai mes questions. Mais nous n'avions pas fait plus de cent pas que le Maître, reprenant de lui-même la conversation :

— La tombe sur laquelle je vais est celle d'un de mes amis.

— C'est sur la tombe d'un de vos amis que vous vous rendez chaque mois ?

— Chaque mois.

Le Maître, ce jour-là, ne m'en dit pas davantage.

lots of exclamation marks in the conversation

No explanation of the reason why the student wants to cultivate a link with the Master

VI

C'est de ce jour que, de temps à autre, je me mis à rendre visite au Maître. Chaque fois, je trouvais le Maître chez lui. Et plus je le voyais, plus je désirais revenir frapper à sa porte.

Mais l'attitude du Maître à mon égard était celle même qu'il avait eue lorsque je l'avais salué pour la première fois : l'intimité qui s'était établie entre nous n'y changeait pas grand-chose. Le Maître observait toujours une certaine réserve, trop de réserve parfois. C'en était même presque triste à voir. Dès le commencement, qu'il y avait en lui je ne sais quel mystère difficile à approcher m'était venu à l'esprit. Mais en même temps, confusément, le sentiment que je ne pouvais pas ne pas approcher le Maître me poussait avec force. Que personne autre n'eût pour le Maître pareil sentiment, et qu'entre beaucoup je fusse le seul peut-être à l'éprouver, j'en étais persuadé. On peut ici ne pas partager mon sentiment. Mais quand j'aurai dit que les faits devaient plus tard confirmer le bien-fondé de mon intuition, on comprendra combien peu m'importe d'être traité de naïf et de sot. Mon intuition avait véritablement tout prévu : et je la tiens, quant à moi, non sans fierté, comme digne de crédit. Homme capable d'aimer les hommes, mieux, homme qui ne pouvait pas ne pas aimer les hommes; mais à qui voulait se lier à lui par le cœur, homme incapable de tendre les bras : voilà le Maître.

Comme je l'ai dit, le Maître était par trop réservé. Très calme, sans doute. Mais une ombre parfois traversait son visage. Ainsi, à une fenêtre, on voit l'ombre d'un oiseau passer un instant, puis s'effacer aussitôt. Cette ombre-là, c'était au cimetière de Zôshigaya que je l'avais entrevue pour la première fois, comme j'avais brusquement interpellé le Maître. Ç'avait été un étrange moment. Le sang que je sentais courir dans mes veines avait comme ralenti sa course. Ce n'avait été cependant que momentané. Quelques minutes plus tard, mes artères avaient repris leur élasticité habituelle. J'avais vite oublié cette ombre noire et ce nuage au front du Maître. Et voici que, de manière inattendue, elle devait, cette ombre, s'imposer à mon souvenir un soir d'arrière-automne finissant.

Ce soir-là, comme je conversais avec le Maître, je me souvins du grand ginkgo sur lequel le Maître s'était plu à attirer mon attention. A mes yeux, l'image de l'arbre se précisait. Mentalement, je me mis à compter les jours, et je me rendis compte que c'était dans trois jours que le Maître, comme chaque mois, se rendrait sur la tombe de son ami. Or, le jour de ce pèlerinage se trouvait pour moi jour commode, car mes cours finissaient à midi :

— Maître, lui dis-je, le ginkgo de Zôshigaya a déjà sans doute perdu toutes ses feuilles, ne croyez-vous pas ?

— Il ne doit pas, je pense, être encore tout à fait dépouillé !

Le Maître, en me répondant, fixait mon visage, et, pendant un temps, ne me quitta pas des yeux. Sans attendre, je lui demandai :

— La prochaine fois que vous vous rendrez au cimetière, ne pourrai-je vous accompagner ? J'aimerais tant d'aller avec vous me promener là-bas !

— C'est un pèlerinage que je vais faire : non une promenade !

— Mais, par la même occasion, ne pourrions-nous aussi faire une bonne promenade ?

Le Maître ne me répondit rien. Mais, après une pause :

— En ce qui me concerne, c'est d'un véritable pèlerinage qu'il s'agit, et de cela seulement ! me dit-il.

Ainsi le Maître, sans se laisser fléchir, semblait vouloir séparer pèlerinage et promenade. Était-ce prétexte pour m'écarter, ou autre dessein ? Quoi qu'il en soit, le Maître à ce moment me parut puéril et bizarre. Et j'eus désir de pousser un peu plus loin.

— S'il en est ainsi, soit pour le pèlerinage. Emmenez-moi avec vous, je vous prie : j'irai, aussi moi, en pèlerinage!

Vraiment, établir entre pèlerinage et promenade la moindre différence me semblait presque un non-sens. Mais déjà le front du Maître s'était comme couvert d'un nuage, et, de ses yeux, émanait une lueur étrange. Ennui? Dégoût? Peur? C'eût été bien difficile à préciser. Mais au fond de tout cela, il y avait comme une vague inquiétude. C'est alors que, d'un coup, surgit en moi le souvenir brutal du moment où, à Zôshigaya, j'avais interpellé le Maître : les deux expressions étaient identiquement les mêmes.

— J'ai, me répondit le Maître, j'ai, sans pouvoir vous la dire, une raison de ne permettre à personne de m'accompagner en ce pèlerinage. Ma femme elle-même n'y est jamais venue!

VII

Je trouvais étranges de telles paroles. Mais ce n'était pas avec l'idée d'étudier le Maître que je fréquentais sa maison. Et cette fois encore, je laissai les choses en l'état sans en rien approfondir. A présent, quand j'y pense, ma conduite d'alors m'apparaît comme une des meilleures actions de ma vie. C'est, je crois, grâce à cette discrétion que j'ai pu nouer avec le Maître les plus humaines et chaudes relations. Si j'avais eu, si peu que ce fût, la curiosité de m'attacher à étudier le cœur du Maître, alors, à n'en pas douter, le lien de sympathie qui nous unissait se fût, d'un coup, à jamais rompu. Ma jeunesse ne me permettait pas de me rendre par moi-même exactement compte des dessous de ma conduite, et son inconscience même en faisait peut-être le prix. Mais, à coup sûr, si j'eusse suivi un comportement inverse, à quel échec nos relations eussent abouti! Je tremble à cette seule supposition. Déjà, sans même qu'on eût à son égard de curiosité particulière, le Maître sans cesse avait si grand-peur de s'exposer à l'examen d'un regard froid!

Je pris d'abord l'habitude de me rendre régulièrement chez le Maître deux ou trois fois par mois. Puis mes visites se firent plus fréquentes. Si bien qu'un jour, à brûle-pourpoint, le Maître me demanda :

— Dites-moi, qu'est-ce qui vous attire en moi, que vous veniez ainsi me rendre si souvent visite?

— Ma foi, répondis-je, si vous posez ainsi la question, je suis bien en peine de rien vous répondre de précis. Mais... je vous importune, peut-être?

— Je n'ai certes pas dit que vous m'importuniez!

De fait, le Maître ne donnait pas l'impression d'être en rien importuné. Que les relations du Maître fussent fort restreintes, je ne l'ignorais pas. Je ne lui connaissais que deux ou trois anciens camarades d'école qui, en ce temps-là, habitaient Tôkyô. Sans doute encore, il arrivait bien que le Maître reçût parfois dans son salon quelques étudiants originaires de sa province : mais tous en étaient au même point que moi, et il me paraissait clair que nul d'entre eux n'avait avec le Maître de véritable intimité.

— Je suis un solitaire et un triste, reprit le Maître. Un solitaire, et c'est pourquoi je vous accueille toujours avec plaisir. Un triste, et c'est pourquoi je me suis étonné de ce que vous veniez me voir si souvent.

— Que voulez-vous dire au juste?

Le Maître laissa ma question en suspens. Simplement, me fixant :

— Quel âge avez-vous? me demanda-t-il.

Cette conversation était pour moi fort énigmatique. Aussi, ce jour-là, je m'en retournai sans la pousser à fond. Mais quatre jours ne s'étaient pas écoulés que j'allais de nouveau en visite chez le Maître. A la porte du salon, le Maître se prit à rire :

— Encore vous!

— Eh bien, oui, encore moi!

Et ce disant, moi aussi je me mis à rire. De nulle autre personne, je pense, je n'eusse sans me fâcher accepté pareil accueil. Mais que ces paroles me vinssent du Maître déterminait en moi un sentiment contraire. Non seulement je restai sans me fâcher, mais encore je me sentais heureux.

— Oui, voyez-vous, je suis un solitaire et un triste! dit le Maître, reprenant, ce soir-là, son thème de la précédente visite. Je suis un solitaire et un triste. Mais qui sait, vous aussi, peut-être, êtes un solitaire et un triste. Simplement, ma solitude à moi et ma tristesse, je les préserve, âgé que je suis, de toute agitation. Vous, vous êtes jeune, et c'est là, ne croyez-vous pas, toute la différence entre nous. Vous, vous voulez à toute force foncer : foncer, et vous cogner à l'obstacle. Hein, qu'en dites-vous?

— Moi, un solitaire et un triste! Que non!

— La jeunesse est bien ce qu'il y a de plus triste au monde. Vous avez beau vous en défendre : si vous n'étiez triste au fond, pourquoi si souvent viendriez-vous me voir ?

Et le Maître revint encore sur son thème de l'autre fois...

— Oui, vous êtes un triste, conclut le Maître. Et, même près de moi, je gagerais qu'il vous reste je ne sais quel sentiment de tristesse. Cette tristesse-là, je voudrais bien en extirper en vous jusqu'à la racine. Mais je n'en ai pas la force. C'est pourquoi vous en viendrez bientôt à tendre les bras vers un autre secours. Et vos pas, ce jour-là, se détourneront de ma maison...

Comme il me parlait ainsi, le Maître me souriait d'un sourire à lui, si triste.

Short chapters which gives the impression of a diary

VIII

Par bonheur, la prédiction du Maître ne se réalisa jamais. Telle était alors mon inexpérience que tout m'échappait de cette prédiction, même ce qu'elle avait de clair. Je continuais d'aller voir le Maître. Et même sans que je puisse préciser quand la chose s'était faite, j'en étais venu à manger à sa table. De ce fait, force m'avait été de converser aussi avec la maîtresse de maison.

Ce n'était pas que je fusse, ni plus ni moins qu'un autre, indifférent à la beauté des femmes. Mais, jeune comme je l'étais, vivant comme je vivais, je n'avais jamais noué avec les femmes de relations dignes du nom d'amitié. Était-ce ou non pour cette raison, je ne sais, mais, dans la rue, c'était de préférence sur les femmes inconnues que je portais mon attention. Quant à la femme du Maître, je ne l'avais pas, bien sûr, entrevue un jour à la porte d'entrée sans m'être aperçu qu'elle était jolie. Et je ne l'avais pas, depuis, revue à chaque rencontre sans que cette impression se confirmât en moi. Mais c'était tout, et je ne crois pas que j'eusse d'elle rien de spécial à dire.

C'est sans doute qu'elle n'avait guère de personnalité : ou plutôt, pour être juste, qu'elle n'avait pas encore eu l'occasion de montrer sa personnalité. Pour moi, je ne la séparais jamais du Maître dont elle était à mes yeux un complément accessoire. Elle aussi, de son côté, ne voyait en moi qu'un étudiant en visite chez son mari, et me traitait comme tel : avec gentillesse, sans plus. C'est pourquoi, si peu que s'éloignât le Maître qui faisait entre nous trait d'union, nous restions, elle et moi, étrangers l'un à l'autre. Et l'on comprendra que, de mes premières rencontres avec la femme du

Maître, il ne me reste aucun autre souvenir que celui de sa beauté.

Un jour, je dus chez le Maître boire le saké. Entre nous deux, la femme du Maître se faisait notre échanson. Et le Maître, avec plus de gaîté qu'à l'ordinaire :

— Allons, prends une coupe, toi aussi! dit-il à sa femme en lui offrant la coupe qu'il venait de vider.

— Moi? Vous n'y pensez pas! refusa-t-elle d'abord.

Mais, confuse, elle finit par accepter et, fronçant ses jolis sourcils, porta timidement à ses lèvres la coupe qu'avec respect je venais de remplir à moitié. Alors, entre la femme et le mari, s'engagea cette conversation :

— C'est si rare que je goûte au saké! Et que vous, vous m'invitiez à boire, voilà qui n'est pour ainsi dire jamais arrivé!

— Que veux-tu, tu n'aimes pas de boire... Alors... Mais de temps à autre, c'est une bonne chose pourtant : cela fait du bien!

— Oh, pas à moi! Cela plutôt me fait du mal! Vous, bien sûr, je sais bien que vous devenez plus gai si peu que vous preniez de saké!

— Quelquefois, c'est vrai : toujours, ce serait trop dire!

— Et ce soir, comment vous sentez-vous?

— Oh, ce soir, je suis bien!

— Eh bien, désormais, chaque soir, vous boirez un peu : cela vous fera du bien!

— Chaque soir, non! Je ne puis!

— Mais si, je vous en prie! La maison en sera plus gaie, et, ma foi, j'aime mieux cela!

De fait, il n'y avait en cette maison que le Maître et sa femme, avec leur servante. A chaque visite, j'y sentais peser une morne ambiance. Éclats de rire ou éclats de voix jamais ne s'y laissaient entendre. Et j'avais parfois l'impression qu'il n'y avait rien de vivant en cette demeure, hors le Maître et moi.

— Si seulement nous avions un enfant, comme je serais heureuse! dit alors la femme du Maître en me prenant à témoin.

— Oui, n'est-ce pas? répondis-je.

Mais au fond de mon cœur je ne sentais sourdre pour elle aucune compassion. J'étais encore loin d'être père, et je ne voyais alors dans les enfants que des êtres importuns.

— Veux-tu que j'adopte un enfant, pour te consoler? demanda le Maître.

— Un enfant adopté! Fi!... Ne trouvez-vous pas? répondit la femme du Maître en me prenant encore à témoin.

— Mais, fût-ce avec du temps, tu sais bien que nous ne pouvons, nous deux, avoir d'enfant! dit le Maître.

La femme du Maître resta silencieuse, et je parlai à sa place :

— Mais pourquoi cela? demandai-je.

— Par la punition des Dieux! répondit le Maître.

Et disant cela, il riait d'un gros rire.

IX

Pour ce que j'en pouvais savoir, le Maître et sa femme étaient couple fort uni. Sans doute, je n'étais pas de la famille, et ne pouvais, naturellement, pénétrer leur vie profonde. Mais quand le Maître s'entretenait avec moi au salon, il arrivait que, dans le courant de la conversation, il appelât non la servante, mais sa femme. Son nom était Shizu. Et le Maître n'appelait jamais

— Hé! Shizu!

sans se retourner vers la cloison. Je trouvais cela affectueux. Aussi bien, la façon qu'avait sa femme de répondre et de venir me paraissait très naturelle. Lorsque, par hasard, je restais à dîner, et que la femme du Maître paraissait au salon, cette bonne entente se confirmait à mes yeux plus clairement encore.

Le Maître, de temps à autre, emmenait sa femme au concert, au théâtre. Et, autant qu'il me souvienne, ils étaient tous les deux, pour quelques jours, partis deux ou trois fois en voyage. De Hakoné, je reçus d'eux une carte postale que je garde encore. Et lors de leur voyage à Nikkô, j'eus, dans une lettre, une feuille d'érable rouge.

Tels étaient en ce temps-là, à mes yeux, les rapports du Maître et de sa femme. Il y avait eu cependant une fausse note, une seule. Un jour qu'à la porte du Maître j'allais sonner comme d'habitude, j'entendis, du côté du salon, un bruit de voix. Je prêtai l'oreille. Ce n'était pas là une banale conversation, mais plutôt, à ce qu'il me parut, une discussion. Chez le Maître, l'entrée de la maison était à claire-voie, j'entendais le bruit de cette discussion sans en distinguer les paroles. L'un des deux interlocuteurs était le Maître, et je le compris à la voix d'homme qui par moment s'élevait. L'autre parlait à voix plus basse, et, confusément, je devinai que c'était sa femme. Il me semblait qu'elle pleurait. Sur la conduite à tenir, j'hésitai devant la porte. Mais je pris d'un coup ma décision, et, sans me montrer, retournai à ma pension.

J'étais la proie d'une étrange inquiétude. Je lus un livre, mais sans y pouvoir rien comprendre. Or, comme une heure de temps venait de s'écouler, j'entendis le Maître m'appeler sous ma fenêtre. Surpris, j'ouvris la fenêtre :

— Venez : nous irons nous promener! m'invitait le Maître, de la rue.

Je tirai la montre restée dans ma ceinture : il était huit heures du soir passées. Je ne m'étais pas changé en rentrant, et j'avais gardé mon pantalon de satin plissé. Tel quel, je sortis sans tarder.

Ce soir-là, je bus de la bière en compagnie du Maître. Le Maître n'était jamais homme à boire beaucoup. Une certaine quantité de boisson une fois absorbée, qui ne suffisait pas à le rendre gai, c'était un homme incapable de s'aventurer à boire jusqu'à l'ivresse :

— Ce soir, l'alcool me fait vraiment peu d'effet! dit le Maître, riant d'un rire amer.

— Ne pouvez-vous vraiment y trouver la gaîté? lui demandai-je avec intérêt.

En moi, sans répit, s'agrippait le souvenir de la discussion que je venais d'entendre; une arête dans la gorge m'eût causé, je pense, semblable souffrance :

— Vais-je tout lui avouer, me demandais-je, ou ne vaut-il pas mieux ne rien lui dire?

Ainsi j'hésitais, et cela devait me donner l'air étrangement inquiet.

— Vous n'êtes pas ce soir comme d'habitude! commença le Maître. Moi non plus, d'ailleurs : je me sens aussi un peu drôle!

Je ne sus rien répondre.

— C'est que, tout à l'heure, je me suis un peu disputé avec ma femme. Et je finissais par me monter inutilement... reprit le Maître.

— Oh!...

C'est tout ce que je lui répondis : ce mot de dispute ne pouvait sortir de ma gorge.

— Oui, ma femme me comprend mal. C'est ce que

je lui expliquais, et c'est ce qu'elle ne veut pas admettre. A la fin, je me suis fâché tout net!

— Mais en quoi, Maître, votre femme ne peut-elle vous comprendre?

Le Maître ne répondit pas directement à cette question.

— Si j'étais l'homme que ma femme pense, dit-il, je ne serais pas capable de souffrir ainsi!

En quoi le Maître pouvait-il souffrir, je n'arrivais pas à m'en faire une idée.

Full of unexpressed sous-entendus

X

Sur le chemin du retour, il y eut, pendant quelques centaines de pas, un silence entre le Maître et moi. Puis, soudain, le Maître se mit à parler :

— J'ai mal agi ! dit-il. La colère m'a poussé à quitter la maison, et maintenant, à coup sûr, ma femme est inquiète. Voyez-vous, à y réfléchir, la femme est un être qu'il faut plaindre. La mienne, par exemple, n'a, hors moi-même, absolument personne à qui se confier !

Le Maître un instant s'interrompit ici, sans paraître pourtant attendre de moi nulle réponse. Puis il reprit :

— A m'entendre parler de la sorte, il semblerait que l'homme fût toujours, quant à lui, un être fort et sûr de soi : et cependant, si je m'applique à moi-même cette définition... Au fait, vous, comment me jugez-vous : homme fort, ou homme faible ?

— Entre l'un et l'autre ! répondis-je.

Cette réponse parut être pour le Maître assez inattendue. Et la marche du Maître fut de nouveau silencieuse.

Le chemin qui menait à la maison du Maître passait tout près de ma pension. Arrivé à l'endroit où nos routes se séparaient, il ne me parut pas possible de laisser là le Maître :

— Puis-je vous raccompagner jusqu'à votre porte ? lui demandai-je.

Mais le Maître aussitôt m'arrêta d'un geste :

— Voici qu'il se fait tard : rentrez vite ! Je rentre vite aussi... pour ma femme !

Ce *pour ma femme*, sur lequel le Maître finit sa phrase, ne laissa pas, ce soir-là, de me réchauffer le cœur. Et ces mots firent que, rentré chez moi, je m'endormis paisiblement. Je ne devais pas, de longtemps, oublier ce *pour ma femme*.

Que le nuage qui s'était élevé entre le Maître et sa femme fût peu de chose au fond, ce que je viens de dire suffisait à le suggérer. Que, par ailleurs, ce ne fût là qu'accident très rare, je pouvais sans risque en préjuger, à les fréquenter sans cesse comme je continuais à le faire. Mieux encore, le Maître un jour me fit cette confidence :

— Je ne connais qu'une femme au monde, me dit-il. Nulle femme, hors ma femme, ne m'émeut. Pour elle, aussi bien, nul autre homme n'existe sous le ciel. C'est pourquoi nous devrions être, elle et moi, le couple le plus profondément heureux!

A quel propos le Maître me fit-il cette confidence, il ne m'en souvient plus. Et je n'en saurais non plus dire clairement la raison. Ce qu'il y a de sûr, c'est que l'attitude du Maître était à cet instant recueillie, et son ton grave : de cela, j'ai gardé le souvenir. Et je n'eus ce jour-là dans mes oreilles que sa dernière phrase, à la résonance étrange : *nous devrions être, elle et moi, le couple le plus profondément heureux...* Pourquoi le Maître ne précisait-il pas clairement que sa femme et lui étaient heureux? Pourquoi disait-il que sa femme et lui *devraient* être heureux? C'était pour moi la seule chose obscure. D'autant que le Maître avait justement appuyé avec force sur ces mots, et d'un ton qui donnait à penser. Le Maître était-il vraiment heureux? Ou bien, ayant tout pour l'être, ne l'était-il pas vraiment? Je ne pouvais, au fond de moi, m'arracher au doute. Mais ce doute ne m'occupa qu'un moment, pour s'évanouir je ne sais où.

A quelque temps de là, me trouvant, en l'absence du Maître, en tête-à-tête avec sa femme, j'eus l'occasion de lui parler. Ce jour-là, le Maître était absent. Il s'était rendu à la gare de Shinbashi pour y dire au revoir à un de ses amis qui, rejoignant Yokohama, devait, de là, s'embarquer pour l'étranger. Les passagers qui s'embarquaient alors à Yokohama prenaient d'habitude à Shinbashi le train de huit heures et demie du matin. J'avais, moi, à parler livres avec le Maître, et j'avais, d'avance, pris rendez-vous avec lui. Si bien que je fis à neuf heures la visite convenue. Le Maître avait été amené à se rendre à Shinbashi d'une manière toute fortuite. La veille, son ami était venu prendre congé de lui, et il avait tenu à lui rendre sa politesse. Le Maître avait dit en partant qu'il revenait aussitôt et que je devais l'attendre. C'est de cette manière que j'eus, en l'attendant au salon, l'occasion de parler avec sa femme.

XI

A cette époque, j'étais déjà étudiant à l'université. Depuis ma première visite chez le Maître, je me trouvais, à faire la comparaison, beaucoup plus homme. J'étais aussi, peu à peu, devenu assez familier avec la femme du Maître. Je me sentais à l'aise avec elle. Et, ce jour-là, je lui parlai de choses et d'autres. A vrai dire, cette conversation n'offrait aucun relief particulier, et je l'eusse complètement oubliée, n'étaient quelques phrases, que j'ai encore dans l'oreille. Mais avant d'en venir là, il est un détail sur lequel je dois m'arrêter.

Le Maître était sorti de l'Université Impériale de Tôkyô : cela, je le savais dès le début de nos relations. Mais que le Maître vivait sans rien faire, je ne l'appris que peu après mon retour à Tôkyô. Et que le Maître pût ainsi mener une existence oisive était pour moi sujet d'étonnement.

Le Maître était, socialement parlant, inconnu de tous. Son savoir, ses idées, j'étais, pour autant que j'en jugeais, le seul à les approcher de près, nul autre ne pouvant de la sorte les apprécier à leur valeur.

— Quel dommage! disais-je sans cesse au Maître.

Mais lui :

— L'homme que je suis ne saurait ni sortir dans le monde, ni même ouvrir la bouche! se contentait-il de dire en m'interrompant chaque fois.

Je trouvais cette réponse d'une modestie si exagérée que j'y voyais comme une moquerie à l'égard de la société. Certes, il y avait, parmi les anciens condisciples du Maître, des gens qui s'étaient rendus célèbres. Ceux-là même, de temps à autre, le Maître les critiquait sans la moindre gêne. Je lui montrais alors crûment la contradiction qu'il y avait à se mépriser soi-même et à critiquer les autres. Ce n'était pas tant par désir de contrarier le Maître. Mais je déplorais que, par la faute du Maître, le monde l'ignorât et restât à son égard indifférent :

— Quoi que vous en ayez, tranchait le Maître d'un ton grave, je suis celui qui n'a pas le droit de se mêler au monde : et à cela, nul remède.

Alors, sur le visage du Maître, je ne sais quelle expression se creusait. Désespoir? Mécontentement? Tristesse? Je n'aurais su le dire. Si forte toutefois qu'elle m'interdisait d'aller plus avant, et m'enlevait le courage de rien dire.

J'en reviens à ma conversation avec la femme du Maître. Notre entretien, comme il était naturel, en vint à tomber sur le Maître.

— Je ne comprends pas bien l'attitude du Maître. Pourquoi se contente-t-il de mener chez lui ses pensées et ses occupations, au lieu de fréquenter ses semblables et de se rendre utile?

— Lui? Jamais! Il n'aime pas le monde.

— En serait-il parvenu à ce degré de sagesse de tenir pour vain tout ce qui touche au monde?

— Sagesse ou non, je ne suis qu'une femme et n'en saurais juger. Il me semble pourtant que là n'est pas la vraie raison de sa conduite. Sans doute désire-t-il, lui aussi, se rendre utile. Mais il ne le peut. En cela, il est à plaindre!

— Mais le Maître est en bonne santé! Il n'a, que je sache, aucune maladie, n'est-il pas vrai?

— Oh, il se porte parfaitement, et je ne lui connais pas de maladie!

— Mais alors, pourquoi reste-t-il inactif?

— C'est là précisément, voyez-vous, ce qui en lui est incompréhensible! Si j'arrivais à percer cette énigme, je ne me ferais pas tel souci! Mais c'est cette impuissance où je suis qui me fait à ce point souffrir pour lui.

Il y avait dans sa voix une grande compassion. Cependant, ses lèvres souriaient. À juger sur l'apparence, je devais avoir l'air plus grave. Le visage durci, je gardai le silence. Soudain comme si un souvenir lui revenait, la femme du Maître reprit :

— Jeune, il n'était pas ainsi!... Jeune, il était tout différent!... Mais il a tellement changé!

— Jeune?... Mais de quelle époque parlez-vous?

— Du temps où il était étudiant.

— Vous connaissiez déjà le Maître au temps où il était étudiant?

La femme du Maître rougit un peu.

XII

La femme du Maître était de Tôkyô. Cela, je le savais pour l'avoir un jour entendu dire par le Maître et par elle-même. Ce jour-là :

— En vrai, les provinces sont dans mon sang un peu mêlées! avait-elle dit.

Mais si son père était, à ce que je crois, originaire de la préfecture de Tottori, ou d'ailleurs, sa mère était, au temps où Tôkyô s'appelait encore Edo, venue au monde dans le quartier d'Ichigaya. C'était donc par manière de plaisanterie qu'elle parlait ainsi. Or, le Maître était originaire de la lointaine préfecture de Niigata. Si donc la femme du Maître l'avait connu au temps où il était encore étudiant, il ne pouvait s'agir là de simples relations entre compatriotes.

Depuis le moment où j'avais fait la connaissance du Maître jusqu'au jour où il devait mourir, j'étais, sur un grand nombre de points, entré dans ses pensées et dans ses sentiments. Mais sur les circonstances de son mariage, je n'avais presque rien appris. Parfois, j'acceptais de bon cœur cette réserve :

— Bah, me disais-je, le Maître n'est plus un tout jeune homme; et de raconter ses souvenirs d'amour à un adolescent doit lui paraître chose à éviter soigneusement!

Parfois aussi, je prenais moins bien cette discrétion exagérée :

— Le Maître et sa femme ont à mon égard une commune attitude, pensais-je : élevés dans les habitudes et les mœurs de la génération précédente, ils manquent sans doute du courage nécessaire pour me faire franchement leurs confidences!

Mais ce n'étaient là que suppositions gratuites. Au reste, dans l'une ou dans l'autre hypothèse, j'imaginais sans peine quelle brillante idylle s'était cachée sous leur mariage.

De fait, je ne me trompais pas dans cette dernière intuition. Seulement, en imagination, je ne me peignais à moi-même qu'une seule des deux faces de leur amour. Or, la belle face de cet amour avait un revers. Et le Maître portait en lui la plus terrible des tragédies. Combien pour le Maître cette tragédie était lamentable, sa femme n'en sut jamais rien. Maintenant même, elle n'en sait rien. Le Maître devait mourir en gardant son secret. Et plutôt que de détruire le bonheur de sa femme, il devait préférer détruire sa propre vie.

De cette tragédie, je ne parlerai pas maintenant. Mais c'était d'elle qu'était né, pour ainsi dire, l'amour du Maître pour sa femme, amour tel que je l'ai dépeint. Ni l'un ni l'autre ne m'en disaient jamais rien : la femme, par ignorance et par réserve; le Maître, pour une raison plus profonde.

Je voudrais pourtant, touchant cette tragédie, rappeler ici un souvenir. Un jour, au temps des cerisiers en fleurs, j'étais avec le Maître à Uéno, et nous aperçûmes un couple très beau. Amoureusement serrés, ils allaient, elle et lui, sous les fleurs. Mon Dieu, au temps des cerisiers, Uéno est Uéno, et, plutôt que vers les fleurs, c'était vers ce couple que la foule levait les yeux.

— Ce sont de nouveaux mariés, on dirait! fit le Maître.

— Oui, ça m'a l'air de ne pas trop mal marcher! répondis-je.

Le Maître n'eut pas même un sourire, et prit un chemin d'où le couple échappait à nos yeux. Puis il me demanda :

— Avez-vous déjà été amoureux?

— Non! répondis-je.

— Ce n'est pas l'envie qui vous en manque, n'est-ce pas?

— Certes non!

— Tout à l'heure, vous vous êtes moqué, n'est-ce pas? Mais au fond de cette moquerie, c'est vous qui cherchiez l'amour. Et, faute de partenaire, il y avait dans votre ton je ne sais quoi d'insatisfait!

— Mon ton vous a donné cette impression ?

— Certes : quand l'homme a dans le cœur un amour heureux, c'est un fait que sa voix sonne plus chaude ! Mais... écoutez-moi bien : l'amour est un crime. Le saviez-vous ?

Je restai stupéfait, et n'eus rien à répondre.

XIII

Nous étions mêlés à la foule. Il n'y avait là que figures réjouies. Peu à peu nous nous éloignâmes, et, jusqu'à ce que nous arrivions sous des arbres où il n'y avait plus ni cerisiers ni foule, je n'eus pas l'occasion de revenir sur le même sujet. Mais alors, je demandai brusquement :

— L'amour vraiment est-il un crime ?

— C'est un crime, certainement !

Et, comme avant, le ton du Maître s'imposait.

— Pourquoi l'amour est-il un crime ?

— Pourquoi, vous le comprendrez plus tard... Je dis plus tard, mais, au fait, dès à présent vous devez le comprendre. Car il y a déjà longtemps que votre cœur est agité, je vous le dis !

J'avais bien, une fois en passant, scruté mon cœur. Mais, contrairement à ce qu'on pourrait attendre, je l'avais trouvé complètement vide : rien qui y ressemblât à de l'amour !

— Non je n'ai au cœur nulle image à aimer d'amour. Je ne dissimule rien au Maître, que je sache !

— C'est justement parce que votre amour est sans objet que votre cœur est agité. Vous vous dites que si vous aviez quelqu'un à aimer d'amour, peut-être votre cœur serait plus calme. Et c'est dans cette illusion que votre cœur s'agite !

— Non, pour le moment, mon cœur n'est pas en telle agitation !

— Allons donc ! Si vous n'aviez en vous senti nul vide, vous n'auriez pas eu cet élan vers moi !

— Cela, peut-être. Mais l'amitié n'est pas l'amour !

— L'amitié est la marche par laquelle on monte à l'amour. Avant l'étape d'amour, l'étape de l'amitié s'est imposée à vous. Et vous êtes venu vers moi.

— Les deux choses me semblent, à moi, de nature si radicalement différente!

— Non. Amitié et amour participent du même mouvement. Par malheur, ma nature à moi est telle que je ne saurais vous offrir d'amitié qui vous satisfasse pleinement. Par surcroît, des circonstances particulières créent en moi de nouveaux obstacles. Je le déplore pour vous. Que vous portiez ailleurs votre affection est désormais chose inévitable. C'est d'ailleurs ce que je souhaite, bien que...

Une étrange tristesse s'était emparée de moi :

— Si le Maître pense que je m'éloigne de lui, je n'y puis rien. Mais moi, je n'ai jamais jusqu'à ce jour eu semblable sentiment!

Le Maître ne prêtait nulle attention à mes paroles :

— En tout cas, soyez prudent. L'amour est un crime. Chez moi, votre affection sans doute trouve peu de satisfactions : du moins ne court-elle aucun danger. Mais, croyez-moi : une fois pris dans les rets de longs cheveux noirs, de quels troubles ne serez-vous pas la proie!

J'avais parfois imaginé ces troubles : je ne les avais pas éprouvés. Quoi qu'il en fût, je ne comprenais pas ce que le Maître entendait par ce mot de *crime*. Je me sentais, au reste, assez mal content :

— Que voulez-vous dire, Maître, par *crime* : expliquez-le-moi, je vous prie! Ou bien, s'il vous plaît, laissons là ce sujet, jusqu'à ce que j'aie clairement saisi le sens de ce mot de *crime!*

— J'ai tort. Je voulais vous apprendre une vérité : je n'ai réussi qu'à vous impatienter. J'ai tort.

Le Maître et moi, tournant le Musée, marchions à pas lents vers la vallée d'Uguisudani. Derrière le Musée, par les coupures du vaste jardin, on entrevoyait, d'un côté, des bambous nains aux larges feuilles. Et cette nature donnait une impression de recueillement profond.

— Savez-vous, reprit le Maître, pourquoi je vais, chaque mois, prier sur la tombe d'un ami, au cimetière de Zôshigaya? Le savez-vous?

Cette question du Maître me surprit beaucoup. Car le Maître devait bien savoir que je ne pouvais y répondre. Je gardai le silence un moment. Alors le Maître, comme s'il s'apercevait de mon désarroi :

— J'ai tort encore une fois, me dit-il. Pour calmer votre nervosité, j'essaie de vous expliquer les choses. Mais ces explications mêmes n'ont d'autre effet que de vous rendre plus nerveux encore, et je n'y puis rien. Le mieux que nous puissions faire est de laisser là ce sujet. Retenez seulement ceci : que l'amour est un crime, un crime; et en même temps chose sacrée!

Les paroles du Maître me devenaient de plus en plus incompréhensibles. Mais le Maître s'abstint désormais de prononcer même le mot d'amour.

excessive introspection

XIV

Jeune, j'étais alors enclin à me faire aveuglément l'esclave d'un seul sentiment. C'est ainsi du moins que le Maître jugeait. Plus que des cours de l'université, je tirais profit de mes entretiens avec le Maître. Plus que les jugements de mes professeurs, les idées du Maître m'étaient précieuses. Bref, plus qu'aux grands savants qui, du haut de leur chaire, me donnaient leurs enseignements, je trouvais de la grandeur au Maître, qui, suivant sans s'en écarter son même chemin solitaire, était sobre de paroles. Cela, je le confiai un jour au Maître :

— Vous vous montez la tête! dit-il.

— Non. J'ai bien réfléchi : je vous exprime là mon vrai sentiment!

En faisant cette réponse au Maître, ce sentiment, à la vérité, s'imposait à moi. Mais le Maître me taxait de présomption :

— Vous parlez, disait-il, comme sous l'empire de la fièvre. Quand la fièvre sera passée, le dégoût suivra. Que vous ayez pour moi affection si exclusive, me fait de la peine. Mais la pensée que, plus tard, vous changerez à mon égard me fait plus grande peine encore...

— Je vous parais léger à ce point? Et vous me prenez si peu au sérieux?

— Je déplore simplement l'exagération de vos sentiments!

— En somme, vous me plaignez, mais vous ne sauriez me prendre au sérieux : c'est bien ce que vous voulez dire?

Le Maître, avec embarras, se tourna vers son jardin. Il n'y avait pas si longtemps, on y voyait, çà et là, jonchant le sol, le rouge lourd des fleurs de camélia. Ces fleurs avaient toutes disparu. Mais c'était chez le

Maître presque une manie que de porter les yeux sur ces fleurs de camélia.

— Quand je dis que je n'ai pas confiance, ce n'est pas à dire que je me méfie spécialement de vous. C'est de l'humanité tout entière que j'ai méfiance.

A cette heure-là, on entendait, de l'autre côté de la haie de clôture, comme la voix d'un marchand de poissons rouges. Hors cette voix, c'était le silence. Il y avait deux cents mètres au moins jusqu'à la grand'rue. Et sur ce petit passage retiré, régnait un calme qu'on peut difficilement imaginer. Dans la maison aussi, c'était le même calme de toujours. Je savais, au fond de moi, que dans la pièce voisine la femme du Maître se tenait, silencieusement occupée à sa couture, ou à quelque autre ouvrage, et que ma voix lui parvenait. Mais, sur le moment, je l'oubliai complètement :

— Alors, en votre femme non plus, vous n'avez pas confiance ?

Le Maître eut une expression inquiète, et évita une réponse directe :

— De moi-même je me méfie, dit-il. N'ayant pas confiance en moi, comment aurais-je confiance en autrui ? Je n'y puis rien, hors me maudire moi-même !

— Si votre pensée est stricte à ce point, il est bien évident que nulle personne au monde ne saurait pour vous être digne de confiance !

— Vous vous trompez. Ce n'est pas de penser qui m'a conduit là : mais d'agir. Et ce fut une action d'où je sortis atterré, et pris d'une immense frayeur !

J'avais bien envie de pousser un peu sur ce point précis. Mais, juste à cet instant, de l'autre côté de la cloison :

— Voudriez-vous venir ? Voudriez-vous venir ? appela par deux fois la femme du Maître.

A la seconde fois :

— Qu'y a-t-il ? demanda le Maître.

Et, répondant à cet appel, le Maître fut à la chambre voisine.

Le sujet de leur conversation m'échappait. Et sans me donner le temps de l'imaginer, le Maître était déjà de retour au salon.

— Quoi qu'il en soit, reprit-il, il n'est pas bon, en ce

qui vous concerne, que vous mettiez en moi trop de confiance. Plus tard, vous vous en repentiriez. Et, pour avoir été trompé, vous vous vengeriez par représailles!

— Mais que voulez-vous dire?

— Ceci : que lorsqu'on se souvient de s'être naguère agenouillé devant qui vient de vous décevoir, on a désir de se venger en lui donnant du pied sur la tête. C'est pourquoi, plutôt que de m'exposer à encourir demain le mépris d'autrui, je préfère aujourd'hui repousser les avances d'autrui. Plutôt que de m'exposer demain à un avenir plus triste, je préfère supporter aujourd'hui une moindre tristesse. Trop de liberté, trop d'indépendance, trop d'égoïsme : telle est notre époque actuelle. Pour expier le péché d'y être nés, c'est une inévitable nécessité sans doute que, tous, nous en partagions la tristesse!

Devant une telle conception du monde, je ne savais que dire au Maître.

XV

De ce jour-là, je ne me trouvais jamais en face du Maître sans que mon esprit ne se mît à travailler.

La même attitude qu'il avait envers la société, le Maître l'avait-il d'habitude envers sa femme ? Et sa femme s'en pouvait-elle satisfaire ? Si la femme du Maître était heureuse ou non, je ne pouvais en juger à son maintien. Je n'avais pas tant d'occasions de l'approcher. Et, chaque fois, la femme du Maître avait l'air si naturel ! Au reste, si ce n'est en la présence du Maître, je ne l'apercevais que très exceptionnellement.

Mes doutes s'engageaient aussi sur une autre voie. Cette attitude du Maître envers les hommes, d'où lui venait-elle ? Le seul fait de s'examiner soi-même froidement et de froidement observer son époque pouvait-il en être cause suffisante ? Le Maître, par nature, était enclin à une immobile méditation : mais enfin, à supposer un observateur doué comme le Maître l'était, le cours normal d'une immobile méditation sur le monde eût-il suffi à le déterminer à une pareille attitude ? Ces explications à mes yeux semblaient insuffisantes. A n'en pas douter, l'attitude du Maître était une attitude vivante. Lorsque le feu l'a consumée, il ne reste d'une maison en pierres qu'une enceinte refroidie : tel n'était pas le cas du Maître. Certes, à mes yeux, le Maître était un penseur. Mais cette pensée n'était qu'une face, et comportait un revers : le revers d'une forte réalité, profondément entremêlée, il me semblait, à l'apparente pensée. Non une réalité extérieure, nettement séparée du moi ; mais une réalité puissamment ressentie par le moi lui-même, une réalité ramassée sur soi et capable aussi bien de faire bouillonner le sang que d'en arrêter les pulsations.

Ces pensées que je forgeais en moi étaient, au reste,

superflues : le Maître déjà m'en avait avoué le bien-fondé. Mais aveu ténébreux. A la manière de ces nuages qui montent d'un horizon d'orage, il amoncelait sur ma tête, sans qu'il me fût possible d'en deviner la nature profonde, une voûte effrayante. La cause de cet effroi, je ne pouvais la préciser. Mais, vague comme il l'était, cet aveu me secouait les nerfs.

Cette attitude du Maître envers la vie, je tentais de l'expliquer en lui attribuant comme origine une violente tourmente d'amour : entre le Maître et sa femme, bien entendu. Le Maître m'avait dit que l'amour est un crime. A y réfléchir, il y avait là une indication plus ou moins vague. Mais, d'autre part, le Maître m'avait aussi confié combien il aimait sa femme. Dans ces conditions, comment faire de cet amour la cause d'une si pessimiste attitude ? D'un mot, cette autre parole du Maître que *lorsqu'on se souvient de s'être naguère agenouillé devant qui vient de vous décevoir, on a désir de se venger en lui donnant du pied sur la tête* pouvait, sans doute, s'appliquer à tel ou tel individu de notre génération actuelle, mais il me semblait bien difficile de les appliquer au Maître et à sa femme.

Il y avait bien la tombe de cet inconnu, au cimetière de Zôshigaya, et ce souvenir, de temps à autre, me revenait. Que cette tombe eût avec les pensées du Maître un rapport profond, je le savais. Désireux d'approcher la vie secrète du Maître, mais impuissant à y parvenir, les fragments de vie que je savais occuper le cœur du Maître, cette tombe par exemple, je les accueillais, moi aussi, volontiers en moi, comme matière à réflexion. Mais, pour moi, cette tombe était chose tout à fait morte. La porte de vie qui, entre le Maître et moi, se dressait, comment cette tombe eût-elle pu m'en fournir la clef ? Entre nos deux cœurs fermant le passage, c'était plutôt une espèce de monstre que je voyais en elle.

Entre temps, le hasard devait faire que je dusse avoir avec la femme du Maître un nouvel entretien. C'était l'époque où, les jours se faisant plus courts, nul ne pouvait s'empêcher de tourner ses préoccupations vers l'automne aux travaux pressés. C'étaient déjà les premiers froids. Or, dans le voisinage du Maître, il y avait eu, deux ou trois jours de suite, des maisons cambriolées. Chaque fois, le vol avait eu lieu de nuit. Ce n'était pas qu'on emportât grand'chose. Mais il n'était pas de visite où le voleur n'eût rien dérobé. Et la femme du Maître avait pris peur.

Sur ces entrefaites, le Maître dut un soir s'absenter. Un compatriote de ses amis, médecin dans un hôpital de province, était venu à Tôkyô, et on avait organisé pour lui un dîner. Le Maître, me donnant la raison de son absence, me demanda de garder la maison jusqu'à son retour. J'acceptai avec empressement.

XVI

Quand j'arrivai, c'était à ce moment du soir où l'on n'allume pas encore les lampes. Mais, toujours très strict sur l'heure, le Maître était déjà parti.

— Mon mari craignait d'être en retard : il vient juste de partir! dit la femme du Maître en m'introduisant dans le bureau.

Outre une table et des chaises, il y avait là, alignant leurs belles reliures, un grand nombre de livres qui, au travers des vitres de la bibliothèque, brillaient à la lumière. La femme du Maître me fit asseoir sur un coussin, près du brasero. Puis :

— Il y a ici des livres : lisez à votre gré, je vous prie! dit-elle en se retirant.

Je me faisais à moi-même l'effet de quelqu'un qui, en visite de cérémonie, eût attendu le retour du maître de maison. Et cela me gênait. Je me mis à fumer d'un air compassé. J'entendais, du côté du petit salon, la femme du Maître parler à la servante. Le bureau se trouvait sur le même couloir que le petit salon, et à un détour de ce couloir : ainsi le plan même de la maison lui assignait une place plus reculée que celle du grand salon, et partant, plus tranquille. La voix de la maîtresse de maison s'éteignit, et tout redevint silencieux. J'avais conscience de ma mission, et partageais mon attention entre les divers côtés de la maison.

Une demi-heure plus tard, la femme du Maître revint au bureau :

— Oh! fit-elle, le regard légèrement surpris.

Que j'eusse gardé le maintien cérémonieux d'une personne en visite paraissait l'étonner.

— Mais vous devez être mal à l'aise, ainsi!

— Non, du tout!

— Vous devez en tout cas vous ennuyer!

— Non. Je pense à l'irruption possible du voleur, et je suis trop attentif pour m'ennuyer!

La femme du Maître, sans même poser la tasse de thé qu'elle m'apportait, se mit à rire, immobile.

— Simplement, dis-je, cette pièce est trop à l'écart, et l'on ne peut d'ici faire bonne garde!

— S'il en est ainsi, je m'excuse, mais je vais vous installer dans une pièce plus centrale. Pour vous distraire, je vous apportais ici un peu de thé : si vous le voulez bien, je vais vous le servir au petit salon!

La femme du Maître me guidant, je passai au petit salon. Sur une jolie table-brasero, une bouilloire de fer chantait. On m'y servit thé et gâteaux. Mais, de peur que le thé ne l'empêchât de dormir, la femme du Maître ne toucha pas à sa tasse.

— Il arrive au Maître de sortir ainsi, de temps en temps?

— Non, presque jamais. Depuis quelque temps surtout, il semble que de voir les gens lui soit désagréable!

Ce disant, la femme du Maître ne trahissait aucune anxiété, et je m'enhardis :

— En ce cas, vous seule faites exception!

— Non : moi pas plus que les autres!

— Vous faites erreur, lui dis-je. Et vous savez bien que vous faites erreur, n'est-ce pas?

— Mais non. Pourquoi?

— Permettez-moi de vous dire ma pensée : le Maître vous aime précisément dans la mesure où il déteste le monde!

— L'étude vous rend habile aux raisonnements, même aux raisonnements creux. Que mon mari me déteste précisément dans la mesure où il déteste le monde, pourrait se soutenir tout aussi bien, et participe de la même logique!

— Les deux se peuvent tout aussi bien soutenir. Mais ici, c'est moi qui ai raison!

— Non, pas de discussion! Les hommes aiment trop les discussions creuses : comme s'il y avait à cela le moindre plaisir! Pour moi, autant dire qu'on se peut satisfaire d'échanger sans fin des coupes absolument vides!

Il y avait de la violence dans ces paroles. Cependant,

à les entendre, elles ne me heurtaient en rien. C'est que la femme du Maître ne mettait pas sa vanité à vouloir prouver qu'elle avait un cerveau. Elle n'était pas, loin de là, moderne à ce point. Mais plutôt, respectueuse de la vérité qui est au fond des choses, elle tenait à faire respecter des autres cette même vérité.

XVII

Ce n'était pas que je n'eusse plus rien à dire. Mais que la femme du Maître me prît pour qui l'invitât à de creuses discussions m'était désagréable, et je me tenais sur la réserve. Je regardais en silence le fond de ma tasse vide. Mais la femme du Maître, comme pour couper court à ma gêne :

— Voulez-vous encore un peu de thé ? me demanda-t-elle.

Tout de suite, je lui tendis ma tasse.

— Combien de morceaux de sucre : un ? deux ?

Et, la pince à sucre levée, la femme du Maître me regardait. Non certes qu'elle allât jusqu'à me flatter : mais, s'efforçant d'atténuer la dureté de ses paroles passées, elle était pour moi toute gentillesse.

Je bus silencieusement. Et, ayant bu, je gardai encore le silence.

— Vous voilà enfoncé dans un bien grand silence, me dit la femme du Maître.

— Si je me mets à parler, vous m'accuserez encore d'amorcer une discussion, répondis-je.

— Mais non, mais non, protesta à deux reprises la femme du Maître.

Si bien que, le fil se renouant, notre entretien reprit. Portant au Maître un commun intérêt, ce fut de lui que nous nous mîmes à parler.

— Permettez-moi, je vous prie, de reprendre notre même sujet de tout à l'heure. Je ne sais si ce que je vais dire ne sonnera pas encore à vos oreilles comme un raisonnement creux, mais ce qu'il y a de sûr, c'est que je suis loin de parler à la légère !

— Eh bien, parlez !

— A supposer que vous veniez à disparaître, croyez-vous que le Maître pût continuer de vivre comme si de rien n'était ?

— Quelle question! Comment voulez-vous que je sache! C'est à mon mari qu'il faut demander cela : lui seul peut vous répondre. En tout cas, ce n'est pas une question à me poser à moi!

— Je parle sérieusement. Ne prenez pas de détour, et, s'il vous plaît, répondez-moi tout droit!

— Je vous réponds sans détour. Franchement, je ne sais pas!

— Et maintenant, dites-moi : jusqu'à quel degré va votre amour pour le Maître? Plutôt que du Maître c'est de vous que cette question relève. Et c'est à vous que je la pose!

— Vous n'avez nul besoin de me poser expressément cette question, que je sache!

— Que je n'ai nul besoin de vous poser cette question, cela veut bien dire, n'est-ce pas, que votre amour pour le Maître est chose évidente?

— Oui, c'est un peu cela!

— Mais si vous veniez à disparaître, vous qui l'aimez si fidèlement, que deviendrait le Maître? En ce milieu où, de quelque côté qu'il se tourne, la tristesse semble l'assaillir, si, vous, vous disparaissiez, que deviendrait-il? Ne me répondez pas du point de vue du Maître, mais de votre point de vue à vous. Voyons : du point de vue qui vous est propre, le Maître sera-t-il heureux, ou malheureux?

— De mon point de vue à moi, la chose est claire. J'ignore si le sentiment de mon mari ne diffère pas du mien, mais je crois que, séparé de moi, il ne peut qu'être malheureux. Peut-être même irait-il jusqu'à ne pouvoir se résigner à vivre. Je sais que, disant cela, j'ai l'air de me faire valoir : je crois cependant rendre mon mari, en tant qu'homme, aussi heureux qu'il est possible. Que personne au monde mieux que moi ne le puisse rendre heureux, j'en suis même persuadée : c'est pourquoi je garde un si grand calme!

— Si forte conviction ne peut pas, je pense, ne pas graver son reflet au cœur du Maître?

— Oh, cela, c'est une autre question!

— Entendriez-vous par là qu'en fin de compte le Maître ne vous aime pas?

— Je ne pense pas n'être pas aimée : il n'y aurait

nulle raison. Mais il déteste le monde, et, depuis quelque temps, me semble-t-il, plus que le monde encore, l'humanité. Je fais aussi partie de l'humanité : pourquoi, à ce titre, ne me détesterait-il pas aussi moi ?

En quel sens la femme du Maître pouvait dire n'être pas aimée, c'est alors enfin que je le compris.

XVIII

D'une si pénétrante compréhension, je restais étonné. Que la femme du Maître fût aussi peu Vieux-Japon me donnait comme un choc. Mais en même temps, la femme du Maître évitait presque toujours le vocabulaire moderne qui, à cette époque, commençait d'être à la mode.

Des vraies relations avec les femmes, je n'avais aucune expérience : à cet égard, ma jeunesse était maladroite. Sans doute, l'homme qui s'éveillait en moi était, d'instinct, porté vers la femme, et j'avais comme un vague désir qui me faisait chaque fois rêver femme. Mais c'était là un état d'âme tout comparable à celui qui vous fait contempler les nuages aimables du printemps : je rêvais, sans plus. Aussi, lorsqu'à mes rêves se substituait une femme vivante, il arrivait parfois que, du tout au tout, mes sentiments changeaient. Au lieu d'être attiré par cette femme vivante, je sentais en moi monter une force étrange et contraire, qui m'opposait à elle. Mais devant la femme du Maître, je n'éprouvais rien de tel. D'ordinaire, entre homme et femme, il y a dans le niveau des idées une inégalité foncière. Avec la femme du Maître, je n'avais presque pas le sentiment de cette différence. J'oubliais en elle la femme qu'elle était, et la seule chose qui m'intéressât chez elle, c'était sa fidèle clairvoyance à l'égard du Maître et le profond accord où elle était avec lui.

— Il y a longtemps déjà, lors du dernier entretien que j'eus avec vous seule, je vous demandais pourquoi le Maître avait abandonné toute activité sociale. Vous m'avez alors répondu qu'auparavant il n'était pas ainsi...

— Oui, c'est vrai : il était autrefois tout différent, vous savez !

— Comment était-il alors?

— Tel que vous et moi désirerions qu'il fût encore : un homme sur lequel on pouvait s'appuyer avec abandon!

— Mais comment un tel caractère a-t-il pu changer brusquement?

— Oh non, pas brusquement! C'est peu à peu qu'il a changé!

— Ce temps durant, vous n'avez jamais quitté le Maître, n'est-ce pas?

— Non, bien sûr : ne sommes-nous pas mari et femme?

— Mais alors, la raison de ce changement, vous la devez bien connaître, n'est-il pas vrai?

— C'est là précisément ce qui me met en grand embarras. Je suis vraiment peinée de ne savoir que vous répondre : mais, de quelque manière que je tourne mes réflexions, je ne sais que penser. Et lui, combien de fois à ce jour ne l'ai-je pas supplié de m'ouvrir son cœur!

— Que dit alors le Maître?

— Qu'il n'a pour moi aucun secret, que je ne dois nullement m'inquiéter, que son caractère est seul responsable... Ce sont là ses seules réponses : il se dérobe aussitôt.

Je gardais le silence... La femme du Maître restait sans plus rien dire. La servante, dans sa chambre, ne faisait nul bruit. J'oubliais complètement le voleur qui pouvait venir.

— Vous me tenez pour un peu responsable, n'est-ce pas? me demanda soudain la femme du Maître.

— Vous? Non! répondis-je.

— Dites-le-moi sans feinte! D'être ainsi jugée me serait aussi douloureux que d'être hachée vive. Je suis comme je suis, mais j'ai le sentiment de faire pour lui tout ce qu'il m'est humainement possible de faire!

— Cela, le Maître le reconnaît. C'est sûr. Soyez en paix : je vous garantis que c'est vrai!

La femme du Maître égalisa les cendres du brasero et remit de l'eau dans la bouilloire de fer. La bouilloire cessa de chanter.

— Voyez-vous, reprit la femme du Maître, cette

situation, à la fin, me pesait d'un tel poids que je lui ai demandé de me dire franchement s'il me trouvait des torts. S'il y en avait, et que ce fût remédiable, je lui promettais de me corriger... « Mais non, m'a-t-il dit seulement, les torts sont de mon côté! » Quand il m'eut fait cette réponse, les larmes me vinrent aux yeux. Et j'eusse voulu, plus sincèrement s'il se peut, qu'il me découvrît vraiment des torts!

En disant cela, la femme du Maître avait les yeux pleins de larmes.

XIX

Je m'étais d'abord entretenu avec la femme du Maître comme si elle n'avait été que pure raison. Mais tandis que je lui parlais dans cette conviction, voici que, peu à peu, son attitude avait changé. Ses paroles ne s'adressaient déjà plus à mon seul esprit, mais commençaient d'émouvoir mon cœur. Entre elle et son mari, il n'y avait rien de trouble : qu'eût-il pu y avoir? Et cependant, quelque chose de trouble existait. Et de tenir son regard obstinément tendu pour essayer d'apercevoir en ce rien ce quelque chose, c'était là précisément chez la femme du Maître le point le plus éminemment douloureux.

Ce que la femme du Maître avait d'abord déclaré, c'est que le pessimisme où le Maître tenait le monde suffisait à expliquer que l'amour du Maître envers elle ne fût pas si entier. Mais en cette déclaration son cœur ne parvenait pas à trouver le calme. Au fond, c'était plutôt le contraire qu'elle pensait. Ce qu'elle imaginait, c'était que, le Maître ne l'aimant pas, il en était venu, par voie de conséquence, à n'aimer personne dans la société des hommes. Mais quelque peine qu'elle prît à creuser cette supposition, elle n'arrivait jamais à en vérifier le bien-fondé. L'attitude du Maître était en tous points celle d'un mari parfait : attentive et douce. Quant à elle, enveloppant son doute, comme un noyau, dans une trame de douceurs quotidiennes, elle le gardait avec soin dans le secret de son cœur. Ce fut ce soir-là que la femme du Maître ouvrit devant moi ce qu'elle avait si bien enveloppé.

— Voyons! reprit la femme du Maître : est-ce de mon fait, ou du fait de ce que vous appelez sa conception de la vie, que son caractère a changé de la sorte? Dites-moi clairement votre pensée!

Je n'avais certes pas dessein de rien dissimuler de mes sentiments. Mais si vraiment il y avait à cette énigme une clef que je n'eusse point, il y avait grand'chance aussi que ma réponse, quelle qu'elle fût, demeurât impuissante à satisfaire la femme du Maître. Et sincèrement, je pensais qu'il y avait en tout cela des éléments qui m'échappaient.

— A mes yeux, la chose n'est pas claire! répondis-je.

La même triste expression qu'elle avait quand elle était déçue, je la vis apparaître d'un coup sur le visage de la femme du Maître. Vite, je complétai ma pensée :

— En tout cas, ce n'est pas que le Maître ne vous aime pas : cela, je vous en donne ma parole! Et je ne vous dis là rien que je n'aie entendu de la bouche même du Maître. Le Maître n'est pas, que je sache, homme à mentir!

La femme du Maître ne me répondit pas. Seulement, après un temps :

— A la vérité, j'ai bien un souvenir qui me donne à réfléchir...

— Cela a-t-il rapport avec le changement survenu chez le Maître?

— Il y a rapport certain. Et s'il se pouvait que ce fût là l'unique raison de ce changement, du moins ne m'en sentirais-je responsable en rien, et mon cœur en serait-il allégé!

— De quoi s'agit-il au juste?

La femme du Maître hésitait à parler. Elle avait posé les mains sur ses genoux, et les regardait fixement. Enfin :

— Vous jugerez : je vais parler!

— Autant que je sois capable de juger, je vous dirai mon sentiment!

— Je ne puis tout vous raconter : cela ne m'est pas permis. Mais je puis vous confier ce qu'il m'est permis de dire.

L'attention tendue, j'avalais ma salive.

— Quand mon mari était encore à l'université, il avait un ami très intime. Or, peu de temps avant de passer ses examens de sortie, cet ami mourut... Il mourut subitement...

La voix de la femme du Maître ne fut plus alors à mes oreilles qu'un faible murmure. Et :

— En vrai, il n'est pas mort de mort naturelle!...

Mais cela d'un ton tel qu'on ne pouvait pas ne pas demander comment était mort l'ami du Maître.

— Voilà tout ce qu'il m'est permis de dire. Mais alors, peu à peu, le caractère du Maître s'est mis à changer. Quelle fut la raison profonde de la mort de cet ami, je ne sais. Peut-être le Maître non plus ne le sait-il pas. Cependant, si l'on voulait absolument penser que c'est de cette affaire-là que date le changement du Maître, ce ne serait pas là pensée tellement invraisemblable!

— C'est cet ami qui est enterré à Zôshigaya?

— A cette question, il ne m'est pas permis de répondre, et je ne le ferai pas. Mais dites-moi : le seul fait d'avoir perdu un ami intime peut-il expliquer qu'un homme change à ce point? C'est là ce que je brûle de savoir, et c'est là le point précis sur lequel je voudrais vous demander votre avis!

Je fus plutôt porté à juger que ce n'était pas là une explication suffisante du changement survenu chez le Maître.

No one has a name
a past
a job

the characters are one-dimensional
stiff

XX

Dans la mesure de ce que je pouvais saisir de l'ensemble des faits, j'essayais de rassurer la femme du Maître. Et dans la mesure de ce qu'elle pouvait attendre de moi, la femme du Maître semblait désirer d'être rassurée. Aussi nous attardions-nous sur notre même sujet. Mais, d'un côté, je n'avais pu saisir, en leur origine la plus profonde, les racines de l'affaire; de l'autre, l'inquiétude de la femme du Maître n'avait pour base que quelques doutes, nuages légers qui flottaient sur l'affaire. Quant à la réalité même des faits, la femme du Maître elle-même n'en saisissait que peu de chose; et ce peu de chose, encore lui était-il interdit de me le confier sans réserves. C'est pourquoi, malgré mon désir de rassurer la femme du Maître et son désir d'être rassurée, nous ne faisions que flotter sur des vagues instables : telle instabilité poussait la femme du Maître à se raccrocher des deux mains à mes jugements; mais ces jugements eux-mêmes n'avaient aucun appui.

Vers dix heures, les pas du Maître se firent entendre à la porte. Vite, la femme du Maître, comme si elle avait déjà tout oublié de notre entretien, me plantant là, se dressa et se précipita à la rencontre du Maître, avant même qu'il n'ait eu le temps d'ouvrir la porte à claire-voie. Je me levai pour la suivre. Seule la servante, assoupie sans doute, resta sans se montrer.

Le Maître était plutôt d'humeur gaie. Mais la voix de sa femme sonnait plus gaîment encore. Il n'y avait qu'un instant, ses beaux yeux étaient pleins de larmes, et ses noirs sourcils tout froncés : et moi qui venais de la voir ainsi suivais attentivement cette métamorphose vraiment extraordinaire. Si le fond même de ses confidences n'avait pas comporté de mensonge, et vraiment je ne le croyais pas, une autre supposition me venait à l'esprit. Si par hasard la femme du Maître ne s'était plainte à moi que par simple divertissement sentimental, en me prenant pour partenaire de jeux bien féminins! Mon Dieu, il n'était pas impossible de prendre ainsi la chose! Mais, sur le moment, je ne poussai pas si loin mon analyse. Que l'attitude de la femme du Maître fût devenue d'un coup si brillante me rassurait plutôt : je n'avais nul besoin, pensais-je, d'exagérer le souci que je me faisais à son égard!

Le Maître, cependant :

— Merci pour la peine que vous avez prise! Et le voleur, vous ne l'avez pas vu? me dit-il en riant.

Puis :

— Vous n'êtes pas un peu déçu de ce que le voleur vous ait fait faux bond?

Comme je prenais congé :

— Je suis désolée pour vous... me dit, en me saluant, la femme du Maître.

Mais le ton était ambigu. Était-elle désolée de ce que, pour lui rendre service, j'eusse abandonné mes occupations; ou désolée de ce que le voleur m'eût fait faux bond? Ce me parut plutôt être ce dernier sens, et cela sonnait à mon oreille comme si elle eût voulu plaisanter.

La femme du Maître, ce disant, me remit de la main à la main un petit paquet de gâteaux. Je les mis dans ma poche, et, par cette nuit froide, suivant en leurs détours ces petites ruelles aux rares passants, je hâtai le pas vers les rues animées.

Ce qui s'était passé ce soir-là, je viens de le tirer de ma mémoire pour l'écrire ici minutieusement : car ce récit est essentiel. Mais à dire le vrai, lorsque je m'en étais revenu avec les gâteaux que la femme du Maître m'avait donnés, je n'avais pas le sentiment de l'importance de notre entretien. Simplement, le lendemain, après les cours, comme je rentrais pour déjeuner, je trouvai sur ma table les gâteaux de la veille. Vite, j'en choisis un, au chocolat. Et, tout en le mangeant, je pensais que le couple qui m'en avait fait présent était vraiment en ce monde couple heureux. Cette conviction ajoutait à la saveur du gâteau.

L'automne s'acheva et l'hiver vint, mais sans le moindre événement qui vaille d'être conté. Je profitai de mes visites chez le Maître pour demander à la femme du Maître le service de remettre à neuf mes kimono. Je n'avais jusqu'alors jamais porté de kimono de dessous. C'est de ce moment que je pris l'habitude de porter sur mes sous-vêtements un kimono de dessous au col noir. La femme du Maître n'ayant pas d'enfant, ce travail-là, me disait-elle, lui tenait plutôt lieu de distraction, et même, occupant son activité, servait sa santé :

— C'est tissé à la main, et un kimono à la trame aussi serrée, je n'en avais jusqu'à présent jamais cousu ! C'est très difficile à coudre : l'aiguille ne passe pas, et à deux reprises je l'ai cassée !

Ainsi elle se plaignait à demi : mais sans jamais me faire grise mine.

XXI

Cet hiver-là, je me vis contraint de retourner dans ma province. Mon père était malade depuis longtemps. Et ma mère venait de m'écrire, avec tous les détails, que l'état du malade empirait. Nul danger immédiat : mais l'âge était l'âge, et, autant que possible, je devais m'arranger pour revenir. Il y avait dans sa lettre presque une prière.

Mon père souffrait des reins, et, comme il est fréquent chez les vieillards, sa maladie était devenue chronique. Certes, avec beaucoup de patientes précautions, il n'y avait nulle crainte de subite aggravation : mon père du moins en avait la certitude, lui et tous nos proches. Ainsi, grâce au régime qu'il suivait, mon père, tant bien que mal, avait résisté à la maladie, et s'en vantait même près de ceux qui lui rendaient visite. Mais, me disait ma mère, un jour qu'il était sorti au jardin et s'occupait à je ne sais quoi, un vertige soudain l'avait saisi, et il était tombé en arrière. Sur le moment, la famille avait pris la chose pour une légère attaque, et lui avait donné en hâte les soins d'usage. Plus tard pourtant, le médecin, écartant l'hypothèse d'une attaque, vit là, avec une quasi-certitude, un symptôme rénal. Si bien que les miens avaient admis, entre la syncope et la néphrite un rapport d'effet à cause.

Les vacances du nouvel an n'étaient pas encore là, et je ne vis d'abord nul inconvénient à attendre la fin du trimestre scolaire. Un ou deux jours, je différai de la sorte. Cependant, l'image de mon père couché et du visage inquiet de ma mère me hantaient par moments, et je ne laissais pas de me sentir comme angoissé. Aussi décidai-je de retourner chez moi. Restait la question des frais de voyage. Pour éviter aux miens un dérangement inutile, et gagner du temps, j'allai demander au

Maître, en prenant congé de lui, de me faire, pour un temps, cette avance.

Le Maître se sentait un peu pris de rhume. Préférant ne pas passer au salon, il me fit introduire au bureau. Il eût été difficile, depuis le début de l'hiver, de voir lumière plus aimable et tendre que celle qui, par les fenêtres du bureau, tombait sur le tapis de la table. Dans cette pièce, exposée au plein soleil, le Maître avait fait placer un grand brasero, et, à l'intérieur, sur le trépied, un bassin plein d'eau, dont la vapeur protégeait la gorge de la sécheresse.

— Une vraie maladie, passe encore : mais un rhume, voilà qui est franchement désagréable! dit le Maître avec un sourire ironique, tout en levant les yeux vers moi.

Le Maître n'avait jamais été ce qu'on appelle malade. Et, à l'entendre, j'eus sincèrement envie de rire :

— Moi, c'est le contraire. Un rhume, passe encore : mais une vraie maladie, merci! Je pense que pour le Maître il en doit aller de même : faites l'expérience, et vous verrez!

— Ah, vraiment! Moi, tant qu'à être malade, j'espère bien en mourir!

Je ne fis guère attention aux paroles du Maître. Sans plus attendre, je lui parlai de la lettre de ma mère et lui demandai de m'avancer ce dont j'avais besoin :

— Je comprends votre ennui. S'il ne s'agit que d'une si petite somme, je dois l'avoir à la maison. Prenez-la, je vous prie!

Le Maître appela sa femme et me fit compter l'argent. Elle avait apporté cet argent de la chambre du fond, l'ayant pris dans le tiroir d'une petite commode, et, devant moi, le mit soigneusement sur une feuille de papier blanc :

— Vous devez être bien inquiet! me dit-elle.

— Votre père est-il tombé à plusieurs reprises? demanda le Maître.

— La lettre n'en dit rien : mais peut-on de la sorte tomber si souvent en syncope?

— Oui, certainement!

La belle-mère du Maître avait eu la même maladie que mon père : je l'appris alors.

— En tout cas, c'est un mal qui ne pardonne pas, n'est-il pas vrai ?

— J'en ai bien peur. Si je pouvais prendre la place de votre père, je le ferais volontiers, mais... Au fait, votre père a-t-il des nausées ?

— Je n'en sais rien. Mais ma mère ne m'en parle pas, et je ne le pense pas !

— Oh, s'il n'en est pas encore aux vomissements, le danger n'est pas immédiat ! dit la femme du Maître.

Par le train du soir, je quittais Tôkyô.

At last, something personal about the student

XXII

Mon père n'était pas aussi mal que je l'avais pensé. Tout de même, à mon arrivée, je le trouvai au lit, jambes croisées sur ses couvertures ouatées. Mais :

— Ils sont inquiets : alors, je reste ainsi, me dit-il. Mais je pourrais déjà très bien me lever!

Le lendemain, sans tenir compte de la défense que ma mère lui en faisait, il était debout. Et force fut à ma mère de replier, fût-ce avec mécontentement, les couvertures de grosse soie.

— Depuis que tu es là, me dit-elle, voilà ton père qui reprend de l'assurance!

Je ne pouvais penser, quant à moi, que, par pur amour-propre, mon père alors se forçât autant qu'il le faisait.

Ses fonctions retenaient mon frère au loin, dans le Kyûshû, et, hors le cas d'une issue fatale, il lui était très difficile de s'absenter pour revenir voir ses parents. Ma sœur, mariée, habitait une autre province. Celle-là non plus, il n'était guère possible de l'appeler d'urgence, et il était douteux qu'elle pût même assister le père à ses derniers moments. De nous trois, j'étais le seul, en somme, qui, du fait de ma situation d'étudiant, fût entièrement libre. C'est pourquoi, à la prière de ma mère, abandonnant l'université, j'étais revenu avant la fin du trimestre. C'était là pour mon père sujet de grand contentement.

— Pour un si léger bobo, que tu délaisses tes cours, j'en suis navré! Ta mère a exagéré dans sa lettre, et tu as eu tort de revenir!

Ainsi disait le père. Et pour me convaincre, lui qui jusqu'ici était resté alité, il se levait et tâchait à retrouver, avec son visage ordinaire, son habituelle énergie.

— Père, si tu le prends trop à la légère, tu retomberas malade, et ce sera sérieux!

Lui, acceptait allégrement mon observation, et semblait ne s'en pas soucier :

— Pas de danger, voyons! Je me soignerai comme à l'habitude, et tout sera dit!

De fait, le père faisait assez bonne impression. Il allait et venait librement dans la maison, sans oppressions ni vertiges. Sa mine seule paraissait, à la comparer à celle des gens normaux, toute livide. Mais ce n'était pas là symptôme récent, et nous n'y attachions pas attention spéciale.

J'écrivis au Maître pour le remercier du prêt qu'il m'avait si aimablement consenti. En janvier, lors de mon retour à Tôkyô, je lui rapporterais moi-même l'argent. Jusque-là, je le priais de bien vouloir attendre. J'ajoutais que mon père était en moins grand danger que je ne l'avais supposé, et que j'étais, pour quelque temps, rassuré : il n'avait en effet ni vertiges ni nausées. Enfin, je demandais au Maître des nouvelles de son rhume. Mais à la vérité, ce rhume me paraissait chose négligeable au fond.

Je n'espérais à cette lettre aucune réponse du Maître. Quand je l'eus mise à la poste, je parlai du Maître à mes parents. Et, ce faisant, je voyais en imagination le bureau que je connaissais bien.

— Quand tu t'en retourneras à Tôkyô, il faudra porter au Maître des champignons séchés!

— Au Maître, des champignons séchés? Mais le Maître les aimera-t-il?

— Ce n'est pas un régal : mais enfin, personne ne les déteste!

A moi, cette association du Maître et des champignons séchés me paraissait tout à fait drôle!

Lorsque me parvint la réponse du Maître, je ne fus pas sans être étonné. Mais je devais l'être bien davantage en m'apercevant qu'il n'avait de m'écrire aucune raison particulière. C'était donc, pensai-je, par seule amitié qu'il m'avait répondu. Et à constater cela, cette simple lettre me fit une grande joie. Au reste c'était, sans erreur possible, la première vraie lettre que j'eusse encore reçue du Maître.

Quand je dis la première vraie lettre, on pourrait croire qu'entre le Maître et moi une nombreuse correspondance ait été échangée. Mais, qu'il me soit permis de le préciser en passant, la vérité est tout autre. Du vivant du Maître, je n'ai reçu de lui que deux vraies lettres. La première est la simple réponse dont je viens de parler. La dernière, le Maître, avant sa mort, l'écrivit pour moi seul, et ce fut une bien longue lettre...

Mon père, de par la nature de sa maladie, ne pouvait prendre, pour ainsi dire, aucun exercice. Il n'était plus tenu de garder le lit : mais il ne sortait presque pas.

Une fois pourtant, par un très calme après-midi, il descendit au jardin. Ce jour-là, comme je craignais pour lui, je restai près de lui, collé presque à son côté. Inquiet, j'essayais de passer son bras à mon cou. Mais mon père riait, et se refusait à s'appuyer sur moi.

XXIII

Mon père s'ennuyait souvent. Alors, je me mettais avec lui à la table d'échecs. Tous deux de nature assez indolente, nous nous chauffions sous la couverture, au foyer enclavé dans le plancher, et posions la table d'échecs sur le tabouret qui recouvrait le foyer. Pour avancer les pièces, nous sortions chaque fois la main de dessous la couverture. Il arrivait même qu'ayant égaré un pion, nous ne nous en apercevions pas avant la partie suivante. Ma mère le retrouvait dans les cendres du foyer et le retirait avec les baguettes. Telle était la petite comédie de notre jeu quotidien.

— Le jeu de *go*, vois-tu, disait mon père, c'est mal commode : la table de jeu est déjà haute, et avec les pieds qui s'y ajoutent, comment veux-tu la poser sur le tabouret du foyer! Au contraire, comme la table d'échecs est pratique, et comme on y peut jouer à l'aise! Pour les paresseux que nous sommes, il n'y a rien de mieux. Allons, encore une partie!

Quand mon père gagnait, il avait envie de rejouer. Mais aussi bien quand il perdait voulait-il rejouer. Bref, gagnant ou perdant, il ne pensait qu'à engager une nouvelle partie, à la chaleur du foyer. Au début, je trouvais à ce divertissement de vieillard oisif le charme de la nouveauté et j'y prenais quelque intérêt. Mais, les jours passant, ma jeunesse, ma vigueur réclamaient leurs droits, et un aussi pauvre excitant me laissait bien mal satisfait. Un *fou*, ou une *tour* à la main, j'étirais les bras de chaque côté de ma tête, et, par moments, bâillais sans vergogne.

Je me mis à rêver de Tôkyô. Le sang qui m'affluait au cœur semblait résonner en moi comme un écho : « Mais bouge donc, bouge donc! » disait-il sans cesse à chaque battement. Et à chaque heurt de chaque battement, je le sentais, dans le plus ténu des états d'âme, comme renforcé de la force de caractère même que j'admirais chez le Maître.

J'établissais au fond de moi une comparaison entre mon père et le Maître. De tous les deux, socialement parlant, on n'eût su dire s'ils étaient êtres vivants ou êtres morts, tant ils étaient effacés. Jaugés à la mesure de l'appréciation publique, ils étaient, l'un et l'autre, de parfaits zéros. En cela ils se ressemblaient. Et pourtant, j'établissais entre eux une différence foncière. Mon père, joueur d'échecs invétéré, n'arrivait pas, fût-ce comme simple partenaire de jeu, à me donner complète satisfaction. Le Maître, lui, je ne me souvenais pas de l'avoir jamais fréquenté aux fins d'amusement. Cependant, plus forte que les liens qui naissent d'un amusement pris en commun, il m'était venu de lui, sans qu'il me fût possible d'en préciser le moment, une forte emprise spirituelle. Et quand je dis emprise spirituelle, je parle à mon gré trop froidement. C'est emprise vivante que je voudrais dire. Que dans ma chair la puissance du Maître avait pénétré, que dans mon sang la vie même du Maître coulait ne m'eussent pas semblé le moins du monde expressions exagérées. Or mon père était mon père par le sang, tandis que le Maître, la chose va sans dire, n'avait avec moi nul semblable lien. Telle fut la vérité qui m'apparut, et, à la détailler attentivement, j'eus l'impression d'avoir, pour la première fois, découvert une vraie grande vérité. J'en fus comme surpris.

Dans le même temps que je commençai à m'ennuyer, il advint aussi qu'aux yeux de mes parents, moi qui, bénéficiant d'une longue absence, avais joui en arrivant de la considération accordée à ceux qu'on voit rarement, je ne fus plus qu'un être quotidien. Tous ceux qui, aux vacances d'été, ont l'habitude de retourner dans leur province ont eu, j'imagine, semblable et unanime expérience. Pendant quelques jours, on ne les traite qu'avec les plus grands égards. Cette étape traditionnellement franchie, on voit, petit à petit, tomber l'excitation empressée des proches. Finalement, on n'est plus que quantité négligeable et traitée fort à la légère. En ce séjour chez les miens, j'avais, moi aussi, vu la fin de la belle étape. Et puis, il y avait encore un autre ordre de difficultés. Chaque fois que je revenais de Tôkyô, je rapportais pour ainsi dire sur moi un je ne sais quoi attaché à ma personne, et qui paraissait à mon père et à ma mère incompréhensible et bizarre. Dans le langage du bon vieux temps, on eût dit que c'était là rapporter dans une famille de confucianistes une odeur de chrétienté. Ce quelque chose que j'apportais n'agréait, en tout cas, ni à mon père ni à ma mère. Sans doute, je m'efforçais de le dissimuler. Mais ce je ne sais quoi était bien établi en moi, et, quels que fussent mes efforts, les yeux de mes parents le décelaient aussitôt. Non, je ne trouvais plus près des miens le moindre agrément. Et je n'avais qu'une envie, c'était de retourner sans retard à Tôkyô.

Par bonheur, la maladie de mon père restait stationnaire, et ne paraissait en rien devoir s'engager dans la mauvaise direction. Pour nous rassurer mieux encore, nous fîmes venir de loin un médecin connu. Sa minutieuse consultation ne fit que confirmer ce que nous savions déjà : nul symptôme d'aggravation. Aussi décidai-je de repartir un peu avant la fin des vacances du nouvel an.

La date de mon départ une fois fixée — le cœur humain est chose complexe! — mon père et ma mère essayèrent de la faire remettre :

— Tu t'en retournes déjà! disait la mère.

— Reste quatre ou cinq jours encore : ce n'est pas ce qui t'empêchera d'être à temps là-bas! disait mon père.

Mais je partis au jour fixé.

At last a personal element with which the (European) reader can identify. More description + analysis of feelings. The ice has cracked.

XXIV

Quand j'arrivai à Tôkyô, les décorations du nouvel an étaient enlevées déjà. Les rues sans passants s'ouvraient à la bise, et, de quelque côté qu'on portât les yeux, on ne voyait guère trace de cette animation que l'esprit associe volontiers aux fêtes de la nouvelle année.

Je me rendis aussitôt chez le Maître pour rendre l'argent reçu en prêt. J'apportais en même temps mes champignons séchés. Mais, de peur que, si je me contentais de les offrir sans commentaire, je n'eusse l'air de leur attacher du prix :

— Voici ce que ma mère m'a chargé de vous apporter ! dis-je en insistant à dessein.

Les champignons étaient dans une boîte de bois blanc, neuve, et de celles ordinairement réservées aux gâteaux. La femme du Maître eut pour moi un gentil merci, et, recevant la boîte, se disposait à la porter dans la chambre voisine. Fut-ce la légèreté de la boîte qui la surprit, je ne sais. Mais :

— Quels gâteaux sont ceux-ci ? fit-elle.

Ainsi, lorsqu'on était entré dans sa familiarité, la femme du Maître montrait parfois une âme naïve et enfantine.

Le Maître et sa femme, inquiets de la maladie de mon père, me posèrent cent questions.

— Si j'en juge sur les nouvelles que vous me donnez, me dit notamment le Maître, je ne pense pas qu'il y ait danger immédiat. Mais le mal est le mal, et de grandes précautions s'imposent !

Sur les maladies du rein, le Maître en savait plus long que moi. Il poursuivit :

— On est malade sans s'en rendre compte ni souffrir, dans cette maladie-là. C'est très particulier. Ainsi, j'ai connu un officier que le même mal emporta. Eh bien, il mourut comme dans un rêve. Sa femme, couchée à son côté, n'eut pour ainsi dire pas le temps de le soigner. Dans la nuit, il l'appela et se plaignit un peu. Le lendemain matin, il était mort. Il avait même déjà passé, que sa femme encore ne le croyait qu'endormi!

J'étais jusque-là enclin à l'optimisme. Mais, du coup, je fus inquiet :

— Pour mon père aussi, il en ira peut-être de manière aussi subite : du moins ce n'est pas impossible, n'est-ce pas?

— Que disent les médecins?

— Que, d'une part, il est perdu, sans espoir possible; mais que, de l'autre, pour quelque temps encore, il n'est pas en danger de mort.

— Vous pouvez donc être sans inquiétude immédiate, puisque les médecins pensent ainsi. Le cas dont je viens de parler est différent. Non seulement le malade ne s'était jamais aperçu de rien, mais il s'agissait d'un soldat, et qui faisait des excès.

Je fus un peu rassuré, et le Maître, qui m'observait attentivement, dut le voir sur mon visage. Alors, il ajouta :

— Mais, voyez-vous, bien ou mal portant, l'être humain est chose fragile. Quand, et de quoi, et comment il doit mourir, qui le pourrait savoir!

— Le Maître aussi pense à ces choses-là?

— Oui : si bien portant que je sois, je ne suis pas sans y songer!

Au coin des lèvres du Maître, il y avait l'ombre d'un sourire.

— Voyez-vous, reprit le Maître, souvent on meurt subitement, comme si l'on tombait : mort subite naturelle. Parfois aussi, on meurt tout aussi subitement et comme dans un éclair, mais de mort causée par une force brutale non naturelle...

— Qu'entendez-vous par force brutale non naturelle?

— Mon Dieu, le sens profond n'en est pas très clair à mes yeux non plus. Mais, par exemple, ceux qui se suicident, n'emploient-ils pas tous une force brutale non naturelle?

— En ce cas, ceux qui sont tués, meurent aussi de force brutale non naturelle ?

— Je n'y avais pas pensé. Mais c'est juste.

Sur ces paroles, je laissai le Maître et m'en retournai. Une fois de retour à la pension, je ne me fis pas tel souci de la maladie de mon père. Non plus que des paroles du Maître distinguant entre la mort naturelle et la mort due à une force brutale non naturelle. Sur le moment, cela m'avait peu frappé. Et mon esprit n'en gardait aucun trouble. J'avais, du reste, une autre préoccupation : celle de mon mémoire de fin de licence. Maintes fois j'avais voulu m'y mettre, et j'avais chaque fois différé. J'en vins à me dire que je devais pour tout de bon en commencer la rédaction.

First open discussion of death + suicide

XXV

En juin de cette année-là, j'en devais avoir fini avec ma licence et mes études. A tout prix il me fallait, aux termes du règlement, achever mon mémoire avant la fin avril. En comptant, cela ne me donnait que trois mois. Et je me demandais si j'aurais assez de courage. Mes camarades avaient depuis longtemps déjà commencé de recueillir des matériaux, d'accumuler des notes : et, jusque dans leur attitude extérieure, tous paraissaient très absorbés. Moi seul n'avais encore rien entrepris. Simplement, je m'étais dit que, la nouvelle année venue, je mettrais les bouchées doubles. J'en pris mon parti et me mis à l'ouvrage. Mais, tout de suite, je me trouvai enlisé. Jusque-là, je m'étais contenté d'ébaucher dans le vide la structure de mon mémoire, et, en imagination, je le voyais à peu près terminé. Au pied du mur, hélas, je me prenais la tête à deux mains et l'angoisse commençait de me saisir. Alors, je me mis à limiter mon sujet. Et, pour m'éviter la peine de pétrir et d'ordonner des pensées personnelles, je décidai de me borner à compiler des matériaux pris dans les livres, à charge d'y ajouter une conclusion convenable.

Le sujet que j'avais pris touchait de très près aux études où le Maître était spécialisé, et, au moment de le choisir, j'avais consulté le Maître :

— Cela peut aller! m'avait-il dit.

Aussi, embarrassé pour commencer ma rédaction, j'allai aussitôt demander au Maître de m'indiquer la bibliographie indispensable. Le Maître m'ouvrit tout son savoir, et promit de me prêter deux ou trois livres utiles. Mais quant à la rédaction même du mémoire, il se refusa à prendre la responsabilité de m'y guider.

— Depuis quelque temps, me dit-il, je lis fort peu,

et je ne suis plus bien au courant. Il sera mieux, je crois, de vous adresser à vos maîtres!

Il avait été un temps où le Maître lisait beaucoup. Mais, sans qu'on sût bien pourquoi, l'intérêt qu'il portait aux livres s'était relâché. Sa femme elle-même me l'avait dit il n'y avait que peu de jours, il m'en souvint alors par hasard. Je laissai de côté la question du mémoire, et, brusquement :

— Pourquoi, demandai-je, le Maître ne porte-t-il plus à la lecture le même intérêt qu'autrefois?

— Mais il n'y a à cela nulle raison... Le savoir d'un homme ne se mesure pas exactement au nombre de livres qu'il a lus, et peut-être cette pensée me retient. Et puis...

— Et puis?

— Et puis... ce n'est pas une raison qui vaille grand-chose... mais enfin, autrefois, quand, en société, on me posait une question à laquelle je ne pouvais répondre, je me sentais honteux et gêné. Aujourd'hui j'en viens à ne pas attacher si grand-honte à l'ignorance. Et c'est pourquoi, sans doute, je n'ai pas le courage de m'astreindre à lire. Bref, je me fais vieux!

Le ton du Maître était plutôt calme. Il n'y avait là nulle amertume qu'on eût cachée en tournant le dos au monde, et je ne ressentis nulle impression particulière. Je m'en retournai, jugeant, ce jour-là, qu'après tout le Maître n'était ni si vieux ni si grand homme.

Ce fut de ce jour que la hantise de mon mémoire me rendit comme fou. Je peinais si durement que j'en avais les yeux injectés de sang. Je consultais mes camarades, diplômés de l'année précédente, et leur demandais sur tous sujets les conseils de leur expérience :

— Moi, disait l'un, j'ai porté mon mémoire au secrétariat juste le dernier jour, en pousse : et je suis arrivé à cinq heures du soir tapantes, à la limite!

— Moi, disait l'autre, c'est à cinq heures quinze que j'ai remis mon mémoire. Et je l'ai échappé belle. N'eût été la bienveillance du professeur titulaire, qui n'obtint qu'à grand-peine qu'on acceptât mon travail...

L'inquiétude me venait, mais aussi le courage. Tous les jours, devant ma table, je travaillais tant que j'avais de forces. Ou bien, dans l'ombre de la bibliothèque, je scrutais les hauts rayons : comme le collectionneur les curiosités, je fouillais des yeux les titres dorés des reliures.

Les pruniers étaient en fleurs; le vent froid tournait peu à peu au vent du sud, et, quelques semaines passant, me vinrent aux oreilles les premières nouvelles de la floraison des cerisiers. N'importe : tel un cheval de fiacre, je gardais les yeux fixés droit devant moi, la pensée du mémoire me fouettant. La fin avril approchait. Mais, tant que je n'en aurais pas eu fini avec cette rédaction, je m'étais interdit de repasser le seuil du Maître.

XXVI

Lorsqu'enfin je me trouvai libre, les cerisiers doubles avaient laissé tomber leurs derniers pétales, et, insensiblement, avaient poussé ces premières feuilles vertes qu'on eût dit enveloppées de brouillard. Le premier été était déjà là. Je me sentais l'âme d'un oiselet échappé de sa cage, et, asservissant d'un regard tout le vaste univers, battais librement des ailes. Je me rendis aussitôt chez le Maître. Sur les branches noirâtres des haies de citronniers, les jeunes pousses sortaient, flambant neuf, tout comme, aux troncs morts des grenadiers, la brillante rougeur des feuilles, reflétant tendrement la lumière du soleil, me fascinait en chemin. Et pareil spectacle me semblait aussi rare et précieux que s'il m'eût été offert pour la première fois de ma vie.

Le Maître vit cette joie sur mon visage :

— Eh bien, vous voilà enfin débarrassé de votre mémoire : je vous félicite! me dit-il.

— Oui, grâce à vous, j'en ai terminé. A présent, fini le travail!

De fait, de ce moment-là, j'en étais quitte avec mes obligations. Et comme si j'eusse eu droit dès lors à une fierté oisive, je me sentais le cœur tout joyeux. Quant au mémoire que je venais d'achever, il me laissait plein de confiance et de satisfaction, et je ne cessais d'en vanter le contenu au Maître. Mais le Maître, sur son même ton de toujours :

— En effet! ou bien : Tiens! se contentait-il d'acquiescer, sans d'ailleurs exprimer la moindre critique.

Cette indifférence me laissait plus qu'insatisfait : un peu déçu. D'autant que, ce jour-là, je me sentais l'esprit si aiguisé que, cette indécision du Maître, j'avais désir de la contrarier. Et, dans la grande nature au vert renouveau, j'essayais d'entraîner le Maître au dehors.

— Maître, allons nous promener : il fait si bon dehors!

— Où voulez-vous aller?

Le but n'avait pour moi nulle importance : je ne voulais que sortir en compagnie du Maître. Peu après, satisfaisant notre envie, le Maître et moi étions déjà loin de la ville. Était-ce encore la ville, était-ce déjà la campagne, la distinction, au vrai, eût été malaisée : mais toujours est-il que nous nous trouvions marcher sans but dans un endroit tranquille. D'une haie d'épines noires, je cueillis une jeune et tendre feuille sur laquelle je me mis à siffler. Un ami de Kagoshima m'avait appris à me servir tout naturellement des feuilles comme d'un sifflet, et j'étais arrivé à siffler ainsi avec beaucoup d'adresse. Tout fièrement, j'allais sifflant. Mais le Maître, avec l'air de ne s'apercevoir de rien, regardait ailleurs et continuait sa marche.

Après un temps, nous arrivâmes devant une petite éminence, comme ensevelie sous la luxuriante verdure du feuillage en renouveau. Il y avait là une maisonnette, et, plus bas, un étroit sentier. La planchette clouée au pilier de l'entrée portait : *Parc de Culture...*, et je ne sais quel qualificatif. Et il était clair que ce n'était pas là une maison d'habitation. Le Maître leva les yeux sur le portail qui commandait l'étroit sentier en pente douce :

— Entrons-nous? fit-il.

— Bien sûr : c'est un parc de culture, et il est permis d'admirer!

A travers la plantation, nous suivîmes les détours du sentier montant. La maisonnette était à main gauche, et les cloisons ouvertes en laissaient voir l'intérieur : vide sans l'ombre d'un être vivant. Seuls, dans un grand bassin contigu à la maisonnette, tournaient des poissons rouges.

— Quel calme! fit le Maître. Nous sommes entrés sans permission, mais, bah, cela n'est pas grave!

— Sûrement non! approuvai-je.

Nous marchâmes du même pas vers le fond du parc. Là non plus, nulle trace d'être vivant. Mais les azalées y poussaient leurs fleurs de flamme. Le Maître me montra, parmi les touffes, une espèce brune et élancée :

— Tenez, voilà les azalées qu'on appelle *Kirishima!* me dit-il.

Il y avait aussi là, sur une quarantaine de mètres carrés, une plantation de pivoines des champs. Mais leur saison à elles n'était pas encore venue, et nulle d'entre elles ne portait de fleur. Non loin de là, un large banc. Le Maître s'y coucha, les bras étendus. Moi, je m'assis au bout resté libre, et me mis à fumer. Le Maître fixait le ciel, si bleu qu'il en paraissait transparent. Moi, dans le fouillis des feuilles nouvelles, je me laissais fasciner par leurs teintes. A regarder attentivement ces feuilles une à une, aucune d'elles n'avait le même coloris. Il n'était jusqu'aux érables de même espèce dont les branches n'offrissent pousses de couleurs toutes variées.

XXVII

Accroché à un frêle plant de cryptomère, le chapeau du Maître venait de tomber au souffle de la brise. Je le ramassai aussitôt. Il était, par endroit, sali de terre rouge, que je fis sauter du bout des ongles :

— Maître, appelai-je, votre chapeau était tombé!

— Merci bien!

Le Maître se souleva à demi pour prendre son chapeau. Et c'est dans cette posture mal définie, moitié levé, moitié couché, qu'il me posa la bizarre question que voici :

— Ma question va vous surprendre, mais... votre famille a-t-elle de la fortune?

— Pas assez, en tout cas, pour qu'on puisse dire qu'elle en a!

— Pardonnez-moi cette insistance : à peu près, que possédez-vous?

— Ma foi, je ne saurais guère le dire. Nous avons quelques bois, quelques champs. Quant à de l'argent liquide, nous n'en avons pas, que je sache.

Que le Maître me posât sur la situation de ma famille une vraie question, c'était bien la première fois. De mon côté, je ne m'étais encore permis sur sa situation à lui aucune interrogation. Certes, aux premiers temps de notre amitié, je me demandais souvent comment le Maître pouvait ainsi vivre sans rien faire, et jamais depuis ce problème n'avait quitté ma pensée. Mais de poser crûment une telle question au Maître m'eût paru inconvenant, et je m'en étais toujours gardé. Et soudain voici que, moi qui distraitement reposais au coloris des feuilles mes yeux que les veilles avaient fatigués, je me reprenais, malgré moi, à me poser tout haut la même question :

— Et le Maître, que possède-t-il?

— Moi? Ai-je l'air d'un homme riche?

Le Maître était, d'ordinaire, plutôt sobrement vêtu. Sa maison était peu nombreuse, son habitation modeste. Mais son train de vie était large, pour autant que j'en pouvais voir, ignorant que j'étais des dessous de son ménage. Bref, si le train de vie du Maître n'était pas ce qu'on peut appeler luxueux, il n'était du moins ni par trop serré, ni par trop mesquinement réduit :

— Si le Maître a l'air d'un homme riche? Mon Dieu, il me paraît bien!

— Oui, naturellement, j'ai un peu d'argent. Mais de là à être riche!... Si j'étais riche, croyez bien que je me construirais une autre habitation!

Le Maître s'était levé, et, accroupi sur le banc, se mettait à dessiner sur le sol une sorte de rond avec la pointe de sa canne de bambou. Puis, plantant tout droit sa canne dans la terre :

— Pourtant, tel que vous me voyez, j'ai été vraiment riche!

Le Maître monologuait à demi. Ce qui m'empêcha de lui répondre, et, le fil rompu, me fit garder le silence.

— Oui, tel que je suis, voyez-vous, j'ai été vraiment riche! reprit le Maître, avec un sourire dans son regard.

Cette fois non plus, je ne répondis pas : une réplique trop précise eût été, je le craignais, impolie. Le Maître alors fit dévier la conversation :

— Et votre père, comment va-t-il?

De la maladie de mon père, je ne savais rien de nouveau depuis janvier. Chaque mois, j'avais bien reçu de chez moi un mandat et une lettre. Mais les lettres étaient, comme toujours, de l'écriture de mon père, et il ne s'y plaignait pour ainsi dire jamais. Mieux, l'écriture était très ferme. Cette maladie-là, qui donne d'habitude une sorte de tremblement nerveux, ne troublait en rien l'écriture de mon père.

— On ne me parle pas de sa maladie, répondis-je : cela doit aller mieux!

— S'il y a du mieux, j'en suis heureux : mais le mal est le mal!

— Mon père est-il donc irrémédiablement perdu? En tout cas, il y a eu chez lui, ces derniers temps, une accalmie. Je le pense du moins : il ne me dit rien de nouveau!

— Ah!

Que le Maître me questionnât sur la situation de fortune des miens, puis sur la maladie de mon père ne me paraissait rien plus qu'une conversation ordinaire : une de ces ordinaires conversations qui viennent naturellement de l'esprit aux lèvres. Et c'est comme telle que je l'écoutai à ce moment-là. Pourtant, dans leur fond, ces deux questions étaient volontairement liées, et elles avaient leur sens plein. Simplement, je n'avais pas du Maître l'expérience qu'il eût fallu pour comprendre sa pensée profonde.

XXVIII

— Si votre famille a des biens, il faut obtenir de votre père qu'il mette dès à présent ses affaires en ordre. Pensez, si bon vous semble, que je me mêle de ce qui ne me regarde pas : mais tandis que votre père est encore alerte, faites-lui fixer clairement ce qui vous revient à vous, croyez-moi! C'est toujours la même chose après un décès : rien ne cause plus d'ennuis que les questions d'argent!

— Oui, sans doute...

A vrai dire, je ne prêtais guère d'attention aux paroles du Maître. Dans ma famille, personne n'avait pareilles préoccupations : ni moi, ni mon père, ni ma mère, ni nul autre. Je le croyais du moins. Et puis, les paroles du Maître me semblaient, de sa part à lui, si exagérément pratiques que j'en restais comme surpris. Cependant, ici encore, le respect que j'avais l'habitude de porter à mes aînés me rendait sobre de paroles.

— A envisager dès maintenant comme fatale la mort de votre père, je vous heurte sans doute, poursuivit le Maître : pardonnez-moi. L'homme est chose mortelle; et il n'est être si robuste dont on sache quand il mourra!

Le ton du Maître avait une rare amertume.

— Non, je ne pensais nullement à vous faire ce grief! protestai-je.

— Combien êtes-vous de frères et sœurs? poursuivit le Maître.

Puis il me questionna sur les gens de ma famille, sur mes parents éloignés, me demandant des détails sur mes oncles et tantes. Enfin :

— Sont-ils tous de braves gens?

— Mon Dieu, nul d'entre eux n'est ce qu'on appelle

vraiment mauvais, je pense : ce sont tous des gens de la campagne...

— Et pourquoi d'habiter la campagne empêcherait-il qui que ce fût d'être mauvais ?

Cette attaque directe me mettait mal à l'aise. Mais le Maître ne me laissa pas le temps de préparer une réponse :

— Les gens de la campagne, à mon sens, sont quasi plus mauvais que ceux de la ville. Vous venez de dire, au reste, que nul de vos parents n'était vraiment mauvais : mais pouvez-vous donc penser qu'il existe par le monde une race spéciale de gens mauvais ? Voyez-vous, de mauvaises gens qui sortiraient tout coulés d'un même moule, cela n'existe pas. La plupart du temps, il n'existe que de braves gens, ou, du moins, des gens comme tout le monde. Mais à un moment donné, tout d'un coup, ces gens ordinaires se muent en mauvaises gens : c'est cela qui est terrible ; et c'est pour cela qu'il faut, sans relâche, faire bonne garde !

Le Maître ne semblait pas disposé à arrêter là son explication : j'essayai cependant de lui répondre. Mais juste à ce moment, de derrière, un chien se mit à aboyer : étonnés, le Maître et moi nous retournâmes.

Sur les côtés du banc où nous étions installés, il y avait des plants de cryptomères, et derrière, sur une dizaine de mètres carrés de largeur, comme pour cacher la terre, des bambous nains poussaient touffus. Dressant hors des bambous sa tête et son échine, le chien aboyait furieusement. C'est alors qu'un garçon d'une dizaine d'années, une casquette noire d'écolier enfoncée sur la tête, se planta devant le Maître, et, saluant :

— Monsieur, quand vous êtes entrés, n'y avait-il donc personne dans la maison ? demanda-t-il.

— Non, personne !

— Mais ma sœur aînée, avec ma mère, étaient pourtant dans la cuisine !

— Tiens, vraiment !

— Oui. Vous auriez mieux fait de leur dire quand même un petit bonjour, et d'entrer !

Le Maître eut un sourire contraint. Il sortit de son

porte-monnaie une pièce de cinq sen et la mit dans la main de l'enfant :

— Sois gentil, et prie ta mère de nous laisser un peu nous reposer ici!

Ses yeux futés pleins de rire, l'enfant acquiesça.

— A présent, je me sauve : je suis chef de patrouille!

L'enfant, ce disant, descendit la pente à travers les azalées. Portant haut sa queue en trompette, le chien le suivit. Puis aussitôt deux ou trois gosses, du même âge que leur chef, dévalèrent devant nous dans la même direction.

XXIX

Les paroles que l'incident du chien et des enfants venait d'interrompre, je n'en pouvais saisir le sens profond. Ces préoccupations que le Maître entretenait quant à l'argent, je ne les partageais en rien : tant du fait de ma nature que de celui des circonstances, je ne voyais alors aucune raison de me farcir la tête de ces soucis matériels. A présent, quand j'y réfléchis, ce désintéressement s'explique sans peine : d'une part, je n'avais du monde aucune expérience; de l'autre, jamais les questions d'intérêt ne s'étaient jusqu'alors posées pour moi. Quoi qu'il en soit, le fait est que tout ce qui touchait à l'argent prenait alors pour moi l'aspect d'un problème fort lointain.

Il n'était guère dans les paroles du Maître qu'un seul point que j'eusse désiré d'approfondir : celui-ci que, *l'occasion se présentant, il n'est d'homme qui ne puisse devenir mauvais*. Ces mots en tant que mots, je n'étais pas sans les comprendre : mais j'aurais aimé, là-dessus, d'en savoir davantage.

Quand chien et enfants eurent disparu, le vaste jardin aux mille feuilles nouvelles retomba dans le calme, et nous restâmes, le Maître et moi, comme enfermés dans le silence, immobiles. Le ciel, jusque-là si vif, se mit à perdre peu à peu sa lumière. Et les arbres qui s'offraient à nos yeux, des érables pour la plupart, changeaient d'aspect eux aussi : à toutes les branches, les tendres feuilles vertes, naguère semblables à des gouttes d'eau sur le point de tomber, par degrés se faisaient plus sombres. Au loin, sur les chemins, on entendait le gémissement des voitures à bras, et je voyais en pensée les gens des hameaux s'en aller, tout chargés, vendre leurs plantes aux assemblées du soir. Ces bruits parvinrent au Maître. Brusquement, comme s'il reprenait haleine au sortir d'une longue méditation, il se dressa :

— Allons, retournons-nous-en tout doucement! Les jours se sont sensiblement allongés, mais tout de même, à paresser ainsi, on voit vite venir le soir!

Le Maître était resté longtemps couché sur le dos, et son manteau était plein de marques. Des deux mains je les effaçai :

— Merci! Pas de traces de résine?

— Non, plus rien!

— C'est un manteau tout neuf : si je le salissais trop, je me ferais, au retour, attraper par ma femme! Encore merci!

Nous repassâmes devant la maisonnette de la mi-pente. Quand nous étions entrés, il paraissait n'y avoir personne. Mais maintenant, une femme y enroulait du fil sur une palette, aidée par une gamine de seize ou dix-sept ans. Quand nous fûmes près du bassin aux poissons rouges, nous saluâmes :

— Pardon du dérangement!

— Pas le moins du monde, répondirent les deux femmes en nous rendant la politesse : désolées de n'avoir rien pu faire pour vous!

Puis elles remercièrent de la piécette donnée à l'enfant.

La porte passée, nous fîmes quelques centaines de pas. Alors, je m'adressai au Maître :

— Tout à l'heure le Maître disait qu'il n'est d'homme qui ne puisse, à un moment donné, devenir mauvais. Quel est le sens de ces paroles?

— Le sens? Mais il n'y a là nul sens caché : c'est un fait, non un raisonnement!

— Que ce soit un fait, là n'est pas la question : ce que je voudrais savoir, c'est ce que vous entendez par *à un moment donné*. Ce sont ces mots dont je voudrais l'explication. De quel moment s'agit-il au juste?

Le Maître se prit à rire : comme s'il eût voulu manifester par là que, le fil rompu, il n'avait à présent nul enthousiasme à s'expliquer :

— L'occasion? Mais c'est l'argent, vous m'entendez! Devant l'argent, il n'est de gentilhomme qui ne se fasse vilain!

La réponse du Maître me semblait banale, et ne me satisfit guère. Et comme le Maître avait perdu son enthousiasme, de même, de mon côté, je restai comme déçu. L'air indifférent, je pressai le pas, laissant le Maître un peu en arrière :

— Hé! Hé! m'appelait-il. Vous voyez bien!

— Quoi?

— Vous voyez bien que, vous aussi, vos sentiments sont chose changeante, et dépendent des réponses que je vous fais!

Je m'étais retourné pour attendre le Maître, et le Maître me dit cela en me regardant dans les yeux.

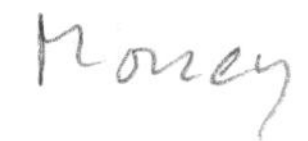

XXX

A ce moment, au fond de moi, je trouvais le Maître assez peu sympathique. Au point que, marchant épaule contre épaule, je m'abstins de poser les questions que je désirais poser. Le Maître perçait-il ou non mes pensées, je ne sais : mais il n'avait pas l'air d'attacher à mon attitude la moindre importance. Selon son habitude de toujours, il allait silencieusement, de son même pas calme, l'air indifférent. Ce qui ajoutait à mon mécontentement. Si bien que l'envie m'était venue soudain d'essayer de lancer une pointe qui pût, pour une fois, le piquer.

— Maître?

— Quoi?

— Tout à l'heure, le Maître s'est quelque peu emporté, n'est-il pas vrai, quand nous nous reposions dans le parc de culture. Jusqu'ici, je n'avais que fort rarement vu le Maître s'emporter : aujourd'hui, il me semble qu'il m'a laissé voir un très rare spectacle!

Le Maître ne répondit pas.

— Le coup a porté! pensai-je.

Mais aussitôt, j'eus au contraire l'impression d'avoir manqué le but. Et il m'apparut tout à fait inutile de continuer sur le même ton. Le Maître cependant s'écarta soudain sur le côté du chemin, et là, contre une haie artistement taillée, relevant le bas de son kimono, satisfit un léger besoin. L'esprit distrait, je restai à l'attendre.

— Pardon!

Ce disant, le Maître se remit à marcher. En fin de compte, j'abandonnai à son égard toute idée d'attaque. La route que nous suivions s'était faite, peu à peu, animée. Là où, jusqu'alors, on ne voyait que, çà et là, les paliers et les plans inclinés des champs, voici que, des deux côtés, ces champs disparaissaient aux yeux derrière l'alignement régulier des maisons. Simplement, par endroits, sur les terrains d'habitation, on voyait les pois accrocher leurs vrilles à des tuteurs de bambou, ou bien, derrière des clôtures de grillage, des poules enfermées : et cela donnait encore comme une impression de calme. Revenant de la ville, des chevaux de charge nous croisaient sans cesse. Et j'avais l'esprit si attentif à toutes ces choses que les questions que j'avais tout à l'heure sur la langue se trouvaient maintenant reléguées je ne sais où. Mais comme je venais juste de les oublier, le Maître soudain m'interpella :

— Je vous ai donné l'impression d'un tel emportement ?

— Pas à ce point, mais enfin...

— Bah, même ainsi, tant pis ! C'est vrai que je m'emporte ! Oui, pour peu que je parle d'argent, cela m'arrive à chaque fois ! Je ne sais l'impression que je vous donne, mais, tel que me voilà, je suis homme très rancunier. Quand j'ai, du fait d'autrui, éprouvé offenses et dommages, dix ans, vingt ans passeraient sans que je l'oublie : que voulez-vous, je suis fait ainsi !

Plus encore qu'avant, les paroles du Maître s'exaltaient. Mais ce dont je fus surpris, c'est moins du ton dont ces paroles furent dites que de leur sens même. De la bouche du Maître, et si peu psychologue que je fusse, j'étais loin de m'attendre à pareille confidence. Que le Maître pût avoir par nature une telle force d'acharnement, je ne me l'étais jusqu'alors jamais imaginé. Je croyais le Maître beaucoup plus faible. Et c'est l'élévation de pensée attachée à cette faiblesse même qui avait suscité mon affection. Que je me fusse ainsi trompé, que, par caprice momentané, j'eusse pu essayer d'entrer en lutte avec le Maître, me fit, à ces paroles du Maître, mesurer ma propre petitesse. Mais le Maître poursuivait :

— J'ai été dupé par autrui : mieux, c'est par des proches que j'ai été dupé. Et cela, je ne pourrai jamais l'oublier. Du vivant de mon père, ils avaient l'air de parfaites gens : mon père disparu, ils se sont révélés de véritables monstres moraux, indignes de pardon. C'est de leur fait que j'ai éprouvé ces offenses et ces dommages. Tel est le fardeau dont je porte le poids depuis mon enfance, et dont, sans doute, je porterai le poids jusqu'à ma mort : car, tant que je vivrai, je n'en oublierai rien. Cependant, je n'ai rien fait encore pour me venger. Je m'abstiens. Au reste, je réalise à présent beaucoup mieux que des vengeances personnelles. Oui, je fais mieux que de les haïr un à un : j'ai appris à haïr l'univers des hommes, dont ils sont les représentants. En fait de vengeance, cela me suffit, je pense!

J'étais si anéanti que je ne pouvais même pas trouver les mots de réconfort qu'il eût fallu dire.

Everything comes out in dialogue, not by description by the author.

* There is no third person, no outside observer.

It is all in the 1st person

XXXI

Ce jour-là encore, notre entretien tourna court. L'attitude du Maître me laissait comme effrayé, et je n'avais nulle envie de pousser plus loin.

Aux limites de la ville, nous prîmes le tramway, et, pendant le trajet nous n'ouvrîmes pour ainsi dire la bouche. Une fois descendus, et venu le moment de la séparation, le Maître eut un comportement assez inhabituel. D'un ton beaucoup plus gai que d'ordinaire :

— D'ici à juin, me dit-il, voilà pour vous une époque facile. Qui sait, la plus facile peut-être de toute votre vie ! Profitez-en : amusez-vous de toutes vos forces !

En riant, je me découvris et pris congé. A ce même moment, je scrutai le visage du Maître. Et je me demandai, en fin de compte, en quel endroit de son cœur le Maître pouvait bien abriter sa misanthropie : ni ses yeux ni ses lèvres ne reflétaient la plus petite ombre de désespérance.

Pour tout ce qui touchait au domaine des idées, j'avais, je dois l'avouer, reçu du Maître de grands bienfaits. Mais en ce même domaine, j'eusse voulu sans cesse exploiter à fond les résultats entrevus : et qu'en si bon chemin le Maître parfois m'arrêtait, cela aussi je suis bien obligé d'en faire mention. Le Maître avait de temps en temps des conversations qui finissaient en queue de poisson. Ce jour-là, le souvenir de notre conversation à la campagne s'est gravé en moi comme celui du type même de conversation finissant ainsi. C'est ce dont, un jour, j'osai me plaindre au Maître. Le Maître se mit à rire :

— Si une certaine confusion d'esprit est cause que vous ne puissiez me faire saisir le fond des choses, je ne vous en veux pas, poursuivis-je. Mais si, ayant vous-même de toutes choses une notion claire, vous faites en sorte de ne pas parler clair, cela me choque vraiment!

— Je ne vous cache rien!

— Si, vous me cachez beaucoup!

— Non. Mais ce qu'on appelle pensée, ou opinion, ne le confondriez-vous pas avec un passé qui m'est personnel? Je ne suis sans doute qu'un pauvre penseur. Mais les pensées que j'arrive à construire, je ne les cache à personne : quelle raison aurais-je de les cacher? Quant à mon passé, qu'il ne soit rien que je ne doive vous en livrer... cela, c'est une autre affaire!

— Que ce soit, comme vous dites, une autre affaire, je n'arrive pas à m'en persuader. Les pensées du Maître sont nées de son passé : et c'est cela qui fait à mes yeux leur prix. Si on les sépare de votre passé, vos pensées perdent pour moi leur valeur : une poupée sans âme n'est pas présent à me satisfaire!

Le Maître me dévisageait avec un étonnement quasi indigné. Aux doigts qui tenaient sa cigarette, il y avait comme un tremblement :

— Votre audace est grande!

— Non. Je suis seulement sincère. Et c'est d'une âme sincère que je désire m'éclairer à l'expérience d'autrui!

— Dussé-je pour cela avoir à déterrer devant vous mon passé?

Ce mot de *déterrer* frappa tout à coup mes oreilles avec un son affreux. Il me semblait que l'être assis devant moi était un criminel, et non plus le Maître que j'avais sans cesse entouré de respect. Et la figure du Maître avait verdi :

— Êtes-vous vraiment sincère? dit-il soudain en me questionnant à fond. En punition de mes péchés, je suis condamné à douter des hommes. C'est pour cela que, de vous aussi, au fond de moi, je doute. Cependant, sans bien me comprendre moi-même, vous êtes le seul dont je voudrais ne pas douter. Vous êtes trop d'une pièce pour qu'on puisse douter de vous. Avant de mourir, en un seul être, ne fût-ce qu'en un seul, je voudrais pouvoir croire. Croire, et puis mourir. Vous sentez-vous capable de devenir pour moi cet être unique? Y consentez-vous? Bref, êtes-vous sincère, du plus profond de votre cœur?

— Aussi vrai que je prends la vie au sérieux, aussi vrai mes paroles sont sincères!

Ma voix tremblait.

— Bien! dit le Maître. Je vais donc vous parler; pour vous, je vais dévoiler mon passé. Simplement, en retour... Non, au fait, c'est inutile... Au reste, mon passé n'est peut-être pas pour vous d'une telle valeur... Non, je ne peux pas... Non, pour le moment, je ne peux pas parler, sachez-le! Tant que l'heure ne sera pas venue, je ne veux pas parler. C'est ainsi!

Bien après mon retour à la pension, je sentais encore en moi comme une angoisse.

XXXII

A ce qu'il parut, j'avais de mon mémoire de licence une opinion plus indulgente que les professeurs qui eurent à le juger. Mais mon espoir ne fut pas trompé, et je fus reçu. Le jour de la remise des diplômes, je sortis de ma valise mon vieil uniforme d'hiver, plein d'une odeur de moisissure, et je le vêtis. Dans la salle des fêtes où nous étions rangés, on nous voyait, chacun et tous, étouffer de chaleur. Pour moi, hermétiquement enfermé dans ce gros drap où l'air ne passait pas, je ne savais que faire de mon corps. Après quelques minutes de ce garde-à-vous, le mouchoir que je tenais à la main était tout trempé de sueur.

Dès la fin de la cérémonie, je m'en retournai chez moi et me déshabillai. J'ouvris ma fenêtre, et, me servant comme d'une longue-vue de mon diplôme roulé, regardai avec insistance le monde extérieur. Enfin, je jetai le diplôme sur ma table, et, bras en croix, jambes écartées, m'étendis sur les nattes. Couché, je me retournai vers mon passé, puis envisageai mon avenir. Entre passé et avenir, mon diplôme me semblait marquer la séparation, et, tel qu'il était, prenait figure d'un curieux chiffon de papier, à la fois lourd et vide de sens.

Je fus, ce soir-là, dîner chez le Maître, comme j'y étais invité. Que le soir de la remise des diplômes je dînerais chez lui, et nulle autre part, cela était depuis longtemps fixé.

Le Maître avait tenu sa promesse : la table était, en mon honneur, spécialement dressée dans le salon, près du couloir extérieur. La nappe attirait mes yeux : avec ses motifs tissés dans la toile, bien épaisse, bien amidonnée, elle reflétait avec joliesse et netteté la lumière de la lampe. Lorsque je dînais chez le Maître, c'était toujours sur ce linge blanc, tout semblable à celui des restaurants européens, que baguettes et tasses étaient disposées. C'était un rite : frais sortie de la blanchisserie, la nappe était d'une invariable blancheur.

— Il en va de la nappe comme des cols et des manchettes, dit le Maître. Tant qu'à se servir de linge douteux, autant choisir tout de suite du linge de couleur. Mais une fois qu'on a choisi du blanc, il faut que le blanc soit blanc!

Ces paroles du Maître soulignaient pour moi sa manie de la propreté. Son bureau aussi, entre autres, étalait une vraie netteté. J'étais, moi, d'un naturel assez indifférent à tout cela, et cette disposition du Maître me sautait littéralement aux yeux. Il me souvenait, à ce propos, d'en avoir autrefois fait la remarque à la femme du Maître :

— Le Maître a la manie de la propreté! lui avais-je dit.

Mais elle :

— Croyez-vous? Bah, pour tout ce qui touche aux vêtements, par exemple, il n'est pas si méticuleux! m'avait-elle répondu.

Or, le Maître, qui se trouvait là et nous avait entendus :

— Au vrai, avait-il dit, moi, c'est en dedans que j'ai la manie de la propreté. Et c'est pour cela que toujours je souffre. A y réfléchir, d'ailleurs, je trouve cela tellement bête!

Et disant cela, il avait ri. Mais qu'avait-il voulu dire au juste par *avoir en dedans la manie de la propreté?* Était-ce qu'il se trouvait d'une sensibilité un peu trop nerveuse, ou était-ce que la propreté dont il avait la manie était une propreté toute morale? Je n'avais pu le bien saisir, et, m'avait-il semblé, la femme du Maître non plus.

Ce soir-là, face au Maître, je pris place devant la nappe. Entre nous deux, la femme du Maître occupait le côté de la table qui faisait face au jardin.

— Félicitations! dit le Maître, levant sa coupe à mon adresse.

Pourtant, devant cette coupe levée, je ne ressentais pas si grande joie. Sans doute, d'être reçu à la licence n'était pas si extraordinaire que cela vous mît au cœur, en écho, une liesse à vous faire danser : et cela était une des raisons de mon faible enthousiasme. Mais surtout, la voix du Maître ne rendait pas ce son plein qui vous incite à la gaîté. Le Maître riait en levant sa coupe : dans ce rire cependant, si je ne décelais nulle méchante ironie, je n'arrivais pas non plus à trouver le mouvement profond de vraies félicitations. Ce que le rire du Maître me disait carrément, c'était ceci :

— L'usage exige, en pareil cas, qu'on offre des félicitations, n'est-il pas vrai?

Mais la femme du Maître, à son tour :

— C'est très bien, savez-vous : comme votre père et votre mère vont être heureux! me dit-elle gentiment.

D'un coup, l'image de mon père malade me heurta :

— Vite que je lui porte mon diplôme! me dis-je en moi-même.

— Et le diplôme du Maître, qu'est-il devenu? demandai-je.

— Tiens, qu'en as-tu fait? L'as-tu rangé? demanda le Maître à sa femme.

— Oh, j'ai sûrement dû le ranger!

Mais il me sembla que l'endroit où se trouvait le diplôme, ni l'un ni l'autre ne s'en souvenaient au juste.

XXXIII

Quand nous en fûmes au riz, la femme du Maître renvoya la servante qui se tenait à son côté, et fit elle-même le service. C'était là sa façon de traiter les amis de la maison. Au début, je m'étais une ou deux fois senti quelque peu gêné : mais, avec l'habitude, cela ne m'intimidait plus le moins du monde de me faire servir par la femme du Maître, et de lui tendre ma tasse :

— Que voulez-vous : du thé? un peu plus de riz? Quel appétit!

La femme du Maître disait toutes choses nettement et avec sans-gêne. Ce soir-là pourtant, la saison était la saison, et je n'avais pas tel appétit qu'il fournît à la femme du Maître l'occasion de son habituelle moquerie :

— Déjà fini? Ces jours-ci, vous êtes devenu bien sobre, n'est-il pas vrai!

— Ce n'est pas que je sois devenu sobre : c'est la chaleur qui m'enlève l'appétit!

La femme du Maître rappela la servante, et, la table desservie, fit apporter les glaces et les fruits :

— Et vous savez, dit-elle, ce sont des glaces maison!

La femme du Maître, semblait-il, avait assez de loisirs pour fabriquer elle-même les glaces qu'elle offrait à ses invités. J'en acceptai trois de suite.

— A présent que vous voilà licencié, avez-vous idée de ce que vous allez faire? me demanda le Maître.

Le Maître avait fait glisser son coussin du côté du couloir extérieur, et, à l'extrême bord de la pièce, s'était adossé à un panneau de la cloison mobile.

La seule conscience que j'eusse clairement était celle d'avoir enfin obtenu mon diplôme. Quant à l'avenir, je n'avais pas encore de plan. Mon hésitation n'échappait pas à la femme du Maître :

— Alors, quoi : professeur? s'enquit-elle.

Et comme, à cette question non plus, je ne répondais pas :

— Alors, fonctionnaire? proposa-t-elle.

Le Maître et moi, nous nous mîmes à rire :

— A dire le vrai, je n'ai pas encore pensé à mon avenir, dis-je enfin. Je n'ai même pour ainsi dire en moi, touchant un futur métier, aucune velléité de plan. Et d'abord, quelle est, des diverses professions, la meilleure et la pire, il est, à qui n'a de ces choses aucune expérience personnelle, bien difficile d'en juger : c'est pourquoi l'idée même d'avoir à choisir me cause tant d'embarras.

— Cela, je le comprends, dit la femme du Maître : mais enfin, c'est parce que vous avez quelque fortune qu'il vous est possible de parler de manière aussi détachée! Mettez à votre place quelqu'un d'un peu gêné : il ne saurait guère afficher si tranquille indifférence!

Certes, parmi mes amis, il en était qui, avant même d'avoir fini leur licence, cherchaient déjà dans les écoles une place de professeur : et au fond de moi je sentais bien que la femme du Maître avait raison. Mais quand même, je lui dis :

— Bah, c'est le caractère du Maître qui aura sans doute déteint sur moi!

— Pas fameuse, cette teinture-là! répliqua la femme du Maître.

Le Maître, lui, eut un rire forcé :

— Que j'aie ou non déteint sur vous n'a pas grand-chose à voir là-dedans. L'important, c'est que, comme je vous en ai l'autre jour donné le conseil, vous vous arrangiez pour vous faire donner, du vivant même de votre père, ce qui vous revient personnellement. Jusque-là, vous ne pouvez une seconde avoir l'esprit en paix!

On se rappelle qu'un jour j'avais accompagné le Maître hors de la ville, dans un grand parc de culture, et la conversation que nous avions eue ensemble, parmi les azalées en fleurs de ce mois de mai commençant. Ce souvenir me revint. Sur le chemin du retour, le Maître m'avait, ce jour-là, dit à voix exaltée de bien dures paroles. Et *dures* est encore trop faible : c'est *horribles*, qu'il faudrait dire. Seulement, ignorant que j'étais du passé du Maître, ces paroles alors ne m'avaient pas touché à fond...

— Et le Maître et vous, Madame, dis-je tout à coup, avez-vous à vous deux beaucoup de fortune?

— Tiens, pourquoi cette question?

— Parce que, aussi souvent que je la pose au Maître, jamais il ne consent à y répondre!

La femme du Maître se mit à rire, et, des yeux, consulta son mari :

— C'est probablement, dit-elle enfin, que nous n'avons pas telle fortune qu'il valût de vous en parler!

— Mais, à peu près, combien possédez-vous? Et voici pourquoi j'insiste : quand je saurai quelle somme m'est nécessaire pour pouvoir mener le train de vie du Maître, alors, une fois de retour près de mon père, je prendrai cette somme pour base de discussion!

Le Maître, tourné vers le jardin, fumait sa cigarette avec indifférence. Je n'avais pour me répondre que la femme du Maître.

— Cela ne vaut pas la peine d'une véritable évaluation : couci-couci, tant bien que mal, j'arrive à joindre les deux bouts, c'est tout. Mais là n'est pas l'important. L'important, c'est que vous devez, vous, prendre un métier : sinon, vous auriez grand tort. Prendre un métier, et non pas, à l'exemple du Maître, vivre oisif, toujours à vous vautrer d'un côté sur l'autre!

— A me vautrer! Tu exagères!

Le visage à demi tourné vers nous, le Maître protestait contre les paroles de sa femme.

XXXIV

Ce même soir, passé dix heures, je me disposai à me retirer. J'avais décidé de retourner sous peu de jours dans ma province, et, avant de me lever, je pris congé :

— Cette fois encore, je resterai quelque temps sans vous revoir...

— Mais en septembre, vous reviendrez ! dit la femme du Maître.

Mes études finies, je n'avais nulle obligation de revenir en septembre. Nul besoin non plus de revenir, en pleine chaleur, passer le mois d'août à Tôkyô : trouver un emploi n'était pas pour moi d'une telle nécessité que je dusse m'y employer sans répit. Mais :

— Oui, de toute manière, dis-je, à septembre !

— Alors, bonne santé ! Peut-être, nous aussi, partirons-nous cet été : on dit qu'il va faire ici une telle chaleur ! En tout cas, si nous partons, vous aurez vos cartes postales !

— Et si vous vous décidiez, où iriez-vous ?

Cette conversation durant, le Maître riait nerveusement.

— Mais, voyez-vous, nous n'en sommes même pas à savoir si nous partirons ou non !

J'allais me lever : le Maître me retint de la main :

— Et votre père, comment va-t-il ?

Je ne savais rien de plus touchant mon père : je n'en avais reçu aucune nouvelle particulière, et je ne pensais pas que son état eût empiré.

— Ce n'est pas là maladie à prendre si à la légère, dit le Maître : dès les premières crises d'urémie, tout espoir est perdu !

Je ne comprenais pas ce mot d'*urémie*. Aux dernières vacances d'hiver, nous avions bien eu avec le spécialiste une longue consultation, mais je n'avais pas de sa bouche entendu ce mot technique.

— Sérieusement, prenez bien soin de votre père! dit de son côté la femme du Maître. Dans cette maladie-là, le cerveau finit par s'empoisonner, et alors c'est la fin : c'est chose grave, vous savez!

Ignorant comme je l'étais, mon inquiétude même éclatait en un rire nerveux :

— Que voulez-vous, dis-je maladroitement, s'il est vrai que ce soit là maladie qui ne pardonne pas, quelque souci que l'on se fasse, cela ne sert de rien!

— Oh, fit la femme du Maître, si vous le prenez avec tant de résignation, ma foi, je n'ai plus rien à dire!

La femme du Maître se souvenait-elle que, jadis, sa mère était morte du même mal? Je ne sais : mais, sur ces paroles prononcées d'un ton grave, elle tint les yeux baissés. A tout cela, je me rendais compte que mon père était condamné, et je le pris en grand-pitié.

Soudain, le Maître se tourna vers sa femme :

— Et toi, Shizu, penses-tu mourir avant moi?

— Pourquoi cette question?

— Pourquoi, je ne sais guère : je te la pose, voilà tout... Ou bien, est-ce moi qui partirai le premier? En règle générale, c'est le mari qui s'en va d'abord, et la femme lui survit!

— Ce n'est pas une règle absolue : mais le mari est le plus âgé, bien sûr... alors...

— Oui, le raisonnement tient. Et en ce cas, force me sera bien, à moi aussi, de partir avant toi!

— Oh, vous, c'est différent!

— Tiens! Et pourquoi?

— Vous, vous êtes robuste : vous n'avez presque jamais été malade! Alors, nécessairement, c'est moi qui m'en irai la première!

— Toi, la première!

— Oui, bien sûr!

Le Maître jeta un regard vers moi, et je me mis à rire.

— Enfin, à supposer que je m'en aille le premier, que ferais-tu?

— Qu'est-ce que je ferais? Qu'entendez-vous par là?

Il y eut une grande hésitation dans les paroles de la femme du Maître. A imaginer la mort du Maître, la tristesse un moment paraissait avoir envahi son cœur. Mais quand elle eut relevé son visage, elle s'était déjà reprise :

— Qu'est-ce que je ferais ? Mais rien... Que pourrais-je faire ? Comme dit le Bouddha : « Jeune ou vieux, la Mort n'a de règle ! »

La femme du Maître, tournée vers moi, semblait de la sorte plaisanter à moitié.

XXXV

Je m'étais à demi relevé pour prendre congé. Mais je me rassis : la conversation ne s'était pas ralentie, et la politesse exigeait que je tinsse encore compagnie au Maître et à sa femme.

— Et vous, que pensez-vous de notre différend? me demanda le Maître.

Si le Maître devait mourir le premier, ou sa femme, comment en aurais-je pu trancher? Embarrassé, je ne savais que rire :

— La durée de la vie est chose cachée à tous, moi compris! dis-je seulement.

— Oui, approuva la femme du Maître, il n'est au fond qu'une seule vérité : celle-ci, que la vie est chose préfixée par le sort. Dès la naissance, le compte est arrêté et l'homme est impuissant à y rien changer! Mon beau-père, par exemple, et ma belle-mère, saviez-vous qu'ils sont morts presque en même temps?

— Le même jour exactement?

— Non, pas exactement le même jour : mais à très peu près! Ils moururent l'un suivant l'autre...

C'était la première fois que j'entendais cela. Et je trouvai la chose étrange :

— Ils moururent ensemble? Mais comment cela?

La femme du Maître allait me répondre : mais le Maître l'en empêcha :

— Allons, ne parle plus de cela : c'est sans intérêt!

De l'éventail qu'il tenait, le Maître faisait le plus de bruit possible. Puis, de nouveau, il tint les yeux fixés sur sa femme :

— Shizu! Quand je mourrai, je te donnerai cette maison!

La femme du Maître éclata de rire :

— Pendant que vous y êtes, donnez-moi aussi le terrain, voulez-vous?

— Non : le terrain ne m'appartient pas, et je n'y puis rien. Mais en compensation, je te donnerai aussi tout ce que je possède!

— Grand merci! Mais que voulez-vous que je fasse de tous ces livres européens!

— Tu les vendras!

— Et on m'en donnera combien?

Le Maître ne répondit pas. Mais il était clair que son esprit revenait sans cesse au même lointain sujet : celui de sa propre mort. Et l'on sentait que, dans sa pensée, cette mort-là devait précéder celle de sa femme.

Au début, la femme du Maître affectait de n'attacher à cette conversation aucune sorte de sérieux. Mais le sujet, insensiblement, en était venu à peser à son cœur de femme :

— *Quand je mourrai... Quand je mourrai...* Aurez-vous bientôt fini de rabâcher cette sottise! De grâce, finissez-en avec ce *quand je mourrai!* Cela porte malheur! Quand vous serez mort, eh bien, je suivrai en tout vos volontés, je vous le promets! Alors, vous voilà satisfait, je pense!

Tourné vers le jardin, le Maître rit, mais, de ce moment, cessa une conversation par trop désagréable à sa femme. Je ne m'étais, moi, que trop attardé : vite, je me levai. Le Maître et sa femme me raccompagnèrent jusqu'à l'entrée :

— Prenez bien soin de votre malade! me dit la femme du Maître.

Et le Maître :

— Alors, au revoir : à septembre!

Après avoir pris congé, je fermai derrière moi la porte à claire-voie. Entre cette porte et le portail, il y avait, touffu, un osmanthus, qui, dans la nuit noire, étendait devant moi la barrière de ses branches. Je fis deux ou trois pas, et regardai l'arbre obscur à la cime feuillue, l'imaginant, par avance, tout fleuri et odorant, comme il serait à l'automne prochain. La maison du Maître et cet osmanthus étaient depuis longtemps inséparablement unis dans ma pensée et dans ma mémoire. Debout devant l'arbre, je m'attardai à songer à ce prochain automne, qui me verrait de nouveau passer le seuil du Maître. Soudain, je vis s'éteindre la lumière de l'entrée : le Maître et sa femme s'étaient, sans plus attendre, retirés dans leur chambre. Je sortis seul dans la rue sombre.

Je ne rentrai pas immédiatement à la pension. J'avais, avant de retourner dans ma province, quelques achats à faire, et il me fallait aussi aider un peu à ma digestion : je flânai à travers les rues animées. Là, c'était encore le tout premier commencement de la soirée. Parmi tous les oisifs qui ne cessaient d'aller et venir, je rencontrai un de mes camarades de licence. Il me poussa dans un bar, où je dus subir, tout semblable à de la mousse de bière, son inconsistant bavardage. Quand je rentrai à ma pension, il était minuit passé.

XXXVI

Le lendemain, bravant la chaleur, je fus faire les achats que ma famille m'avait demandés. Quand j'avais reçu la lettre de commande, ces achats m'avaient paru peu de chose : mais, le moment venu de m'y consacrer, je les trouvais bien ennuyeux. Dans le tramway, tout en essuyant la sueur qui me coulait du front, je maudissais ces campagnards d'accepter comme leur étant naturellement dus et la perte de temps et le dérangement qu'ils me causaient.

Il me répugnait de passer l'été dans une complète oisiveté, et, en vue de mon retour au pays, je m'étais tracé d'avance une sorte de plan de travail pour lequel des livres m'étaient nécessaires. Je décidai de passer une bonne demi-journée au premier étage du grand magasin Maruzen, là où se trouvent les livres européens. Debout devant les rayons réservés aux ouvrages de ma spécialité, un à un, j'examinai les volumes.

De tous les achats qu'il me fallait faire, celui qui m'embarrassait le plus, c'étaient des cols intérieurs de soie pour kimono de femme. Il suffisait, bien sûr, de s'adresser au garçon vendeur pour qu'il en étalât devant vous toute une cargaison : mais le difficile était de fixer mon choix, et je m'y perdais. Et puis, les prix variaient sur une très large échelle. Ce que je pensais devoir être bon marché se trouvait fort cher; ce dont, au contraire, je n'osai pas demander le prix, de crainte que ce ne fût trop cher pour moi, se trouvait être très bon marché. J'avais beau faire cent comparaisons : je n'arrivais pas à distinguer d'où venaient, d'un article à l'autre, les différences de prix. Bref, je me sentais complètement noyé, et me pris à déplorer au fond de moi de n'avoir pas demandé ce service à la femme du Maître.

J'achetai aussi une valise. Une valise japonaise, bien sûr, et de qualité très ordinaire, mais dont les coins de métal et les serrures fussent assez brillantes pour éblouir des campagnards. Cette valise, c'était ma mère qui me l'avait demandée :

— Quand tu auras ton diplôme, m'avait-elle expressément écrit, tu achèteras une belle valise, et, y rangeant tous les cadeaux que tu destines à ceux d'ici, tu me l'apporteras, à moi !

Cette phrase m'avait fait rire. Ce n'est pas tant que j'eusse du dédain pour tout ce qui passait par la tête de ma mère : mais j'y trouvais je ne sais quoi de vraiment comique.

Tout comme je l'avais annoncé au Maître en prenant congé, je quittai Tôkyô trois jours après ma visite, par le train du soir, et m'en retournai au pays. Depuis l'hiver, le Maître n'avait cessé de me rappeler la gravité de la maladie de mon père, et je sentais impérieusement sur moi l'obligation morale d'une certaine inquiétude. Mais, je ne sais pourquoi, je n'arrivais guère à ressentir beaucoup de peine. Le sentiment qui, plutôt, s'imposait à moi, c'était celui de la solitude où se trouverait ma mère, une fois mon père disparu. Et c'était là le signe que, quelque part au fond de moi, j'avais déjà admis comme fatale la disparition de mon père et m'y étais résigné.

J'avais d'ailleurs écrit en ce sens à mon frère aîné, au Kyûshû : « Que le père pût retrouver sa santé d'autrefois, cela, lui disais-je, il fallait en perdre l'espoir. » Dans une autre lettre, je m'étais avancé plus encore : « Quelque lourdes que fussent ses obligations, qu'il s'arrangeât pour retourner à la maison dans le courant de l'été, ne fût-ce que le temps de revoir une fois encore le visage du père. Oui, qu'il pensât sérieusement à ce que je lui demandais là, lui avais-je écrit. D'autant, avais-je ajouté, que pour les deux vieux qui vivaient là tout seuls, cet isolement devait être bien triste, et que nous ne pouvions pas, nous, leurs enfants, ne pas ressentir à cette pensée le remords le plus cuisant. » Ainsi s'exprimaient avec attendrissement les lettres que j'avais adressées à mon frère aîné. Et, sincèrement, c'étaient les pensées mêmes qui me venaient à l'âme que j'avais ainsi traduites. Pourtant, les lettres écrites, je m'étais chaque fois trouvé dans une autre disposition d'esprit, toute différente de celle où j'étais quand j'écrivais.

C'est à cette contradiction même que je songeais dans le train qui m'emportait. En cette songerie, je m'apparaissais à moi-même comme un être bien changeant et mesquin. Et cela me laissait de la rancœur. Presque dans le même temps, je me mis à penser au Maître et à sa femme. Et je m'attardai sur le souvenir de la conversation que nous avions eue à table lors de ma dernière visite :

— Qui de nous deux mourra le premier? avait demandé le Maître à sa femme.

Cette question du Maître me revenait aux lèvres. Et personne, certes, n'y pouvait répondre à coup sûr. Mais à supposer qu'on pût savoir clairement qui du Maître ou de sa femme devait mourir le premier, quel serait le comportement du Maître? Ou quel serait le comportement de sa femme? Bah, que ce fût le Maître ou que ce fût sa femme, qu'eussent-ils pu faire, l'un ou l'autre, si ce n'est se résigner à l'inévitable? Aussi bien, à l'approche de la mort de mon père, que pouvais-je faire moi-même, sinon me résigner? À quel point l'homme était pauvre chose, je l'éprouvai alors profondément. Et que l'homme, quoi qu'il fasse, est impuissant contre cette naturelle impuissance, voilà précisément ce qui faisait de l'homme une si pauvre chose.

DEUXIÈME PARTIE

MES PARENTS ET MOI

I

A la maison familiale, je fus heureusement surpris de voir que, depuis ma dernière visite, mon père n'avait pas tellement décliné :

— Te voilà revenu! Ah! je suis content! Et puis, d'avoir ton diplôme, ça, c'est bien! Attends-moi un peu : je me lave la figure et je viens!

Le père était dans la cour, occupé à je ne sais quoi. Il était coiffé d'un vieux chapeau de paille, et, pour mieux se défendre du soleil, lui avait adjoint, en guise de couvre-nuque, un mouchoir un peu sale dont les pans flottaient. Le puits se trouvait derrière la maison, que le père se mit à contourner.

Passer sa licence me paraissait tout naturel. Que le père en manifestât telle joie me désorientait et me laissait gêné.

— D'avoir ton diplôme, ça, c'est bien!

Le père n'avait que ce compliment à la bouche. Moi, dans mon cœur, je ne pouvais me défendre de rapprocher de cette joie du père l'attitude que le Maître avait eue à table, le jour même de la remise des diplômes.

— Félicitations! m'avait-il dit.

Je me souvenais cependant de l'air dont il m'avait dit cela. C'était du bout des lèvres qu'il me félicitait : au fond de lui, je devinais du mépris. A ses yeux, certes, mon succès n'avait rien de bien rare. Mais plus que celle du père, qui attachait du prix à ce qui n'en avait pas, l'attitude du Maître me paraissait noble. Et chez mon père, cette ignorance qui sentait la campagne me fut bientôt désagréable :

— Tu sais, il n'y a rien d'extraordinaire à passer sa licence : des licenciés, on en fait chaque année par centaines!

C'est la réponse que je finis par faire d'un ton

excédé, tandis que mon père changeait de visage :

— Tu me comprends mal, fit-il. Quand je dis : *Ça, c'est bien!*, ce n'est pas seulement le fait d'avoir passé ta licence que je trouve bien : je donnais à mes paroles plus de sens que tu ne crois. Si seulement tu pouvais me bien comprendre!

— Explique-toi!

Le père n'avait guère envie de parler. Mais, poussé, il se décida :

— Eh bien, voici ce que je mettais, moi, dans ce *Ça, c'est bien!* Je n'ai pas besoin de te rappeler quel mal me tient. L'hiver passé, quand je t'ai revu, je ne me donnais guère à moi-même plus de trois ou quatre mois à vivre. Or, j'ai eu la chance de tenir, tel quel, jusqu'à ce jour, capable encore de me lever et m'asseoir sans trop de gêne. Là-dessus, voici que, toi, tu termines tes études. Alors, bien sûr, je suis content! J'ai fait de grands sacrifices pour t'élever convenablement. Que tu aies terminé tes études après ma mort ou avant ma mort, cela, tant s'en faut, ne revient pas au même pour moi. Qu'avant de mourir j'aie pu te voir licencié, crois-tu que cela ne me cause pas une dernière grande joie? Toi, tu as de légitimes ambitions, et j'admets que, de ton point de vue, les félicitations d'autrui à l'occasion d'une simple licence te laissent indifférent. Mais mets-toi à ma place. Cette licence, vois-tu, qui est peu de chose pour toi, eh bien, pour moi, tel que me voilà, c'est une grande chose! C'est ce que je voulais dire par ce *Ça, c'est bien!* Comprends-tu?

La conscience de mes torts me laissait muet. Je n'osai pas même m'excuser, et de baisser les yeux me parut la seule attitude convenable. Ainsi, le père s'était calmement résigné à la mort! Ainsi, il s'était attendu à ce que la mort le prît avant même que je n'eusse achevé mes études! Et cette licence, quel écho elle avait trouvé en son cœur! Pour ne pas avoir senti cela, fallait-il que je fusse stupide!

Alors, je sortis le diplôme de ma valise, et, comme une chose précieuse, le montrai à mes parents. Le diplôme, roulé, s'était aplati pendant le voyage. Le père, pour en faire disparaître les faux plis, le déploya avec grand soin :

— Ça n'est pas méprisable, tu sais! Et tu aurais dû le porter à la main, tel quel!

Ma mère, de son côté :

— Ou bien, à tout le moins, l'enrouler sur quelque chose!

Le père resta un temps à contempler le diplôme. Puis il se leva, et, se dirigeant vers l'alcôve d'honneur, il l'y plaça, bien en vue.

Si j'eusse été dans mon état normal, j'eusse aussitôt protesté contre cette exagération. Mais je me sentais tout changé, et, n'ayant nulle velléité de critiquer en rien les actes de mes parents, je gardai le silence et laissai le père agir à sa guise. Cependant, avec tous ses faux plis, le fort papier du diplôme ne se laissait pas si facilement manier : à peine était-il correctement exposé qu'il reprenait de lui-même ses plis, et tombait à chaque fois.

II

Je pris ma mère à part, et l'interrogeai sur l'état du père :

— Le père est-il donc si bien ? Il sort, il s'occupe... Est-ce bien raisonnable ?

— Tu sais, il semble bien qu'il n'ait plus grand-chose ! Et même, qui sait, il est peut-être guéri !

Ma mère était d'un calme vraiment surprenant. Loin de la ville, elle n'était qu'une parmi ces femmes qui, vivant au milieu des bois et des rizières, demeurent complètement étrangères à toutes choses médicales. Et pourtant, la dernière fois que le père était tombé en syncope, elle avait été si atterrée, si tourmentée que j'en avais, à part moi, éprouvé un étonnement ému...

— Mais, insistai-je, tu sais bien que les médecins, l'hiver dernier, ont déclaré qu'il n'y avait absolument aucun espoir de le sauver !

— Que veux-tu que je te dise, me répondit-elle, le corps humain, c'est bien curieux ! Les médecins ont jugé grave l'état du père ? Et puis après ! Ça ne l'empêche pas d'être aujourd'hui bien vivant ! Moi aussi, tu sais, j'ai commencé par me faire du souci ! J'essayais tout le temps de l'empêcher de bouger : eh bien, c'était facile ! Tu le connais, n'est-ce pas ? Pour se soigner, il se soigne. Mais il est têtu ! Et quand il a quelque chose en tête, je peux toujours crier : il ne fait pas même mine de m'entendre !

Je me souvins en effet que lors de mon dernier congé le père, très déraisonnablement, avait fait emporter ses couvertures, s'était levé, s'était rasé, et, d'un ton bien à lui, avait protesté que le danger était passé, que tout était exagération de la part de ma mère. Et ce souvenir m'interdisait de faire retomber sur ma mère l'entière responsabilité des imprudences du père.

Tout de même, je pensai que dans l'entourage du père on aurait dû aussi faire un peu attention. Mais, quelque envie que j'eusse d'en faire la remarque, je m'abstins, par scrupule, de la moindre parole désobligeante. Je me contentai d'expliquer, pour autant que je le pouvais, de quelle nature était la maladie du père. Rien, au reste, que je n'eusse appris moi-même de la bouche du Maître et de celle de sa femme. Encore, de ces explications, ma mère ne parut-elle pas s'émouvoir :

— Ah, tiens ! dit-elle seulement. Ainsi, la belle-mère du Maître en est morte ! C'est bien triste ! Et à quel âge est-elle morte, cette personne-là ?

En désespoir de cause, je plantai là ma mère, et, directement, m'adressai au père. Lui, du moins, me prit d'abord un peu plus au sérieux. Mais, finalement :

— C'est comme tu le dis, soit ! fit-il. Mais à la fin du compte, mon corps est mon corps à moi, pas ? Et pour ce qui est des soins à lui donner, depuis le temps que j'en ai l'habitude, s'il y a quelqu'un qui sache mieux que personne ce qu'il faut faire, c'est peut-être moi, non ?

Ces bravades, ma mère les écoutait en riant d'un rire forcé :

— Eh bien, me dit-elle, te voilà servi, toi aussi ! Ça te suffit ?

Mes remontrances en restèrent là. Mais, quand je fus de nouveau en tête-à-tête avec ma mère :

— Écoute, lui dis-je, tu ne vois pas clair ! Le père sait qu'il est perdu, et, en lui, il s'est déjà résigné. C'est pour cela qu'à me voir revenu, mes études terminées, il s'est montré si heureux. Vois-tu, il ne pensait pas pouvoir vivre jusqu'à ce que j'en finisse avec ma licence : et c'est lui-même qui me l'a dit, en m'exprimant sa joie de me revoir, mon diplôme en mains !

— Tu sais, il t'a peut-être dit cela. Mais au fond de lui, il n'a pas conscience d'être si près de la mort !

— Crois-tu ?

— Allons donc, il s'en donne encore pour dix, vingt ans ! Tout de même, de temps à autre, à mon adresse aussi, il a des mots tristes. Ainsi, il me dit parfois qu'il n'en a pas pour longtemps ; et il s'inquiète alors de ce que je deviendrai après sa mort, et si je resterai seule en cette maison...

Ces paroles me frappèrent. En même temps, me frappa l'image de mon père mort, de ma mère laissée seule en cette vieille et vaste maison de campagne. Le père disparu, cette maison, comment marcherait-elle? Mon frère aîné, quelles décisions prendrait-il? Ma mère l'approuverait-elle? Moi-même, qui menais ces pensées, pourrais-je quitter ces terres et vivre sans trop de soucis à Tôkyô? Et, devant ma mère, me revint à l'esprit cette recommandation du Maître de tâcher de me faire donner du vivant de mon père ce qu'il estimait me revenir. Mais, poursuivant son monologue :

— Vois-tu, disait ma mère, ce qui d'habitude arrive, c'est tout le contraire de ce que le malade raconte. Quand le malade crie : « Je vais mourir, je vais mourir! », il n'y a pas d'exemple qu'il meure, on peut dormir sur ses deux oreilles. Le père, qui a toujours ces mots à la bouche, en a aussi lui pour de longues années! Mais ceux qui ne se plaignent jamais, ceux qui se portent comme des charmes, ceux-là, tu peux être sûr que ce sont les plus en danger!

Raisonnement ou statistique, je ne savais, mais ces racontages de ma mère me paraissaient bien quelconques : je les écoutais muet, et plongé dans l'infinie tristesse des pensées qui se pressaient en moi.

III

Entre eux deux, mes parents firent le projet de cuire en mon honneur le riz aux haricots rouges, et d'inviter les voisins. Depuis le jour de mon retour, je pensais bien qu'on en arriverait là, et, au fond de moi, je redoutais obscurément cette éventualité. Tout de suite, je refusai :

— Non : c'est vraiment trop! protestai-je.

Je détestais ces repas de campagne. Toujours boire davantage, toujours davantage manger, voilà ce que prenaient pour but suprême tout ce ramassis de campagnards, qui, l'un comme l'autre, ne faisaient rien tant que de supputer par avance quelles bonnes prochaines occasions le hasard leur pourrait fournir. Ces gens, je souffrais depuis l'enfance d'avoir à les traiter. Et que ce fût spécialement en mon honneur que l'invitation dût être faite ajoutait encore à mon supplice. Mais, par considération pour mes parents, je n'osai pas leur dire nettement qu'il n'était nul besoin de tant de tapage, et de laisser où ils étaient ces gens si vulgaires. Aussi me contentai-je d'insister sur ce que je ne méritais pas ces honneurs exagérés.

— Exagérés, exagérés! Allons donc, je ne trouve pas ça exagéré du tout! protesta ma mère. Dans la vie, ça n'arrive qu'une fois, de finir ses études, et c'est bien naturel de fêter ça avec des invités! Ne t'en fais donc pas!

Apparemment, ma licence était pour ma mère un événement du même plan que celui sur lequel elle eût placé mon mariage.

— Ça n'est pas qu'on ne puisse à la rigueur se dispenser de cette invitation-là, dit le père de son côté : mais, tu comprends, si on ne les invite pas, ils parlent... Alors...

Le père craignait les langues des voisins. Et en pareil cas, à vrai dire, si peu que leur attente fût déçue, leurs langues jamais ne manquaient de s'exercer :

— Vois-tu, ajouta le père, ici, ce n'est plus Tôkyô! C'est la campagne, ici, la campagne et ses petits côtés!

Enfin, ma mère :

— Et puis, c'est pour le père une question de face! insista-t-elle.

Il me parut impossible de m'obstiner davantage, et force m'était bien d'en passer par où voulaient mes parents :

— Si ce n'est que pour moi, je vous le répète, laissez là ce projet! Maintenant, si vous mettez en avant votre peur des cancans, alors, c'est une autre affaire : si de ne pas inviter les gens est chose à vous porter tort, je ne vais pas m'entêter à vous le demander!

— Ne fais pas de beaux raisonnements, va, tu aurais trop vite fait de me rendre muet! fit simplement mon père, avec, dans la voix, une amertume.

— Tu ne supposes tout de même pas que le père se désintéresse de toi! me dit ma mère d'un ton de reproche. Mais, aussi bien, on a des devoirs envers les voisins, et cela, de ton côté, tu ne dois pas l'ignorer!

A la moindre complication, ma mère se révélait bien femme, et parlait de suite, sans grande signification. La quantité rachetait la qualité, et le père et moi, fût-ce à nous deux, n'étions pas, quant au débit, de force à lui tenir tête.

— L'étude ne vaut rien à la nature humaine, fit le père au bout d'un moment : elle rend les hommes bien chicaneurs!

Il n'en dit pas plus. Mais cette simple phrase, je la sentais grosse de tout ce que le père avait contre moi. Seulement, je ne m'étais pas rendu compte de la dureté de mes propres pointes, et le reproche du père me parut déplacé.

Ce soir-là, l'humeur tout adoucie, le père me demanda quelle date me convenait pour l'invitation. Cette question de convenance ne se posait guère pour moi, qui, sans plus, n'avais en cette vieille maison qu'à me laisser vivre nonchalamment. Et que le père me posât cette question, cela ne pouvait que vouloir dire qu'il faisait vers moi les premiers pas. Cette douceur me toucha, et, sans arrière-pensée, je fis intérieurement acte de soumission. Nous nous mîmes tous les deux d'accord sur le jour de l'invitation.

Avant que ce jour fût arrivé, il survint un grave événement : la maladie de l'Empereur Meiji, dont les journaux partout répandirent la nouvelle. Et dans cette humble maison de campagne, la fête arrangée cahin-caha en l'honneur de ma licence ne fut aussitôt que poussière au vent :

— A présent, il est mieux de s'abstenir! dit simplement le père, de derrière les lunettes à travers lesquelles il lisait le journal.

Mais sans doute, en sa réserve, le père pensait-il à sa propre maladie. Pour moi, le souvenir, entre autres, me revenait de la dernière visite, si proche encore, dont l'Empereur avait, cette année comme tous les ans, honoré notre cérémonie de remise des diplômes.

IV

Nous étions bien peu d'occupants pour cette vaste et vieille maison familiale. Dans ce calme, je sortis mes livres et commençai d'étudier. Mais, sans que la raison m'en fût claire, je ne me sentais pas l'esprit en paix. Et je me souvenais de ce grouillant Tôkyô, où dans ma chambre d'étudiant, si exiguë, les oreilles pleines du bruit des tramways qui passaient au loin, je tournais une à une les pages de mes livres, l'esprit toujours souple et tendu : chose paradoxale, je n'avais jamais mieux travaillé, ni plus agréablement.

Mais dans cette maison, souvent, les deux coudes sur la table basse, je m'endormais. J'allais même jusqu'à sortir du placard un petit oreiller, et savourais à satiété les plaisirs de la sieste. Je me réveillais au cri des cigales. Ce cri, il me semblait qu'il émergeait, continu, du plus profond de mon rêve. Puis soudain il éclatait et venait désagréablement heurter le fond de mes oreilles. Immobile, tendu vers ce cri, je sentais par moments la tristesse envahir mon cœur.

D'autres fois, je prenais mon pinceau et j'écrivais à mes amis : à celui-ci une simple carte, à celui-là une plus longue lettre. L'un était resté à Tôkyô; l'autre, retourné au fond de sa province. L'un me répondait, l'autre pas. Bref, je m'occupais à cette correspondance. Je n'avais, il va sans dire, nullement oublié le Maître. Sur du papier quadrillé, j'avais pour lui, d'une écriture fine, conté sur trois feuilles doubles tout ce qui m'était arrivé depuis mon retour à la maison. J'allais cacheter le pli. Mais je me demandai à ce moment si le Maître était bien encore à Tôkyô. Quand le Maître et sa femme s'absentaient, il y avait une dame d'une cinquantaine d'années qui, les cheveux coupés à la manière des vieilles femmes distinguées, venait garder la maison. Un jour, j'avais demandé au Maître qui était cette dame. Mais lui, me renvoyant la balle :

— Qui pensez-vous que ce soit? m'avait-il interrogé.

— Une parente à vous?

Je me trompais, et le Maître me le dit :

— Voyons, vous savez bien que je n'ai plus de parents!

De fait, le Maître jamais n'expédiait de correspondance à destination de sa province. Et la vieille dame qui m'avait intrigué se trouvait, en vrai, être une parente non du Maître, mais de sa femme. Au moment d'envoyer ma lettre, je me souvins de cette vieille dame, et je la revis, en pensée, nouer par derrière, d'un nœud assez lâche, son étroite ceinture de femme âgée. Si le Maître et sa femme se trouvaient en villégiature, certainement, me dis-je, la vieille dame aux cheveux coupés aurait l'idée, la gentillesse de faire suivre ma lettre. Non qu'il y eût en ce pli rien d'important, la chose était claire. Mais j'étais triste, et goûtais d'avance le plaisir que me donnerait la réponse du Maître. Cette réponse, hélas, je ne devais jamais l'avoir!

La passion des échecs, qui tenait si fort mon père quand, l'hiver dernier, j'étais venu le voir, s'était chez lui bien éteinte. L'échiquier, tout couvert de poussière, avait été remisé dans un coin de l'alcôve d'honneur. Depuis que l'Empereur était tombé malade, mon père ne faisait guère, semblait-il, que de s'enfoncer dans une longue méditation. Chaque jour, il guettait impatiemment l'arrivée du journal, et le parcourait avant nous tous. Quand il en avait fini, il venait lui-même me l'apporter :

— Tiens, lis! Il y a des détails sur la santé de notre Empereur!

C'était la manière du père de dire toujours *notre Empereur* au lieu de *l'Empereur.* Souvent, il ajoutait :

— C'est très irrespectueux, ce que je vais dire là, mais j'ai idée que la maladie de notre Empereur doit beaucoup ressembler à celle de ton père!

A ce moment-là, sur le visage du père, passait comme le nuage noir d'une profonde inquiétude. Et moi, à l'entendre, je sentais en moi grandir la peur que, d'une seconde à l'autre, il ne tombât encore en syncope.

— Notre Empereur guérira, je pense! continuait le père. Regarde-moi : je ne suis qu'un pauvre homme, et cependant, j'ai résisté!

Mais au soin qu'il prenait de se rassurer soi-même, il semblait bien que le père sentît le danger prêt à fondre sur lui. Je parlai à ma mère :

— Tu sais, lui dis-je, le père prend peur. Ton opinion est qu'il s'en donne encore à lui-même pour dix, vingt ans : mais je crains bien que tu ne te trompes!

Le visage de ma mère perdit sa belle assurance :

— Si tu essayais un peu de le faire jouer aux échecs, comme avant?

Je pris l'échiquier dans l'alcôve d'honneur et je l'époussetai.

V

Maintenant, petit à petit, les forces du père déclinaient. Le vieux chapeau de paille qui m'avait amusé, avec le mouchoir qui y restait fixé, force avait été au père de le remiser sur une étagère noircie de fumée. Et chaque fois que j'y portais les yeux, c'était pour moi un crève-cœur que de penser à l'impuissance où était le père de sortir librement comme avant. Il y avait quelques jours à peine, le père allait d'un pas aisé, et je pensais alors avec humeur qu'il aurait dû se ménager davantage. A présent, il restait accroupi, immobile. Et à comparer ces deux attitudes, j'eusse encore, à tout prendre, préféré le voir s'agiter comme avant. De l'état du père, je m'entretenais sans cesse avec ma mère :

— Tu sais, me dit un jour ma mère, au fond, ça n'est que l'idée qu'il s'en fait, et rien de plus!

Ma mère, en sa tête pauvre, établissait un rapport de cause à effet entre la maladie de l'Empereur et la maladie du père. Mais je ne pensais pas, quant à moi, que l'aggravation de son mal fût chez le père affaire de pure imagination :

— Non, répondis-je, ce ne sont pas seulement des idées : c'est le corps qui flanche, va! Oui, plus que l'esprit, c'est le corps qui empire!

Et, ce disant, le désir me venait de mander de loin, une fois encore, un bon spécialiste qui nous donnât son avis. Cependant ma mère :

— Mon pauvre petit, pour toi non plus, ça ne doit pas être drôle, cet été-ci! Tu passes ta licence, et on ne peut même pas la fêter! Outre ça, le père est comme tu le vois. Et par-dessus le marché, l'Empereur tombe malade! Ah, si j'avais su tout ça, c'est le jour même de ton retour qu'on aurait invité les voisins!

C'était le cinq juillet que j'étais arrivé chez moi. Avant que mes parents parlassent d'invitations, une semaine environ s'était écoulée. Et c'était à une semaine encore de là que la fête avait été fixée. En cette paisible campagne où j'étais revenu, la notion de temps est, pour tous, affranchie des impérieuses obligations qu'elle comporte à la ville. Il y avait bien eu, sans doute, ce projet de fête. Mais on avait été contraint d'y renoncer, et il ne me restait plus que l'agréable sensation d'être à tout jamais délivré de toute obligation sociale. Ma mère cependant me comprenait si mal qu'elle ne soupçonnait en rien l'état d'esprit où je me trouvais.

Brusquement, la nouvelle nous parvint : l'Empereur était mort! Alors le père, tenant encore son journal :

— Ah! Ah! De notre Empereur même, la mort a eu raison!... Et moi aussi, bientôt...

Le père ne finit pas sa phrase.

Je fus à la ville acheter du crêpe noir. Sur la boule qui terminait la hampe du drapeau que nous avions, je tendis de ce crêpe. Puis, sur une largeur de trois pouces, je fis d'un autre fragment de crêpe un ruban que j'attachai par un bout sur la boule, l'autre bout restant libre. Je fixai le drapeau obliquement à un montant du portail d'entrée : plis du drapeau et crêpe noir tombèrent lourdement dans l'air sans brise. Le portail de notre demeure était recouvert d'un petit toit de chaume; et la pluie, le vent, s'acharnant sur ce toit, lui avaient à la longue donné une teinte gris-cendre, et y avaient creusé des espèces d'évidements qui retenaient le regard. Je restai, tout solitaire, à contempler ce drapeau qui se dressait hors de ce portail. Crêpe noir, mousseline blanche, rond rouge du soleil levant, toutes ces couleurs se détachaient, en un saisissant contraste, sur le vieux toit de paille pourrie. Soudain, un souvenir me revint :

— Et comment est-elle disposée, votre demeure? m'avait, un jour, demandé le Maître. Ce ne sera pas tout à fait la même chose que dans ma province à moi, je pense!

Cette question, dont je me souvenais, me laissait

encore perplexe. Si le Maître eût été là, près de moi, qu'eussé-je fait ? D'un côté, j'eusse aimé de lui montrer ma vieille maison natale. Mais, de l'autre, il me semblait que j'y eusse éprouvé une certaine gêne.

Dans le même isolement moral, je rentrai à la maison. Devant ma table, à parcourir les journaux, j'imaginais, en ces heures funèbres, toutes choses du Tôkyô lointain. La capitale, une pensée intense me la montrait grouillant dans le deuil, ville noire, condamnée, dans le noir, à vivre d'un rythme plus agité encore et plus bruyant. En ces ténèbres, une seule lumière : la maison du Maître. Hélas, je ne pouvais alors savoir que, cette lumière même, un tourbillon silencieux l'entraînait déjà malgré elle, et qu'elle allait bientôt, elle aussi, sombrer d'un seul coup. Cet imminent destin, comment d'avance en aurais-je pu évoquer l'image ?

Touchant le grand deuil de notre pays, je commençai d'écrire au Maître. Mais je n'avais pas écrit dix lignes que je déchirai ma lettre en cent morceaux et en jetai les débris dans la corbeille :

— A quoi bon écrire au Maître sur ce sujet ? me dis-je. Je le connais suffisamment pour savoir que d'aucune manière il ne me répondra !

Je restai en tête à tête avec ma tristesse, la même qui m'avait poussé à écrire. Pourtant, si j'eusse envoyé ma lettre et que le Maître m'eût répondu, quelle joie ç'eût été pour moi !

Importance of death of the Emperor

There is an elder brother but he is hardly mentioned

VI

Vers le milieu du mois d'août, je reçus une lettre d'un de mes amis. Il y avait une place libre dans une école de province, et il me proposait la situation. Cet ami, assez gêné, avait dû chercher à se caser. On lui avait offert à lui la place en question. Mais, déjà engagé par une école mieux située, il désirait me faire profiter de l'occasion, et tout exprès m'avait écrit. Je refusai par retour du courrier. Parmi nos camarades, beaucoup cherchaient anxieusement un poste, et c'était à un de ceux-là que je le priai d'offrir la place restée libre.

Ma réponse partie, je racontai la chose à mes parents. Ils ne me montrèrent ni l'un ni l'autre le moindre mécontentement :

— Pas besoin d'aller là-bas, me dirent-ils; tu trouveras bien quelque chose plus près.

Sous cette réflexion, je devinai que mes parents nourrissaient pour moi d'irréalisables ambitions. Ils étaient assez peu au courant de toutes ces choses, et, me sembla-t-il, espéraient pour moi, tout jeune licencié que j'étais, une situation hors de proportion avec la moyenne des possibilités :

— Vous savez, leur dis-je, on parle comme ça de situations convenables : mais, par le temps qui court, ce n'est pas si facile à trouver! D'autant que ma spécialité à moi n'est pas aussi directement monnayable que celle de mon frère aîné! Les temps aussi sont changés : et il serait imprudent d'espérer pour moi les mêmes facilités qui lui ont été offertes!

— Mais, maintenant que tu as fini tes études, tu devrais bien, à tout le moins, t'assurer ton indépendance matérielle, si tu ne veux pas nous causer de soucis! Quand les voisins me demanderont ce que, ses études achevées, fait désormais mon second fils, si je n'ai rien à leur répondre, comment veux-tu que je ne me sente pas humilié ?

Le père faisait amère figure. Il pensait comme pensent tous ceux qui, habitant depuis toujours la campagne où ils sont nés, n'ont jamais su s'en évader. Dans cette campagne, on le questionnerait à qui mieux mieux :

— Et combien que ça gagne, un licencié ? dirait l'un.

— D'après ce que j'ai ouï dire, un licencié, ça doit bien gagner dans les cent yen, pas ? dirait l'autre.

Et pour sauver sa face, c'est au lendemain même de ma licence que le père eût voulu me caser. Moi, je ne pensais qu'à vivre la vie active de la capitale. Mais, d'évidence, mes parents me comprenaient si mal que je devais leur faire l'effet d'un homme d'une autre planète qui eût marché les pieds en l'air. Je me trouvais moi-même profondément étranger à leur nature. Il y avait entre nous trop grande distance pour que j'eusse la moindre envie de rien leur confier de mes pensées. Et je restai sans voix, comme noyé dans une infinie tristesse. Tout à coup, ma mère :

— Mais, dis-moi, toi qui n'as à la bouche que ce mot de *Maître, Maître*, ne peux-tu donc, à cet homme-là, lui demander un brin de conseil ? L'occasion en vaut la peine, peut-être !

C'était là le seul usage que ma pauvre mère imaginât qu'on pût faire du Maître. Elle ne pouvait pas savoir que le Maître, indifférent à toutes ces vaines agitations, était cet homme même qui m'avait poussé à demander, dès mon retour à la maison et du vivant de mon père, le partage de la fortune familiale : cet homme-là, et non pas l'homme qui, ma licence obtenue, m'eût cherché et trouvé une situation.

— Mais, ce Maître-là, que fait-il au juste ? demanda le père.

— Rien ! répondis-je.

Il y avait beau temps déjà que j'avais dit à mes parents que le Maître ne faisait rien. Et le père ne pouvait pas ne pas s'en souvenir...

— Mais, enfin, quand tu dis que le Maître ne fait

rien, que veux-tu dire exactement? Pour que tu lui témoignes tant de respect, il doit bien, tout de même, s'occuper à quelque chose!

Les paroles du père n'étaient pas sans ironie. C'est que, pour le père, il n'était d'homme vraiment utile qui, dans la société, ne dût avoir une fonction, un travail. Seul un bon à rien pouvait accepter de ne rien faire : la conclusion s'imposait.

— Regarde-moi! poursuivit le père. Je ne touche aucun salaire, ça, c'est vrai : pourtant on ne peut pas dire, tant s'en faut, que je ne fasse rien!

Je laissai parler le père, et restai sans lui répondre. Ma mère, elle, revint à la charge :

— Mais si c'est le grand homme que tu dis, sûrement, il cherchera pour toi; sûrement, il trouvera! L'as-tu sollicité?

— Non! répondis-je.

— Ah çà, alors! Mais il est encore temps! Une lettre suffit : vite, écris-lui!

— Hum!

Sans donner d'autre réponse, je me levai et sortis.

VII

Bien qu'on ne pût douter maintenant que la peur l'eût saisi, mon père s'enfermait dans une grande réserve. Le médecin venait souvent. Mais mon père n'était pas homme à l'importuner de questions, et, de son côté, le médecin, par discrétion, se taisait.

Visiblement, le père se préoccupait de ce qui se passerait après sa mort. A tout le moins, il semblait bien qu'il essayât de se représenter ce que serait, lui disparu, la vie de la maison familiale.

— Faire donner à ses enfants de l'instruction, ça a du bon et du mauvais, disait le père. On se sacrifie pour qu'ils achèvent leurs études, et ils en profitent pour déserter le foyer : au fond, le plus clair résultat de l'éducation, c'est de mettre une barrière entre parents et enfants!

Je ne pouvais donner tout à fait tort au père. Si le frère aîné se trouvait maintenant retenu au loin, l'instruction qu'il avait reçue n'en était-elle pas indirectement la cause? Et n'était-ce pas l'instruction même que j'avais reçue qui me poussait, moi, à aller vivre à Tôkyô? Avoir pris tant de peine à élever ses enfants pour les voir ensuite si distants... non, le père ne se plaignait pas sans raison! Avoir, à deux, si longtemps habité la même vieille demeure pour que ma mère y fût bientôt abandonnée à la solitude... non, cette image-là ne pouvait mettre au cœur du père rien autre chose que de la tristesse!

La maison, le foyer, mon père, invinciblement, les tenait pour immuables. Le foyer qui avait été celui de ma mère, on ne pouvait, de son vivant, en changer le lieu : ainsi pensait mon père. Pas davantage, il ne pouvait sans inquiétude envisager que, lui disparu, on laissât ma mère toute seule en cette demeure immensément vide. Pourtant, lorsqu'il m'engageait à chercher à Tôkyô une situation convenable, le père, en un sens, se contredisait. Cette contradiction me paraissait bizarre, mais en même temps encourageante : ainsi, j'allais pouvoir retourner à Tôkyô.

Cette situation, il fallait bien tout de même que, devant mes parents, je fisse semblant de la chercher activement. J'écrivis une nouvelle lettre au Maître, en le mettant, par le menu, au courant. N'y avait-il pas à Tôkyô quelque emploi que je pusse tenir, quoi que ce fût ? Je le priai de chercher pour moi.

— Bah! pensai-je, le Maître n'attachera pas à ma lettre la moindre importance! Et si par hasard il avait dessein de m'obliger, le cercle de ses relations est si étroit qu'il a peu de chances de rien trouver!

C'est dans cet esprit que j'écrivis, espérant moins un résultat concret qu'une simple réponse de la main du Maître.

Avant de cacheter le pli, je le tendis à ma mère :

— Tu vois, j'ai suivi ton conseil : je viens d'écrire au Maître. Lis, tu verras!

Comme je l'avais prévu, ma mère ne prit pas la peine de rien lire :

— Ah, bien! Alors, envoie vite ta lettre! Ces choses-là, vois-tu, il ne faut pas attendre qu'un tiers te les suggère : mais les faire de toi-même, et sans délai!

Ma mère, à force de me prendre pour un enfant, arrivait à me donner à moi-même l'impression d'être vraiment tel.

— Je ne crois pas, tu sais, qu'il suffise d'écrire! En tout cas, dès septembre, il sera bon que j'aille à Tôkyô voir un peu par moi-même : sinon, j'ai peu de chances!

— C'est peut-être bien comme tu le dis. Mais souvent aussi, le hasard fait bien les choses : s'il y a ou non une bonne situation de libre, qu'en sais-tu ? De demander tout de suite aux gens que l'on connaît, vois-tu, il n'y a encore que ça!

— En tout cas, j'aurai une réponse, c'est sûr! Après, nous reparlerons de tout ça!

L'objet de ma lettre était tel que j'avais confiance que le Maître y répondrait sans tarder. Mais j'eus beau attendre, je fus déçu : une semaine s'écoula sans que nulle réponse ne me parvînt.

— Que veux-tu, il sera sans doute parti en villégiature !

Force m'était bien d'excuser ainsi près de ma mère le silence du Maître. Mais cette excuse n'était pas seulement à l'adresse de ma mère : dans le fond de mon cœur, je me la répétais aussi à moi-même. D'imaginer des circonstances précises qui rendissent compte du silence du Maître m'était absolument indispensable pour calmer ma propre inquiétude.

J'oubliais de la sorte, par instants, la maladie du père, anxieux seulement de décider si je devais ou non hâter mon départ pour Tôkyô. Le père, lui aussi, négligeait parfois son propre mal pour s'inquiéter de l'avenir. Mais, cet avenir, il ne faisait rien pour l'assurer. Et, en fin de compte, le temps passait sans que l'occasion me fût donnée de mettre en pratique le conseil du Maître, et de parler à mon père du partage de ses biens.

VIII

Quand septembre fut venu, je décidai de retourner à Tôkyô, et priai le père de me continuer la pension qu'il m'avait jusque-là donnée pour mes études :

— Ce n'est pas en restant ici, lui dis-je, que je puis trouver la situation que tu souhaites pour moi!

Et je feignais que la recherche de cette situation fût le véritable motif de mon voyage :

— Bien sûr, ajoutai-je encore, je ne te demande de m'aider que jusqu'à ce que j'aie trouvé un emploi!

A part moi, je n'imaginais guère que cette alouette jamais me tombât toute rôtie dans la bouche. Mais le père était assez mal au courant de ces choses-là, et, dur comme fer, croyait le contraire :

— Bah, ça n'est que pour un temps, et je m'arrangerai pour te donner ça. Mais comprends bien de ton côté que si c'était pour longtemps je ne pourrais te continuer cette pension. Dès que tu auras un emploi, tu te dois d'assurer ton indépendance matérielle. A vrai dire, c'est dès le lendemain de ta licence que tu aurais dû pouvoir te dispenser de l'aide d'autrui. La jeunesse d'aujourd'hui ne sait que dépenser l'argent : quant à ce qui est d'en gagner, ça me paraît bien le dernier de ses soucis!

A cela, le père ajoutait d'autres observations :

— Autrefois, disait-il notamment, c'étaient les enfants qui donnaient à manger à leurs parents, maintenant, tout ce que les enfants savent faire, c'est de manger le bien de leurs parents!

Je me contentai d'écouter en silence.

Quand je jugeai que mon père avait fini de vider son sac, tout doucement, je me disposai à quitter la pièce :

— Quand pars-tu? me demanda mon père.

— Mais, le plus tôt sera le mieux! fis-je.

— Eh bien, demande à ta mère de fixer ça, et de choisir un jour bien propice!

— Bien!

Ce jour-là, en face du père, ma propre sagesse m'étonnait moi-même. Mais si, autant que possible, j'avais évité de contredire le père, c'était bien par envie de fuir au plus tôt cette campagne. Comme j'allais sortir, le père, encore une fois, me retint :

— Quand tu seras reparti pour Tôkyô, la maison va redevenir triste! me dit-il. Il n'y a pas à dire, ta mère et moi sommes bien seuls! Si seulement j'étais vigoureux : mais dans l'état où me voilà, on ne peut jurer que, tout d'un coup, le pire n'arrivera pas, tu sais!

De mon mieux, je réconfortai le père, et retournai dans ma chambre m'asseoir à ma table de travail. Là, parmi les livres en désordre, je me remémorai l'attitude inquiète et les paroles du père. Tandis que je songeais, le cri des cigales frappa mon oreille. Mais ce n'était plus le même cri que j'avais entendu quelques jours auparavant. L'été s'était avancé, la cigale commune s'était tue, et c'était maintenant la petite cigale qui chantait, celle qu'on appelle, d'après son cri, *tsuku-tsuku-bôshi*.

Chaque été, quand je revenais au pays, et que je restais assis, immobile, au milieu des cigales à la voix brûlante, souvent, une étrange tristesse me saisissait. Cette tristesse, il semblait qu'elle entrât dans mon cœur avec la voix même, si douloureusement aiguë, des cigales : et je me figeais alors dans une longue immobilité, contemplant seulement, solitaire, ma solitude intérieure. Mais cet été-ci, petit à petit depuis mon retour, ma tristesse avait changé de nuance. Et tout comme le cri de la cigale commune avait fait place au cri de la petite cigale, ainsi je sentais, autour de moi, la destinée de ceux qui m'étaient chers entraînée insensiblement dans une immense métamorphose... Je songeais sans fin à la tristesse du père, à son attitude, à ses paroles. Je songeais à ma lettre au Maître, restée sans réponse. Le Maître et le père représentaient à mes yeux des caractères opposés : c'est pourquoi, rapprochements ou contrastes, mon esprit eût difficilement séparé leurs deux images.

Je connaissais trop à fond mon père pour que la perspective de le perdre bientôt laissât en moi rien autre chose que de purs regrets filiaux. Du Maître, je ne savais que peu de chose encore. Les confidences qu'il m'avait promises, je ne les avais pas obtenues : le Maître à mes yeux était un clair-obscur. Coûte que coûte, ma tranquillité exigeait que, dépassant en lui la zone obscure, je parvinsse à la zone claire. C'est pourquoi la perspective d'être définitivement séparé de lui me causait si grand-peine. Ma mère consulta le calendrier, et je fixai le jour de mon départ.

Why is he more attached to the Master than to his father?

IX

Le moment de mon départ approchait. Or, si je me souviens bien, l'avant-veille du jour fixé, vers le soir, il survint du nouveau : le père fut pris d'une autre attaque. Je venais d'empiler livres et vêtements dans ma valise, et j'étais en train de la boucler. Le père était au bain. Ma mère, qui l'avait accompagné pour lui laver le dos, m'appela soudain à grands cris. J'accourus : le père était encore tout ruisselant d'eau, et, de derrière, ma mère le soutenait à deux bras. Pourtant, à peine reconduit dans sa chambre, le père se remit :

— Maintenant, ça va! disait-il.

Par surcroît de précaution, je restai à son chevet, à lui rafraîchir le front d'une serviette mouillée. A neuf heures seulement, je me décidai à prendre du bout des lèvres une légère collation.

Le lendemain, le père était mieux que nous ne nous y attendions. Sans écouter nos conseils de prudence, il marcha seul jusqu'à la toilette :

— Ça va, ça va! répétait-il.

En décembre dernier, lors de sa première attaque, il n'avait pas cessé non plus de répéter que « ça allait ». Et je me dis que, cette fois-ci encore, il s'en tirerait peut-être au même prix. Le médecin vint voir le père. Mais il se borna à dire que seule s'imposait une attentive surveillance. J'eus beau insister : il refusa de se prononcer clairement. J'étais inquiet, et, venu le jour fixé pour mon départ, j'avais renoncé à me rendre à Tôkyô.

— Je vais voir d'abord comment ça tourne : je partirai plus tard, ne crois-tu pas? proposai-je à ma mère.

— Oui, c'est ça : attends quelques jours, je te prie!

Ma mère manquait de mesure. Quand le père sortait dans la cour ou descendait au jardin, à le voir alerte, elle était plus insouciante qu'il n'eût fallu. Mais quand l'attaque prenait le père, elle se montrait d'une inquiétude et d'une nervosité exagérées...

— Mais, n'est-ce pas aujourd'hui que tu devais partir pour Tôkyô? me demanda le père.

— Oui, mais j'ai un peu remis ce voyage! lui dis-je.

— A cause de moi?

J'hésitai à répondre. Répondre oui, c'était souligner la gravité du mal. Et je voulais éviter de donner l'éveil au père. Mais le père perça tout de suite le fond de mes pensées :

— Mon pauvre!

Et, disant cela, il tourna les yeux vers le jardin.

Je retournai dans ma chambre, et me pris à regarder, jetée là négligemment, la valise toute prête pour le voyage sous les solides ficelles qui la fermaient. Songeur, je restai là, debout, à me demander si j'allais la défaire.

Finalement, en proie à la même instable incertitude qu'eût éprouvée un homme mi-assis mi-levé, je laissai passer deux ou trois jours. Puis le père eut une nouvelle attaque, et le médecin prescrivit un repos absolu.

— Qu'allons-nous faire? me disait ma mère, à voix assez basse pour que le père ne pût l'entendre.

La figure de ma mère s'allongeait d'inquiétude. Moi, je préparai des télégrammes à l'adresse de mon frère et de ma sœur. Le père, cependant, n'avait, au lit, aucune souffrance. A l'entendre parler, on eût dit d'une voix simplement enrhumée. Et il gardait un grand appétit. Sans écouter les conseils de son entourage :

— Puisque je suis condamné, disait-il, au moins qu'avant de mourir je mange de bonnes choses!

Sortant de la bouche du père, ce *bonnes choses* rendait à mes oreilles un son comique et lugubre tout ensemble. Le père avait vécu loin de la grand-ville, où sont les vraies bonnes choses. Et les bonnes choses pour lui, c'étaient ces croquettes de riz, séchées et conservées, qu'on lui faisait rôtir au long de la nuit, et qu'il croustillait à pleines dents.

— Comment peut-il avoir si *soif*, mon Dieu! s'exclamait ma mère. Faut-il qu'il ait le fonds solide, tout de même!

Ma pauvre mère, à mon sens, choisissait de tous les symptômes le plus désespéré pour y accrocher son espoir. Mais en même temps, par la plus lourde contradiction, elle employait pour dire *avoir faim*, le mot *kawaku*, qui, signifiant maintenant *avoir soif*, s'emploie encore à la campagne dans sa vieille acception d'*avoir soif* ou avoir *faim* indifféremment, mais seulement quand on parle d'un malade.

Mon père reçut la visite de son frère. Il le retint, et ne pouvait se décider à le laisser partir :

— Reste encore un peu : je me sens triste! prétextait-il.

Mais je ne sais pas si l'une des raisons de cette insistance du père n'était pas de pouvoir se plaindre à son frère de ce que ma mère et moi ne le laissions pas manger à son gré.

X

L'état du père resta stationnaire une grande semaine durant. Entre temps, j'avais écrit à mon frère, au Kyûshû, ma mère se chargeant, elle, d'écrire à ma sœur. A part moi, je pensais que ce devaient être là, hélas, les dernières nouvelles que nous eussions à leur donner du père. Et ces lettres les prévenaient explicitement, l'un et l'autre, d'avoir à accourir près du père au premier télégramme.

Sa situation ne laissait à mon frère aucun répit ; ma sœur, elle, attendait un enfant : tant que le père ne serait pas évidemment en danger de mort, je ne pouvais me permettre de les mander d'urgence. Mais, d'un autre côté, qu'ils prissent la peine d'un long voyage pour arriver après coup, le reproche m'en eût été insupportable. Vraiment, de décider le juste moment d'envoyer les deux dépêches engageait ma responsabilité plus lourdement qu'on pourrait croire...

— Les précisions que vous me demandez, personne au monde ne peut vous les donner ! nous dit le médecin. Une seule chose est sûre : c'est que, d'un moment à l'autre, la fin peut venir. Ne l'oubliez pas !

Ce médecin, nous l'avions mandé de la ville où était la gare la plus proche. D'accord avec ma mère, je le priai de nous envoyer, de l'hôpital de la ville, une infirmière qui veillât le malade. Quand le père vit s'incliner à son chevet cette femme tout de blanc vêtue, il y eut sur son visage une expression étrange.

Le père depuis longtemps se savait condamné. Cependant, cette mort qui s'avançait sur lui jusqu'à le toucher, il ne la voyait pas :

— Dès que j'irai mieux, j'irai un peu revoir Tôkyô, pour me distraire ! disait-il. L'homme est chose fragile, et qui peut passer d'un moment à l'autre. Alors, tout ce dont on a envie, mieux vaut se le payer tandis qu'on est encore de ce monde, pas vrai?

Alors la mère, se forçant :

— Ça, c'est sûr! Et ce jour-là, moi, je demande qu'on m'emmène! renchérissait-elle, tâchant à se mettre au même ton.

D'autres fois cependant, le père se faisait très triste :

— Si je meurs, promets-moi de prendre bien soin de ta mère! me recommanda-t-il.

Ce *si je meurs* ...rappelait en moi comme l'ombre d'un souvenir... Oui, quelques jours avant mon départ de Tôkyô, comme nous fêtions chez le Maître la remise de mon diplôme, le Maître, lui aussi, n'avait cessé de répéter à sa femme un *quand je mourrai...* tout à fait semblable. Je revoyais encore le sourire dont le visage du Maître s'entourait comme d'un bandeau. J'entendais encore la femme du Maître crier au mauvais augure, et le geste m'apparaissait, dont elle s'était bouché les oreilles. Mais le *quand je mourrai...* du Maître était du domaine de l'irréel; le *si je meurs...* du père évoquait un immédiat qui déjà était sur sa tête. L'attitude que la femme du Maître avait eue en face du Maître, j'eusse voulu, moi aussi, la prendre en face du père : les deux situations, hélas, étaient différentes, et j'y étais impuissant. Tout ce que je ne pouvais pas ne pas faire, c'était de m'appliquer, fût-ce du bout des lèvres et d'une manière inhabile, à rassurer le père :

— Allons donc, tu n'as pas honte! Bientôt, dès que tu vas être guéri, vous venez, toi et la mère, vous distraire à Tôkyô : c'est depuis longtemps entendu comme ça! Et cette fois-ci, ce que Tôkyô va vous étonner! Il y en a, des changements! Ne seraient-ce que les nouvelles lignes de trams! Il y en a maintenant des tas, vous savez! Et là où on met le tram, la rue change, bien sûr : l'administration s'en mêle, et tout se remet à neuf! Le tranquille Tôkyô, c'est bien fini : sur vingt-quatre heures, pas même une minute de calme!

Faute de mieux, je disais n'importe quoi. Mais le père semblait s'en contenter.

Avec la maladie du père, le va-et-vient s'intensifiait à la maison. Les parents des environs venaient tous prendre des nouvelles : l'un suivant l'autre, chacun venait bien une fois tous les deux jours. Il venait aussi, de plus loin, d'autres parents que, d'ordinaire, nous n'avions pas l'occasion de voir :

— Nous étions bien inquiets, disaient-ils. Mais il ne paraît pas si mal, et, ma foi, ça va! Après tout, son parler n'est pas changé, ses traits pas du tout creusés!

Et après deux ou trois banalités de ce genre, ils s'en retournaient. Mais la maison, que, lors de mon retour, je trouvais trop silencieuse, toutes ces visites y mettaient de jour en jour du bruit.

Au centre de toute cette agitation, le père demeurait cloué, et, tout droit, son mal s'acheminait vers le pire. D'accord avec ma mère et l'oncle, je me décidai à expédier les dépêches. Mon frère me répondit qu'il accourait, et mon beau-frère me fit la même réponse. Au cours de sa dernière grossesse, ma sœur avait fait une fausse couche, et son mari, craignant que la chose ne se répétât, nous avait écrit, il y avait quelque temps déjà, qu'il désirait que sa femme observât les plus grandes précautions. Avait-il décidé de venir aux lieu et place de sa femme? Ce n'était pas impossible.

XI

En ce continuel va-et-vient, j'arrivais à trouver des heures de calme isolement. Parfois même, ouvrant un livre, je pouvais sans être dérangé en lire de suite une dizaine de pages. Et la valise que j'avais si bien bouclée, j'avais fini par la défaire, pour en sortir petit à petit le contenu au fur et à mesure de mes besoins. Malgré tout, j'étais bien en retard sur le programme d'été que je me souvenais de m'être tracé en moi-même lors de mon départ de Tôkyô : je n'en avais pas même réalisé le tiers. Non que ce fût là, certes, la première désagréable expérience que j'eusse de mon ordinaire paresse durant les vacances d'été. Mais que j'eusse aussi mal travaillé que cet été-ci, c'était presque sans précédent. J'avais beau me dire qu'il n'y avait rien là que de très humain et de très banal, ce lieu commun ne m'empêchait en rien de porter le poids du mécontentement où j'étais de moi-même.

Dans ce mécontentement qui me figeait, je me prenais à songer : tantôt au père mourant, et à ce qui se passerait après sa mort; tantôt à tous les souvenirs qui entouraient en moi l'image brumeuse du Maître. Entre ces deux êtres, mon mécontentement même formait trait d'union. Rang, culture, caractère, tout en eux différait. Et je les contemplais l'un et l'autre, à l'un et à l'autre bout de ma songerie.

Un après-midi, délaissant un peu le chevet du père, j'étais là, dans ma chambre, accroupi parmi mes livres en désordre, les bras croisés, songeur, quand ma mère parut :

— Fais un peu la sieste, voyons! Mon pauvre petit, toi aussi, tu dois être éreinté!

Ma mère me comprenait mal, et je n'étais pas moi-même assez puéril pour exiger d'elle qu'elle me comprît à fond : je me bornai à la remercier d'un mot. Puis, comme elle restait debout, à l'entrée de la pièce :

— Et le père? lui demandai-je.

— Il dort encore!

Ma mère se décida à entrer, et vint s'asseoir à mon côté :

La mère tablait sur l'assurance que je lui avais donnée que le Maître sans faute me répondrait. Mais une réponse qui satisfît pleinement l'espoir de mes parents, à vrai dire je n'y avais jamais compté : l'assurance que j'avais donnée revenait, somme toute, à un mensonge.

— Écris encore! insista ma mère.

Quelque inutiles qu'elles dussent être, si elles pouvaient en quoi que ce fût tranquilliser ma mère, je n'étais pas homme à ne pas prendre la peine d'adresser au Maître de nouvelles sollicitations. Mais d'exiger du Maître services de cet ordre, c'était là ce qui me tourmentait. Plus que les remontrances du père ou les accès d'humeur de ma mère, je redoutais le mépris du Maître. C'est pourquoi je m'abstenais de récrire, nourrissant même cette assez vilaine pensée que si le Maître ne m'avait pas répondu, c'était précisément en signe de mépris :

— Écrire est aisé, répondis-je à ma mère. Mais ce n'est pas en les traitant par lettres que ces affaires-là aboutissent. Le mieux est d'aller sur place, et là, directement, de solliciter les gens à la ronde. Sans cela...

— Mais dans l'état où est le père, comment pourrais-tu compter aller à Tôkyô de si tôt?

— Je ne suis pas encore parti, ce me semble. Et tant que je ne saurai pas si le père doit ou non se remettre, sois tranquille, je n'ai pas l'intention de partir!

— Je pense bien! Un malade qui peut passer d'un moment à l'autre, qui donc aurait le cœur de le planter là pour s'aller promener à Tôkyô?

Quand ma mère était entrée, j'avais eu pour son incompréhension une pitié profonde. Mais en un moment si lourd, pourquoi diable en était-elle arrivée à remettre sur le tapis la question de mon avenir? Je le saisissais mal. Délaissant le malade, je m'étais, moi, retiré dans ma chambre, à songer et lire dans le calme, et, pour moi, cela me semblait naturel. Mais que ma mère, elle, eût oublié le malade qu'elle ne quittait jamais pour se livrer de la sorte à des réflexions d'un autre ordre, j'en restais surpris. Avait-elle donc l'esprit si vaste ? Juste alors, ma mère se chargea de m'éclairer :

— C'est que, vois-tu, me dit-elle, si tu pouvais, avant que ton père meure, t'assurer une situation stable, quelle sérénité tu lui donnerais ! C'est cela que j'avais dans l'idée ! Au point où il en est, je sais bien que ce n'est pas commode à réaliser en temps voulu : mais vois comme son parler est encore sûr, sûr son jugement ! Pendant qu'il en est temps encore, ne veux-tu pas lui donner cette joie ? Ne veux-tu pas faire acte de piété filiale ?

Hélas, j'étais bien à plaindre ! Dans le dilemme où j'étais enfermé, comment eussé-je pu accomplir l'acte pieux qui m'était demandé ? En fin de compte, je n'écrivis pas : pas même une ligne.

XII

Quand mon frère arriva, le père, dans son lit, lisait le journal. C'était depuis toujours l'habitude du père de faire passer avant toutes choses la lecture du journal. Mais depuis qu'il était retenu au lit, l'ennui lui donnait davantage, s'il se peut, le goût de cette lecture. Ni ma mère ni moi n'insistions beaucoup pour l'en détourner : dans la mesure du raisonnable, nous laissions le malade faire à sa guise.

— Oh, mais alors, ça va! Je pensais que tu allais plus mal, et je suis venu : mais je te trouve très bien!

Tels furent les premiers mots de mon frère : et son ton, volontairement haut, me heurtait. Mais dès qu'il eut quitté le père et que nous fûmes en tête-à-tête, son air se fit plus grave :

— Tu le laisses lire le journal! As-tu raison?

— Je suis de ton avis : il vaudrait mieux pas. Mais si on le prive de lecture, il se fâche. Alors, que veux-tu que j'y fasse!

Mon frère m'écouta en silence. Puis, après un temps :

— A-t-il sa pleine connaissance? s'enquit-il.

Mon frère, me parut-il, avait trouvé la vivacité d'esprit du père très émoussée par la maladie.

— Pour ça, c'est absolument sûr! Une vingtaine de minutes durant, je viens juste de parler avec lui de choses et d'autres : je n'ai pas remarqué la moindre fausse note! Aussi peut-il encore durer longtemps, qui sait!

Dans le même temps que mon frère, arriva mon beau-frère. Il se montra, quant à lui, plus optimiste encore. Le père était heureux de le voir. Il lui posa, touchant ma sœur, question sur question. Enfin :

— Pour sûr, le corps, c'est le corps! dit-il. De monter

comme ça, sottement, en chemin de fer, et de se faire secouer tout le long du voyage, c'était à éviter : venir n'eût pas été raisonnable, et du coup, ç'eût été à nous de nous faire de la bile!

Et puis encore :

— Ne vous en faites pas : dès que je serai guéri, nous irons, nous, vous rendre visite, ne fût-ce que pour voir de près quelle tête fait le petit-fils! Ça fait si longtemps que ma femme et moi ne vous avons pas fait visite, que ça sera bien notre tour de nous déranger : ainsi, tout sera parfait!

Ainsi discourait le père. Et ce fut lui encore qui, lors du suicide du Général Nogi, lut le premier la nouvelle dans le journal :

— Ah, quel événement, quel événement !

Nous qui ne savions rien, ces exclamations brusques nous avaient laissés atterrés :

— Cette fois-ci, j'ai bien cru que ça y était, et que sa tête venait vraiment de partir : j'en avais froid dans le dos! devait plus tard me confier mon frère.

Et mon beau-frère :

— Moi, j'en ai été comme frappé de la foudre! devait-il aussi me dire plus tard, d'un ton où perçait la sincérité de son émotion.

Les journaux de ces jours-là, les gens de notre campagne les attendaient chaque matin avec impatience, tels étaient les articles dont ils étaient remplis. Moi, installé au chevet du père, je les lui lisais sans en rien omettre. D'autres fois, quand je n'avais pas à faire la lecture au père, j'apportais à la dérobée le journal dans ma chambre, et le lisais de bout en bout. De longtemps, mes yeux ne purent oublier le Général Nogi, en son grand uniforme, ni sa femme, en son costume des dames de la Cour.

Or, un jour, tandis que la nouvelle de cette grande mort soufflait encore, vent triste qui pénétrait jusqu'au plus profond de la campagne, secouant hors de leur sommeil les arbres et les herbes, tout soudain, je reçus du Maître une dépêche. En cette campagne si reculée que la seule vue d'un homme en costume européen y suffisait à faire aboyer les chiens, c'était toute une affaire que l'arrivée d'un télégramme. Quand elle eut pris possession de la dépêche, ma mère, la stupéfaction sur son visage, m'appela à l'écart :

— Qu'est-ce que ça peut bien être? disait-elle.

Et tandis que je décachetais le pli, elle se tenait à mon côté, dans l'attente. « Je voudrais vous voir : pourriez-vous venir? », disait, en bref, le télégramme. Que pouvait bien me vouloir le Maître? Je penchai la tête d'un côté sur l'autre. Mais ma mère :

— Dame, tu l'as sollicité, et ça concerne sûrement ta situation! interprétait-elle à ma place.

Je pensais aussi que cette supposition n'était pas invraisemblable. Mais la rédaction de la dépêche me paraissait trop obscure pour bien cadrer avec cette hypothèse. Quoi qu'il en fût, j'avais mandé mon frère et mon beau-frère, et ce n'était pas au moment où le père touchait à sa fin que je pouvais l'abandonner pour me rendre à Tôkyô. D'accord avec ma mère, je décidai de télégraphier au Maître que j'étais dans l'impossibilité de me rendre à Tôkyô. Le plus brièvement possible, j'indiquai que le père était en grand danger, et, mal satisfait encore, j'ajoutai qu'une lettre suivait. Cette lettre, je l'écrivis le jour même, y donnant tous détails, et l'expédiai sans attendre. Ma mère cependant, convaincue qu'il s'agissait de la situation que j'avais sollicitée :

— Vraiment, quand on a la guigne, il n'y a rien à faire! se lamentait-elle, la déception peinte sur son visage.

Master's help is needed for the job hunt, no other reason is given

XIII

Ma lettre au Maître était assez longue. Cette fois-ci, nous pensions bien, ma mère et moi, recevoir du Maître quelque réponse explicite. Or, le surlendemain du jour où j'avais envoyé ma lettre, je reçus un second télégramme : « Inutile de venir », disait-il seulement. Je le montrai à ma mère :

— Sans doute, le Maître a dans l'idée de t'écrire! dit-elle.

Ma mère ne démordait pas d'une exclusive interprétation où le Maître, simple intermédiaire, n'eût été là que pour me trouver une situation qui me permît de vivre. A mes yeux à moi, ce n'était pas que pareille supposition parût absolument invraisemblable : mais je ne laissais pas d'y trouver je ne sais quoi de surprenant. Le Maître, me chercher une situation ? Je n'arrivais guère à me le représenter sous ce jour.

— Ce qu'il y a de sûr, c'est que ma lettre à moi n'a pas encore eu le temps de toucher le Maître, et qu'il m'a télégraphié avant de l'avoir lue!

C'est avec des naïvetés de ce genre que je répondais à ma mère. Elle les écoutait avec sérieux, et comme plongée en une réflexion profonde :

— En effet! opinait-elle.

Mais que le Maître eût télégraphié avant d'avoir lu ma lettre, en quoi, grand Dieu, cela pouvait-il servir à éclairer sa psychologie!

Ce jour-là, cependant, le médecin qui soignait habituellement le père devait amener en consultation le médecin-chef de l'hôpital de la ville voisine. Et nous n'avions pas le loisir, ma mère et moi, de parler davantage du Maître. D'accord commun, les deux médecins se contentèrent, avant de s'en retourner, de donner au malade un lavement.

Le père, depuis que, d'ordre des médecins, il était tenu au lit, devait bien accepter l'aide des siens pour satisfaire ses besoins. Le père avait une telle manie de la propreté que, les premiers jours, il avait très difficilement pris la chose. Mais, tenu à l'immobilité, force lui avait été de se résigner. La maladie avait-elle, sournoisement, émoussé sa volonté, je ne sais : mais toujours est-il qu'avec l'habitude il en était arrivé à ne plus se soucier des conséquences de sa constante immobilité. Parfois, couvertures et draps se salissaient, et, de dégoût, ceux qui assistaient le père fronçaient les sourcils : mais lui n'y prenait pas garde. Au reste, de par la nature du mal, les urines du père étaient fort réduites. Au point que le médecin s'en montrait inquiet.

En même temps, l'appétit diminuait. Il était rare que le père eût envie de quoi que ce fût. Et quand cela arrivait, c'était seulement une illusion du goût. Rien ne passait la gorge, hors une infime quantité d'aliments. Les forces aussi décroissaient. Le journal qu'il aimait tant, le père n'arrivait plus à le tenir. Et si ses lunettes étaient toujours à leur même place, près de l'oreiller, elles restaient désormais enfermées en leur gaine noire.

D'une lieue de distance, un ami d'enfance, du nom de Saku, était venu voir le père :

— Ah, est-ce toi, Saku San! avait-il dit, tournant vers le visiteur des yeux brumeux.

Puis :

— Sois le bienvenu, Saku San! Comme je t'envie de te bien porter! Moi, c'est fini!

— Allons donc! Toi, tes deux fils ont fait de belles études, et, en admettant que tu sois un brin malade, tu n'as pas à te plaindre! Tandis que moi, regarde un peu : je perds ma femme, je reste sans enfants, je vis pourquoi, pour dire que je vis, rien de plus! Même vigoureux, ça m'avance bien!

C'était deux ou trois jours après la visite de Saku San qu'on avait eu recours au lavement. Le père, louant les médecins qui l'avaient soulagé, se montrait content. Et comme s'il eût repris confiance en sa vitalité, son humeur s'était ragaillardie. Était-ce cette bonne humeur qui gagnait ma mère, était-ce, de sa part, désir de réconforter le malade? Je ne sais, mais elle se mit à parler à mon père du télégramme du Maître, feignant que ce télégramme m'offrît à Tôkyô une de ces situations dont le père rêvait pour moi. Moi qui me trouvais là, sentais sur moi un sentiment complexe, fait de gêne à la fois et d'agréable flatterie, et, faute d'oser arrêter ma mère, ne savais que l'écouter en silence. Le malade avait un air heureux. Mon beau-frère lui-même :

— C'est très bien! dit-il.

— Mais de quelle situation s'agit-il, tu ne le sais pas? questionna mon frère.

Au point où les choses en étaient, je ne me sentais plus le courage de démentir ma mère. Je fis une réponse que je ne compris pas moi-même, et, à tous, je leur faussai compagnie.

XIV

La maladie du père en était venue à cette limite où l'on attend le dernier coup. Mais là, elle semblait marquer un temps d'hésitation. Et nous tous :

— Ça va être pour cette nuit, ça va être pour cette nuit! pensions-nous chaque soir en nous couchant.

Non que les souffrances du père fussent jamais si aiguës que leur spectacle pût, à nous autres aussi, nous causer peine aiguë. En ce sens, le père était de ces malades faciles à soigner. Un seul d'entre nous suffisait à le veiller, et nous prenions près de lui la garde à tour de rôle. Cette précaution prise, le reste d'entre nous pouvions, à des heures normales, aller nous reposer sans inconvénient. Une fois, comme je n'arrivais pas à m'endormir, je crus entendre le malade gémir. Je quittai mon lit, et, dans la nuit, me rendis au chevet du père pour voir ce qui s'y passait. Mais rien : la mère, qui était de garde, s'était accoudée près du père, et dormait; le père aussi, comme baignant dans un profond sommeil, respirait calmement. A pas de loup, je regagnai mon lit.

Je couchais près de mon frère, sous une même moustiquaire. Mon beau-frère, lui, sans doute parce qu'on le traitait en hôte, avait sa chambre à part.

Pour Seki aussi, c'est bien ennuyeux, cette affaire-là! me disait mon frère. Retenu de la sorte, et dans l'impossibilité de retourner chez lui...

Seki, c'était le nom de mon beau-frère.

— Mais non, répondais-je à mon frère, pas tant que ça! Il n'a pas tellement à faire chez lui, il peut rester! C'est toi, en vrai, plus que Seki, qui as tout l'ennui, avec cette maladie qui traîne!

— Ennui ou pas, que veux-tu que j'y fasse! Ce devoir-là est au-dessus de tout!

Le lit de mon frère et le mien étaient côte à côte, et nous conversions de la sorte, une fois couchés. Mon frère et moi avions la même conviction : le père était perdu, quoi qu'on fît. Et, mon Dieu, puisqu'il était perdu... L'un et l'autre pensions ainsi que le plus tôt serait le mieux, l'un et l'autre attendions cette fin : seul en nous le sens filial nous empêchait d'exprimer notre sentiment. Au reste, c'était bien inutile : nous nous comprenions sans cela.

— Le père a encore idée qu'il guérira, ne crois-tu pas? me disait mon frère.

Et il semblait bien que cette supposition ne fût pas toute fausse. Quand les gens des environs venaient prendre des nouvelles, le père tenait absolument à ce qu'on les lui amenât : sinon, il se fâchait. Près de chacun, il s'excusait de ce que la fête en l'honneur de ma licence n'eût pu avoir lieu :

— Mais attendez un peu que je sois debout, ajoutait-il, et vous verrez la fête que je vous donnerai à la place!

— Tant mieux pour toi, si on ne t'a pas fêté! me glissait alors mon frère. Ma licence à moi, on l'a fêtée : et je t'assure que pour moi ça n'a pas été drôle!

Cette réflexion de mon frère réveillait mes souvenirs. Cette fête, ç'avait été, dans des bouffées d'alcool, une assez triste pagaille, et qui me laissait encore un sourire amer. Je revoyais le père tourner à la ronde, offrant avec insistance aux convives à boire encore, et encore à manger : et cette image m'obsédait.

Ce n'est pas que nous fussions, mon frère et moi, en si parfait accord. Quand nous étions petits, sans cesse nous nous disputions : et comme j'étais le plus faible, c'est moi toujours qui pleurais. A l'université aussi, l'écart entre nos branches d'études reflétait très exactement l'écart entre nos deux natures. Depuis que j'étais entré à l'université, depuis, surtout, que je m'étais lié avec le Maître, je ne pouvais, de loin, évoquer l'image de mon frère sans qu'il me fît l'effet de la plus terre à terre des bêtes. Cela faisait longtemps que mon frère et moi ne nous étions rencontrés : temps et lieux nous avaient toujours séparés. Mais cette longue séparation même, maintenant que nous nous trouvions réunis, faisait entre nous deux jaillir, comme de je ne sais quelle source naturelle, un doux sentiment de fraternité. Bien sûr, il y avait aussi les circonstances. Nous n'avions à nous deux qu'un père, et ce père était mourant. Comment ne pas, à son chevet, resserrer notre étreinte ?

Un jour :

— Que vas-tu faire, maintenant ? me questionna mon frère.

Je répondis par une autre question :

— Au fait, quelle sera notre situation à la mort du père ?

— Je ne sais pas au juste : le père ne m'en a pas encore parlé. Mais notre prétendue fortune, évaluée en argent liquide, ne doit pas donner grand-chose !

Ma mère, de son côté, s'inquiétait du silence du Maître :

— Et du Maître, aucune réponse ? me demandait-elle d'un ton de reproche.

XV

— *Le Maître, le Maître,* qui c'est ça, *le Maître?* me demanda mon frère.

— Mais, ne t'en ai-je pas déjà parlé, l'autre jour? lui répondis-je.

Qu'à peine ses questions posées, mon frère, il n'y avait pas si longtemps, eût tout de suite oublié les explications que je lui avais données, me laissait contre lui de la rancune.

— Tu m'en as bien parlé, en effet, mais...

Ce que mon frère, au fond, voulait dire par là, c'est que, bien qu'il eût écouté mes explications, il n'était pas arrivé à y voir la raison de mon attachement au Maître. De mon côté, je ne sentais nullement la nécessité d'obliger mon frère à apprécier le Maître. Néanmoins, je me sentis vexé. Et je voyais là, une fois de plus, se montrer à nu la vraie nature de mon frère.

Que j'en fusse à toujours dire avec tant de respect *le Maître, le Maître,* impliquait, aux yeux de mon frère, que le Maître dût nécessairement être homme éminent : professeur d'université pour le moins, ou d'un rang sensiblement égal. Mais un sans-nom, un bon à rien, en quoi pouvais-je bien l'estimer? Mon frère en cette façon de voir se rencontrait exactement avec mon père. Simplement, leurs jugements différaient en ceci que si le père, d'un regard rapide, jugeait que seule son incapacité foncière faisait du Maître un oisif, mon frère, plus subtil, faisait précisément au Maître le grief d'avoir à sa disposition de grands moyens et de se refuser à les utiliser. C'était en cela que mon frère laissait entendre que le Maître n'était qu'un méprisable pas-grand-chose.

— L'égoïsme est laid! me dit enfin mon frère. Se refuser à rien faire, c'est tromper autrui. Quand un homme a quelque chose en lui, il doit de toutes ses forces travailler à se rendre utile : sinon, c'est une duperie envers la société!

J'avais une belle envie de demander à mon frère s'il pensait comprendre à fond le sens de ce mot d'*égoïsme* qu'il employait si vite. Mais :

— Enfin, concluait mon frère, si cet homme-là te trouve une situation, moi, je n'ai rien à dire! Le père s'en montre si heureux!

J'étais, quant à moi, fort embarrassé. Le silence du Maître, en effet, ne m'autorisait pas à espérer qu'il me cherchât une situation; il m'empêchait même, ce silence, de donner aux miens les assurances qu'ils souhaitaient. Si bien que, d'un côté, je ne pouvais pas m'avancer. Mais, de l'autre, je ne pouvais guère non plus revenir en arrière : ce que ma mère, avec sa précipitation habituelle, avait donné à tous comme chose faite, comment aurais-je pu le démentir? C'est pourquoi, sans qu'il eût été besoin que ma mère me harcelât de la sorte, j'avais par moi-même assez de raisons pour attendre anxieusement la lettre du Maître. Qui sait, peut-être allait-elle, cette lettre, m'apporter la situation que tous espéraient pour moi! Alors, qui sait, j'allais sauver ma face près du père, en lui donnant, à ses derniers moments, si peu que ce fût de tranquillité; j'allais sauver ma face près de ma mère, qui n'espérait rien tant que cette dernière joie à donner au père; j'allais sauver ma face près de mon frère, pour qui le travail seul donnait à l'homme sa dignité; j'allais, enfin, sauver ma face près de tous les autres, beau-frère, oncle, tante!... Et c'est ainsi que, pour la possession de cette situation matérielle dont je m'étais jusque-là désintéressé, je me trouvais désormais contraint de lutter jusqu'au bout de mes nerfs!

C'est à ce moment que le père se mit à vomir jaune : et j'avais appris du Maître et de sa femme la gravité du symptôme.

— Pardi, ça fait trop longtemps, aussi, qu'il est comme ça couché, le pauvre, et ça lui a fatigué tout l'estomac! dit ma mère.

Et à la voir si désespérément naïve, les larmes me

vinrent aux yeux. Je rencontrai mon frère dans la salle commune :

— Sais-tu ce que le médecin vient de dire? me demanda-t-il.

Le médecin, avant de partir, venait de révéler à mon frère la signification de ces premiers vomissements. Mais je n'avais nul besoin qu'il m'expliquât rien : moi aussi, j'avais compris!

— A propos, reprit-il, tournant à peine la tête vers moi, à propos, n'as-tu pas désir de te fixer ici et de t'occuper de nos biens?

Comme je ne répondais pas, mon frère insista :

— C'est que, dit-il, seule comme elle va être, que veux-tu que la mère fasse!

Mon frère, la chose était claire, eût pu me voir crever en reniflant la terre qu'il n'eût pas trouvé là matière au moindre remords! Il poursuivit :

— Si ce n'est que la question de lire des bouquins, tu pourras ici lire à loisir. Et même, du coup, ça te dispensera de rien faire : c'est juste ce qu'il te faut, pas vrai!

— Que toi tu reviennes est plutôt de règle! lui dis-je.

— Moi? Impossible!

D'un seul mot, mon frère venait de m'arrêter. D'évidence sa décision était irrévocablement prise de vivre désormais d'une vie plus active encore. Enfin :

— Si tu ne veux pas te fixer ici, alors je demanderai à l'oncle de veiller à nos affaires. Mais il y a aussi la mère, et il faut qu'un de nous deux la prenne avec lui!

— La mère acceptera-t-elle de quitter cette maison, c'est là la question! répondis-je.

C'est ainsi que, du vivant même du père, nous discutions les questions que sa mort seule devait poser.

XVI

Maintenant, par moments, le délire prenait le père :
— Général Nogi, je suis bien en reste avec vous! disait-il à voix entrecoupée. J'en suis honteux : mais je vais vous suivre, sans plus tarder!

La mère prenait peur, et demandait que, dans la mesure du possible, personne ne s'éloignât du chevet du père. A ses instants de lucidité, le malade, qui se sentait triste, semblait aussi désirer de nous avoir près de lui. Mais, dans la chambre qu'il parcourait d'un regard tournant, c'était surtout la silhouette de la mère qu'il cherchait. Quand il ne la voyait pas :
— O-Mitsu! appelait-il invariablement.

Et si ses lèvres ne s'ouvraient pas, ses yeux parlaient à la place. Je me levais et j'allais chercher ma mère. Elle, laissant là ses occupations, accourait près du malade :
— Oui : qu'est-ce que tu voudrais? lui demandait-elle.

Alors, parfois, le père se contentait de la regarder fixement, sans même ouvrir la bouche. D'autres fois, il lui disait des paroles sans grand-suite. D'autres fois encore, sans transition :
— Ma pauvre O-Mitsu, tu as toujours été si bonne! la remerciait-il tendrement.

Ma mère en avait à chaque coup les larmes aux yeux. Jamais non plus elle ne manquait de souligner, avec force souvenirs et comparaisons, combien la maladie avait changé le père :
— C'est bien touchant, ce qu'il me dit! D'autant que, l'homme que vous voyez, eh bien, avant, il pouvait parfois être très violent!

Et les souvenirs sortaient :

— Un jour, rappelait-elle, il m'a rossé le dos à coups de balai, et...

C'était la centième fois que mon frère et moi entendions cette histoire. Mais maintenant, nous l'acceptions d'un cœur tout nouveau, et déjà, par avance, comme un pieux souvenir du père défunt.

Bien qu'il eût tout devant les yeux l'ombre ténébreuse de la mort, le père n'avait pas encore exprimé ses dernières volontés.

— Pendant qu'il en est temps, n'y aurait-il rien à lui demander? me dit mon frère en me dévisageant.

— Oui, peut-être! dis-je seulement.

A nos yeux, de poser au malade pareille question avait du bon et du mauvais. Dans notre commune incertitude, mon frère et moi prîmes conseil de l'oncle. L'oncle aussi hésitait :

— Peut-être a-t-il quelque chose à dire, et sera-t-il, au dernier moment, tourmenté de n'avoir pu le dire. Mais d'un autre côté, de l'interroger à ce sujet... voilà ce dont je ne sais pas trop si ce ne serait pas une mauvaise action!

Nous restâmes sur notre indécision. Cependant, le coma approchait. Ma mère, à son habitude lente à saisir, ne s'en rendait pas compte, et, prenant le sommeil comateux pour du simple sommeil, en exprimait son contentement :

— Enfin, disait-elle, s'il pouvait seulement reposer tranquille! Ça nous permettrait, à nous autres, de prendre aussi un peu de détente!

Le père, de temps à autre, ouvrait les yeux :

— Et un tel, où donc est-il?

Un tel, c'était chaque fois le visiteur qui, un moment avant, s'était tenu à son chevet. La conscience du père se partageait déjà en zones claires et en zones obscures, celles-ci coupant celles-là à intervalles réguliers, à l'image du fil blanc dont on faufile une étoffe noire. Ma mère, somme toute, ne se trompait qu'à moitié, les phases de coma alternant avec les phases lucides tout comme, dans le rythme normal de la vie, les phases de veille avec les phases de sommeil.

Entre temps, le parler s'était fait chez le malade de plus en plus confus. Les phrases qu'il commençait, le père ne les pouvait finir clairement, et nous avions de plus en plus de peine à saisir le sens de ses paroles. Avec cela, le commencement de chaque phrase était jeté à voix si forte qu'on n'eût jamais pensé qu'un malade en fût capable. Mais nous devions parfois, le cou tendu, approcher l'oreille des lèvres du père...

— Veux-tu de la glace sur la tête?

— Oui!

Aidé de l'infirmière, je renouvelais l'eau de l'oreiller en caoutchouc, et plaçais sur la tête du père le sac que je venais d'emplir de glace. Mais comme les pointes des morceaux de glace se sentaient sous l'enveloppe, je soutenais le sac avec précaution pour qu'il touchât à peine le sommet dénudé du haut front du père.

C'est juste à un de ces moments que, par le couloir, mon frère m'apporta un pli postal. Sans mot dire, il me le tendit. Je le reçus de la main gauche, que j'avais libre, et en fus fort intrigué. Plus qu'une lettre ordinaire, ce pli pesait. L'enveloppe n'était pas non plus une enveloppe courante : une enveloppe courante, au reste, n'eût pas suffi au volumineux contenu du pli. On avait simplement enveloppé ce contenu d'un carré de fort papier, replié et cacheté à la colle. J'avais, en outre, tout de suite remarqué que le pli était recommandé. Je le retournai. Au dos, l'expéditeur : le Maître lui-même, qui avait écrit son adresse de l'écriture la plus soignée. Occupé comme je l'étais, je ne pouvais songer à décacheter le pli sur-le-champ. Je le glissai dans l'échancrure de mon kimono.

XVII

Ce jour-là, l'état du malade semblait avoir empiré. Comme je l'avais quitté une seconde pour aller à la toilette, je croisai mon frère dans le couloir :

— Où t'en vas-tu ? m'interpella-t-il, du même ton dont une sentinelle eût crié : *Qui vive!*

Puis il précisa son observation :

— Le malade donne vraiment mauvaise impression : ne t'absente pas, je te prie, ou le moins possible!

Mon frère avait raison. Sans même sortir ma lettre, je ne fis qu'aller et revenir.

Le père eut un moment de lucidité. Il demanda qu'on lui rappelât les noms des visiteurs qui se trouvaient à son chevet. Ma mère les lui nomma, et à chaque fois le père faisait un léger signe de tête. Quand il ne réagissait pas, ma mère lui répétait le nom en haussant la voix :

— C'est M. Un Tel : as-tu bien entendu ?

— Merci, merci bien à tous! dit le père à peine.

Et il retomba dans son sommeil comateux. Pendant un temps, les visiteurs, en silence, tinrent leurs yeux sur le père. Puis l'un d'entre eux, se levant, passa dans la pièce voisine. Puis un second. Alors, sans plus attendre, je leur faussai compagnie à tous et me retirai dans ma chambre. Je brûlais d'ouvrir enfin le pli que j'avais tout à l'heure glissé dans mon kimono. Aussi bien, sans doute, eussé-je ouvert ce pli au chevet même du malade. Mais le contenu en était si volumineux que je n'eusse pu, près du père, le lire tout d'une traite. J'avais pour cela besoin de m'isoler, et de disposer d'un peu de temps.

Impatiemment, j'arrachai les fibres du fort papier qui faisait enveloppe. Il en sortit, régulièrement écrit sur du papier quadrillé, une sorte de manuscrit. Pour l'expédier, le Maître avait plié ce manuscrit en quatre.

Moi, pour pouvoir mieux lire, je l'aplatis en le repliant à l'envers.

— Tant de papier, tant d'encre! Qu'est-ce que le Maître peut bien avoir à me dire? pensais-je, inquiet d'en savoir davantage. Mais, qu'allait-il se passer dans la chambre du malade? Que devenait le père? Si je me mettais à lire, mon frère sans doute, ou ma mère, ou mon oncle m'appellerait avant que je n'en eusse fini. Non, je ne pouvais avec le calme nécessaire lire maintenant la lettre du Maître. Tout ce que je pouvais faire, dans l'état fébrile où je me trouvais, c'était d'en lire la première page. Et cette première page s'exprimait ainsi :

Vous m'avez naguère demandé de vous livrer mon passé. Je ne m'en suis pas alors senti le courage. Mais j'ai aujourd'hui, je crois, acquis la force morale de parler. J'eusse préféré vous parler de vive voix. Mais quand vous serez de retour à Tôkyô, alors, moi, je ne pourrai plus parler. Je dois donc parler pendant que je le puis. Faute de quoi, la leçon que vous pourrez tirer de ma propre expérience serait à jamais perdue pour vous. Moi, de mon côté, je vous ai formellement promis de vous livrer mon passé; et si je ne parle pas maintenant, j'aurai failli à ma parole. Pour cette raison encore, je dois parler. Et ne le pouvant de vive voix, faute de mieux, je vous écris.

Je lus jusque-là. De cette longue lettre, la genèse m'apparaissait clairement. Touchant la situation matérielle que je lui avais demandé de me chercher, j'avais toujours pensé que le Maître ne prendrait pas la peine de me répondre. Mais puisqu'il ne s'agissait que de me faire les confidences naguère sollicitées, comment le Maître, qui détestait d'écrire, avait-il pu avoir l'idée d'une si longue lettre? Et pourquoi n'avait-il pu attendre pour parler que je fusse de retour à Tôkyô?

Sans cesse, mon esprit revenait sur ces deux phrases : *J'ai aujourd'hui, je crois, acquis la force de parler*... et *Quand vous serez de retour à Tôkyô, alors, moi, je ne pourrai plus parler*... Et je n'arrivais pas à en saisir le sens. Brusquement, l'inquiétude m'envahit. Je voulus continuer ma lecture. Juste à ce moment, de la chambre du malade, mon frère m'appelait à grand-voix. Affolé, je me levai en hâte, courus au long du couloir, volai vers le malade. Le temps de cette course, je m'étais déjà résigné au pire.

XVIII

Pendant ma courte absence, le médecin était venu. Désireux de soulager le malade autant que faire se pouvait, il s'apprêtait à lui redonner un lavement. L'infirmière, éreintée de sa nuit blanche, s'était retirée pour se reposer; et mon frère, qui n'avait de ces soins aucune expérience, se démenait sans se rendre utile. Quand il me vit :

— Viens vite aider! me cria-t-il en se rasseyant.

Je m'approchai, et passai sous le père la toile cirée. Le visage du malade parut se détendre. Une demi-heure environ, le médecin attendit. Puis, quand le lavement eut produit effet, il prit congé, promettant de revenir. S'il arrivait quoi que ce fût en son absence, il nous fit avec insistance la recommandation expresse de le rappeler d'urgence.

D'évidence, le père pouvait désormais passer d'un moment à l'autre. Mais mon désir de lire la lettre du Maître était le plus fort. J'abandonnai le malade pour me réfugier dans ma chambre. Mais comment y eussé-je pu trouver le calme? A peine me serais-je installé à ma table, que mon frère, à grand-voix, me rappellerait. Et la crainte que ce ne dût être, cette fois, pour la fin finale, faisait d'avance trembler mes mains de frayeur. Je ne savais que tourner les pages de la lettre du Maître, incapable d'en saisir le sens. Je voyais se succéder, bien ajustés dans leurs cadres, les traits matériels des caractères : mais je ne pouvais lire, pas même d'une lecture rapide. Je feuilletai toutes les pages, une à une. Puis, repliant la lettre, je la posai sur la table. C'est alors que me sauta aux yeux une phrase de la dernière page : *Quand vous aurez cette lettre entre les mains, moi je ne serai plus de ce monde : depuis longtemps, je serai mort...*

J'en eus le souffle coupé. Ma poitrine, jusque-là bruyamment agitée, se figea d'un coup. Je me mis à tourner les pages à rebours, tâchant à lire ne fût-ce qu'une seule phrase par page. Ce que je voulais vite savoir, j'essayais, de mes deux yeux, de l'arracher à ces pages comme brouillées. Et tout ce que je voulais, tout ce que je devais savoir, c'était s'il restait une seule chance que le Maître fût encore vivant. Le passé dont le Maître naguère m'avait promis la révélation, cet obscur passé, comme il m'importait peu! Mais j'avais beau tourner à rebours page par page : cette longue lettre ne livrait pas si aisément ce que j'eusse voulu lui arracher. Et je la repliai, exaspéré.

Je fus à l'entrée de la chambre du père. Là régnait une tranquillité qui me surprit. Ma mère était près du malade, accroupie, demi-chancelante, le visage épuisé. Je lui fis de la main signe de venir vers moi :

— Comment va-t-il? lui demandai-je.

— Il résiste! dit-elle.

Je m'approchai, et me penchai sur le père :

— Alors, et ce lavement? Te sens-tu un peu soulagé?

Le père eut un signe de tête :

— Merci! prononça-t-il clairement.

Il restait au père plus de conscience que je n'eusse pensé.

Je retournai dans ma chambre, regardai l'heure, consultai l'indicateur. Ma résolution était prise. Je resserrai ma ceinture, enfouis la lettre du Maître dans la manche de mon kimono, sortis par la porte de derrière, courus comme en rêve chez le médecin. Mon père pouvait-il durer deux ou trois jours encore? Deux ou trois jours seulement, que le médecin, à force de piqûres, le prolongeât! Mais le médecin était absent. Je n'avais pas le temps de l'attendre. Mon cœur battait. Je pris un pousse, je pressai l'homme vers la gare. Là, contre un mur, je jetai au crayon quelques mots sur un papier, à l'adresse de mon frère et de ma mère : si peu que ce fût, mieux valait écrire que de se sauver sans prévenir. Je chargeai le tireur de pousse de porter tout de suite chez moi mon message. Puis, d'un élan désespéré, je me jetai dans le train de Tôkyô. Et là, dans ce bruyant compartiment de troisième, sortant la lettre du Maître, enfin, d'un bout à l'autre, j'en pus prendre connaissance.

Et cette lettre était telle.

TROISIÈME PARTIE

LE MAITRE ET LE TESTAMENT

I

...ne le pouvant de vive voix, faute de mieux, je vous écris.

J'ai, cet été, reçu de vous deux ou trois lettres. Vous désiriez trouver à Tôkyô une situation convenable, et, dans votre deuxième lettre si je ne me trompe, vous me demandiez de vous aider à la trouver. Je voulais sincèrement m'y employer de mon mieux, et, à tout le moins, vous donner une réponse. C'était là envers vous mon moindre devoir. Pourtant, à vous faire ma confession, je n'ai pas même levé le petit doigt pour vous. Vous le savez, le cercle de mes relations est restreint. Et restreint *est encore trop faible : l'expression juste est que je vis à l'écart du monde et que j'étais impuissant à rien faire pour vous. L'effort que vous me demandiez était hors de ma portée. Encore ne touché-je pas, avec cette excuse le fond même de la question. Ma véritable angoisse était celle-ci : qu'allais-je faire de mon moi? Allais-je continuer telle quelle, au milieu des autres hommes, cette vie de momie délaissée, ou bien?... Cet* ou bien... *je me le répétais sans cesse à moi-même. Et chaque fois, un frisson me glaçait : tel un homme qui, arrivant à toutes jambes au bord d'un abîme, s'arrête net, et, penché, reste là, incapable d'en distinguer le fond. Car j'étais lâche. Et la souffrance même des lâches, je l'ai vécue. Je ne pouvais rien pour vous. De dire qu'à ces heures-là vous n'existiez presque plus pour moi n'aurait rien d'exagéré. Mieux, je vous avouerai que votre situation, votre gagne-pain, tout cela était à mes yeux vide de sens. Votre avenir? Que m'importait? Je n'avais pas l'âme à ces préoccupations. Je glissai, sans plus, votre lettre dans un porte-lettres, et, comme si de rien n'était, poursuivis, bras croisés, la méditation où je m'abîmais. Pour qui possède le suffisant, à quoi bon, à peine la licence passée, crier après une situation, et s'agiter en rond comme un nageur dans les algues? C'est avec cette assez méprisante amertume que, de loin, je vous regardais en pensée. Il n'en reste pas moins que je vous devais une réponse, et je vous dis ces choses pour que vous excusiez mon silence. Je ne veux en rien vous blesser, en rien faire des jongleries de mots à vos dépens. Mon véritable cœur, la suite de cette lettre, il me semble, l'éclairera à vos yeux. Simplement, d'être resté silencieux quand je vous devais une réponse est négligence coupable dont je me sens avant tout tenu de vous demander pardon.*

Après, j'eus envie de vous voir. C'est à ce moment que je vous ai télégraphié. Je voulais, déférant à votre désir, vous conter mon passé. Quand vous m'avez, à votre tour, télégraphié que vous ne pouviez venir à Tôkyô, j'en ai ressenti comme du désespoir, et, longtemps, ne sus que tenir mes yeux sur votre dépêche. A vous, j'imagine, ce télégramme parut insuffisant; et, mal tranquillisé, vous y avez ajouté cette longue lettre qui m'expliquait clairement les raisons vous retenant. Je n'avais, au reste, nulle raison de vous taxer d'impolitesse ou de vous accuser en rien. Le père que vous aimez, comment l'eussiez-vous pu laisser là, malade, et abandonner la maison familiale? C'est moi qui, dans l'état où était votre père, ai fait preuve d'inconvenance. En vérité, j'avais, en télégraphiant, complètement oublié votre père : moi qui, à Tôkyô, vous avais souligné la gravité de son mal, et, tant et tant, vous avais recommandé les plus constantes attentions! Voyez-vous, je suis être bien contradictoire! Sur mon jugement, voici que, sans doute, mon écrasant passé a pris le dessus, et fait de l'homme que j'étais l'être contradictoire que je suis devenu. Je reconnais bien là mon égoïsme, et je dois vous en demander pardon.

Quand j'eus parcouru la dernière lettre que vous m'ayez écrite, je me rendis compte que j'avais mal agi. Mon premier mouvement fut pour vous répondre : je m'arrêtai aussitôt. Si j'écris, pensai-je, je ne puis rien écrire d'autre que la confession totale que je voudrais lui faire. Mais l'heure n'en était pas tout à fait mûre encore. C'est pourquoi je me suis contenté de ce second télégramme : « Inutile de venir. » Maintenant, vous en comprenez le sens.

II

A quelque temps de là, je me mis à écrire la confession que voici. J'écris d'ordinaire si peu que, ni faits ni pensées, rien ne venait bien sous ma plume, et que de rédiger m'était une lourde peine. Un peu plus, et j'allais tout abandonner, au risque de manquer à mon devoir envers vous. Mais j'avais beau me décourager sans cesse et sans cesse poser là ma plume : avant qu'une heure de temps se fût même écoulée, l'envie d'écrire me reprenait plus forte. Vous verrez là, sans doute, la marque du respect où je tiens le devoir, et je n'y contredis point moi-même. Je suis, vous le savez, homme solitaire, presque sans relations avec autrui. Aussi n'ai-je que peu de devoirs, au plein sens du mot. Si je regarde autour de moi, je ne trouve nulle part, ni à ma droite ni à ma gauche, ni devant ni derrière moi, de racines sociales qui aboutissent en moi à de véritables devoirs. Est-ce chez moi parti pris ou tendance naturelle, je ne sais : mais l'agencement de ma vie est tel qu'autour de moi toutes racines de devoirs se trouvent comme coupées net. Non que chez moi une froide indifférence au devoir en soit cause. Mais au contraire un excès de sensibilité. Je sais que je n'aurais pas assez d'énergie pour satisfaire à un grand nombre d'obligations : je les ai simplifiées à la limite, et en suis venu de la sorte à vivre d'une vie toute négative. Cependant, une fois faite, la moindre promesse m'engage, et je n'y puis faillir sans remords. Ne fût-ce que pour m'éviter ces remords, force m'était bien de reprendre aussitôt la lettre interrompue.

Et puis, j'avais à cœur d'écrire cette confession. Toute question de parole mise à part, j'ai à cœur de livrer mon passé. De ce passé, moi seul ai vécu l'expérience. Oui, l'expression est permise, moi seul possède mon passé. Si je meurs sans le léguer à personne, on pourra dire, en un sens, que c'est là perte déplorable. J'ai, moi aussi, plus ou moins ce sentiment. D'un autre côté, plutôt que de léguer ce passé à qui n'est pas digne de le recevoir, mieux vaut, je trouve, l'enterrer avec ma vie dans un même cercueil. Et, en vérité, si vous n'existiez pas, jugeant que mon passé n'est que lettre morte et ne peut, fût-ce indirectement, profiter à quiconque, j'en fusse resté là avec lui. Mais, vous distinguant des millions d'hommes qui habitent mon pays, à vous, à vous seul, je désire conter mon passé. Parce que vous êtes sincère. Parce que, sincèrement, vous m'avez dit désirer recevoir de la vie même le pur, le vivant enseignement qu'elle comporte.

Donc, sans contrainte, je vais projeter sur votre tête la grande ombre noire de la vie humaine. N'en ayez point peur. Mais, regardant fixement cette obscurité, arrachez-lui son enseignement. Quand je parle d'obscurité, je parle, il va sans dire, d'obscurité morale. Voyez-vous, je suis d'une nature foncièrement morale. Et mon éducation, elle aussi, fut une éducation morale. Sans doute, entre mes opinions morales à moi et les opinions morales des jeunes gens d'à présent, il peut se trouver des divergences sensibles. Mais, quelques critiques qu'on puisse faire de mes opinions, une chose est sûre : c'est que je les ai vécues. Ce ne sont pas là, destinés à satisfaire un besoin momentané, des vêtements d'occasion. C'est cela qui fait leur valeur. Et c'est pourquoi, à vous qui devez désormais tendre à un progrès moral, elles ne peuvent, à mon sens, que vous être utiles, d'une manière ou de l'autre.

Vous avez souvent, vous vous en souvenez, aiguillé nos conversations sur les opinions morales du monde présent. Et vous vous souvenez aussi, à coup sûr, de mon attitude d'alors. Je n'allais pas jusqu'à mépriser vos opinions : mais jamais je n'ai pu aller jusqu'à les respecter. Votre pensée manquait de fonds. Trop jeune, il vous manquait un passé. Tout ce que je pouvais me permettre, c'était de rire de temps en temps : et vous me faisiez alors mauvaise figure. Pourtant, à la fin, vous m'avez demandé avec insistance de dérouler devant vous mon passé, tout comme on déroule chez nous ces vieilles peintures enroulées : alors, pour la première fois, j'ai, dans le fond de mon cœur, éprouvé pour vous du respect. Sans pudeur, vous me jetiez à la face votre décision de sortir de mes entrailles quelque chose de vivant : et pour cela je vous respectai. Vous me disiez vouloir couper en deux mon cœur, et en faire couler un sang que vous pussiez boire encore chaud : et pour cela je vous respectai. Mais à ce moment-là, j'étais bien vivant. Et je ne voulais pas mourir. C'est pourquoi, me bornant à une promesse, j'ai différé de vous répondre. A présent, c'est de mes propres mains que je vais déchirer mon cœur pour en jeter le sang sur votre visage. Et si, quand mon cœur aura cessé de battre, un peu de vie nouvelle peut envahir votre cœur à vous, alors, je serai satisfait.

III

Quand j'ai perdu mes parents, je n'avais pas encore vingt ans. Ma femme, il me souvient, a dû, un jour, vous le laisser entendre : mes parents moururent d'une même maladie, et, pourrait-on dire, en même temps, l'un suivant l'autre. En vrai, mon père avait contracté une effrayante typhoïde, et ma mère, qui le soignait, fut à ses côtés contaminée.

J'étais fils unique. Nous avions une assez belle fortune, et j'avais été élevé dans cette aisance matérielle où l'âme aisément devient généreuse. Maintenant, quand je me retourne vers mon passé, je ne puis me défendre de songer que si mes parents avaient vécu, ou même seulement l'un d'entre eux, j'eusse conservé toujours intacte cette belle générosité d'âme.

Cette double perte me laissa désemparé. On ne m'avait rien dit de la vie, et je n'en avais ni expérience personnelle ni instinctive intuition. Au moment où mon père passait, ma mère, déjà touchée, n'était plus à son chevet. Et ma mère devait mourir avant même d'avoir appris la mort de mon père. Ma mère, sur son lit de mort, pressentait-elle la vérité, ou croyait-elle vraiment, comme on lui en donnait l'assurance, que mon père allait guérir ? Qui le pourrait dire! Simplement, elle faisait à mon oncle paternel mille recommandations. Me désignant du doigt :

— Ce garçon-là, veillez bien sur lui, je vous prie! disait-elle.

Depuis quelque temps déjà, mes parents m'avaient promis de m'envoyer à Tôkyô. C'est pourquoi je prêtai tout naturellement à ma mère l'intention de recommander à l'oncle de me laisser partir :

— À Tôkyô... avait-elle dit.

Et mon oncle, l'interrompant aussitôt :

— Soyez sans inquiétude!

Là-dessus, j'avais interrogé mon oncle :

— Aura-t-elle la force de résister à pareille fièvre ?

— Elle? Elle est admirable de résistance! s'était écrié l'autre avec emphase.

Mais à présent que j'y ai souvent pensé, le sens de cet A Tôkyô... *ne m'apparaît pas si clair. Et puis, était-ce vraiment la dernière volonté de ma mère de m'y faire envoyer? Je ne saurais l'affirmer. Ma mère savait, bien sûr, de quelle terrible fièvre mon père était la proie, et se savait elle-même atteinte. Mais se savait-elle définitivement condamnée? La chose est fort douteuse. Au reste, si les paroles que ma mère prononçait en pleine fièvre restaient sensées et toutes claires, il arrivait malgré tout que sa mémoire n'en gardât nulle trace. Si bien que... Mais là n'est pas la question. Je veux simplement dire que c'est depuis ce temps que j'ai en moi, tout à fait aiguisée, cette manie d'analyser, de contourner, de détailler toutes choses. Je dois, il me semble, vous en avertir dès à présent. D'ailleurs, pour n'avoir guère en soi de signification et pour ne toucher que de très loin à l'essentiel de ma confession, les détails que je viens de vous donner pourront vous expliquer tout un côté de mon caractère : acceptez-les dans cet esprit. C'est ce besoin d'analyse, voyez-vous, qui, influençant par le dedans mon activité morale et physique, m'a, je crois, amené d'étape en étape à douter de la droiture d'autrui. Que ce doute lui-même n'a jamais cessé d'ajouter à mes détresses, à mes peines, le fait est sûr. Et cela vaut la peine que vous le reteniez bien.*

Mais, s'écartant de sa route, mon récit se fait obscur. Je vais le reprendre clairement. Malgré tout, devant la perspective de cette longue lettre, peut-être ai-je atteint à un calme plus grand, il me semble, qu'un autre aurait à ma place. Voici que le bruit des tramways, si distinct dès que la ville s'endort, a lui-même cessé. Dehors, derrière les volets tirés, voici que s'est insensiblement élevée cette triste voix des insectes, qui, une fois encore, à nuances légères, évoque l'automne aux mille rosées. Exempte de tout pressentiment, ma femme dort au fond de la pièce voisine, dans l'innocence de son souffle régulier. Trait par trait, les caractères prennent corps sous ma plume qui crisse. Je me sens d'un grand calme devant cette feuille où j'écris. J'ai si peu l'habitude que la plume m'échappera peut-être. Si mon écriture dévie un peu, n'en accusez pas ma tête : elle n'est pas en détresse.

IV

Laissé seul, je ne pouvais qu'obéir aux dernières volontés de ma mère, et, en tout, m'en remettre à mon oncle. Il prit en mains nos affaires, s'en occupa à ma place, et, selon mon désir, arrêta toutes dispositions utiles pour mon séjour à Tôkyô.

À Tôkyô, j'entrai au lycée supérieur. Les lycéens d'alors étaient, de beaucoup, plus brutaux, plus frustes, que ceux d'à présent. Ainsi, une nuit, un de mes camarades, se prenant de querelle avec un ouvrier, lui asséna un coup de geta sur le crâne. Ils avaient bu l'un et l'autre, et les coups pleuvaient éperdument. A la fin, l'ouvrier se saisit de la casquette de mon camarade. Et comme la doublure de la casquette portait, écrit sur un losange d'étoffe blanche, le nom de son propriétaire, l'affaire alla devant la police, qui faillit en saisir le lycée. Par bonheur, mon camarade avait des amis qui, à force de démarches, arrêtèrent la chose avant qu'elle fût rendue publique. Vous autres, jeunes gens d'aujourd'hui, élevés dans une ambiance raffinée, devez trouver bien stupide pareille brutalité. Et je n'en disconviens pas. Mais les étudiants de mon temps avaient pour eux une grande simplicité, une grande sincérité de cœur.

En ce temps-là, je recevais de mon oncle, chaque mois, une pension : moindre, de beaucoup, que celle que vous donnait votre père à vous, encore qu'il soit juste d'ajouter que le prix de la vie était, de mon temps, moins élevé. Cela me suffisait amplement. Je n'avais, au reste, rien à envier à aucun de mes camarades. Au contraire, à me bien rappeler, c'est plutôt moi qui étais envié. Car, en plus de ma pension régulière, je demandais souvent à mon oncle de petits suppléments pour mes achats de livres — j'avais déjà le goût des livres — et pour mes faux frais. Il me donnait libéralement, et je dépensais de même.

En mon inexpérience, je ne me bornais pas envers mon oncle à une absolue confiance : je lui témoignais encore une grande reconnaissance, m'estimant son obligé. Mon oncle était dans les affaires. Il était aussi conseiller de préfecture, et, par là, affilié à je ne sais quel clan politique. Il était, par le sang, frère de mon père : mais combien différent par le caractère! Mon père, soucieux de conserver scrupuleusement intact le patrimoine reçu, était le type même de l'honnête homme. Pour son plaisir, il pratiquait l'art du thé et l'art des fleurs. Il aimait à lire les vieilles poésies chinoises et s'intéressait aussi, avec un goût très sûr, aux calligraphies, aux peintures, aux antiquités. Notre demeure était en pleine campagne, mais à deux lieues seulement de la ville voisine, où habitait mon oncle. De cette ville, souvent, les antiquaires venaient proposer leurs kakemono, leurs brûle-parfums. Bref, on pourrait dire de mon père qu'il était un man of means *achevé : homme de goût et gentilhomme tout ensemble. Aussi, quant au caractère, mon père faisait-il avec mon oncle, homme à l'esprit actif et libre, contraste accusé.*

En même temps, chose curieuse, les deux s'entendaient parfaitement. Bien souvent, j'ai entendu mon père louer les qualités de mon oncle, comme supérieures aux siennes, et le déclarer digne d'absolue confiance. Chez les aînés, qui succèdent aux parents dans leur fortune, les dons les plus vifs s'émoussent très vite, remarquait mon père. N'avoir pas à lutter, ajoutait-il, est chose foncièrement mauvaise. Ces paroles, ma mère mille fois les avait entendues, et moi de même. Mon père semblait même, pour ma gouverne, les répéter à dessein. Il me regardait chaque fois avec insistance, et :

— Toi, tâche de t'en souvenir! me disait-il.

Aussi n'en ai-je encore rien oublié. Pour avoir su mériter à ce point la confiance et l'estime de mon père, mon oncle restait pour moi au-dessus de tout soupçon. Sa personne m'était elle-même sujet de fierté. Mais, mes parents disparus, mon oncle, de qui je recevrais toutes choses, devenait mieux encore à mes yeux qu'un sujet de fierté : l'être nécessaire à ma propre existence.

V

Aux vacances de l'été qui suivit, je revins chez moi. Mes parents emportés, mon oncle et ma tante étaient venus, en nouveaux maîtres, s'installer dans notre maison. La chose avait été convenue bien avant mon départ pour Tôkyô. Puisque, fils unique, je vivais loin, il n'y avait pas d'autre solution.

Mon oncle, à la ville, était, semblait-il, en rapports d'affaires constants avec deux ou trois compagnies :

— Pour mes affaires, m'avait-il dit en riant, mieux vaudrait rester chez moi que de déménager en pleine campagne, à deux lieues de distance! Mais enfin...

Cela se passait après la mort de mes parents, lors de l'espèce de conseil de famille qui s'était tenu, avant mon départ pour Tôkyô, sur la question de savoir ce que j'entendais faire de notre domaine. Notre maison était fort ancienne, et avait sa tradition, bien connue à la ronde. Il en va de même, je pense, dans votre province à vous : quand une maison a sa tradition, l'héritier direct, s'il en est un, ne peut ni la démolir ni la vendre sans que ce ne soit toute une affaire. Maintenant, je ne me préoccuperais pas de pareils racontages. Mais j'étais alors bien enfant; et, pris entre mon désir de partir pour Tôkyô et l'impossibilité morale d'abandonner ma maison, j'étais, certes, dans un bien cruel dilemme.

Finalement, faute d'autre solution disait-il, mon oncle avait consenti à occuper ma maison. Mais il gardait en même temps sa maison de la ville. Il lui fallait absolument, pour ses affaires à lui, se réserver la possibilité de faire la navette entre les deux habitations. Moi, je n'avais rien contre. Et puis, pourvu que j'eusse la liberté de partir pour Tôkyô, toute solution m'agréait d'avance.

Dans la fraîcheur de sentiments que j'avais gardée, si loin que je fusse de ma province, je distinguais au loin, avec les yeux de l'âme, ma vieille maison, si nostalgique. C'était la maison à laquelle je devais nécessairement revenir, tel un homme qui, après un long voyage, se hâte sur le chemin du retour. Les vacances venues, je sentais en moi l'impérieux désir de ce retour, plus fort que le mirage qui m'avait attiré vers Tôkyô. Au milieu de mes études les plus ardues, de mes distractions les plus prenantes, je gardais intacte la vision de cette maison natale à laquelle j'allais revenir.

Comment, en mon absence, mon oncle avait partagé sa vie entre ses deux habitations, je n'en avais pas idée. A mon arrivée, toute sa famille était réunie chez moi. Il y avait même là ceux de ses enfants, encore écoliers, qui d'ordinaire, sans doute, devaient rester à la ville, mais qui, j'imaginais, étaient venus là passer leurs vacances et se distraire.

Tous m'accueillirent avec joie. De mon côté, cette ambiance, plus animée et gaie que jadis, m'enchantait. Mon oncle, chassant de mon ancienne chambre son fils aîné, m'y réinstalla. J'eus beau protester que nous n'étions pas si à court de chambres que l'une ou l'autre ne fît mon affaire, mon oncle ne voulut rien savoir :

— Tu es ici chez toi! trancha-t-il.

Hors le souvenir de mes parents qui souvent m'attristait, cet été-là n'eut pour moi rien que d'agréable. Puis je rentrai à Tôkyô. Il n'était guère qu'un seul incident qui laissât en moi comme une ombre. Mon oncle et ma tante, d'une même voix, avaient voulu me persuader de me marier, moi qui venais à peine de commencer mes études. Ils s'y étaient repris à trois fois. La première fois, je m'étais seulement montré surpris de cette brusque proposition. La deuxième, j'avais refusé net. La troisième, je leur avais demandé, à mon tour, la raison de cette insistance. Leur idée se présentait toute simple :

— Bah, marie-toi vite, et reviens ici prendre possession de ton patrimoine!

Moi, je jugeais suffisant d'habiter ma maison durant l'été. Quant à prendre possession de mon héritage, il était évident que j'avais pour cela besoin d'une femme qui tînt la maison, et cette association de mariage et d'héritage était, somme toute, logique. Je la comprenais d'autant mieux que j'étais bien au courant des usages de la campagne. Ce n'était pas qu'au fond cette idée de mariage me déplût absolument. Mais j'étais à peine installé à Tôkyô pour mes études, et cette perspective, encore fort lointaine, me faisait l'effet de m'être imposée comme à travers une longue-vue. Et c'est en me dérobant aux instances de mon oncle que j'étais reparti pour Tôkyô.

VI

Cette histoire de mariage, je l'oubliai, sans plus. Au reste, j'avais beau regarder, autour de moi, mes camarades : je ne distinguais chez aucun d'eux la vocation matrimoniale. Tous me paraissaient libres de tous liens. Certes, si l'on avait pu pénétrer l'arrière-fond de ces êtres à l'insouciante apparence, peut-être eût-on découvert que certains d'entre eux déjà, pressés par des nécessités de famille, s'étaient vus contraints de prendre femme. Mais j'étais trop naïf pour m'en apercevoir. Et puis, à supposer qu'il y en eût, il est assez vraisemblable que, par respect humain, ils eussent mis tous leurs soins à ne pas dévoiler à l'indifférence de leurs camarades leurs histoires les plus intimes. Maintenant que je puis jeter en arrière un regard lourd d'expérience, j'étais, au fond, dans l'état d'âme où je me trouvais alors inconsciemment, bien plus près d'eux que je ne l'eusse alors pensé. Simplement, je ne m'en rendais pas clairement compte, et allais gaîment le chemin de mes études. Mais n'anticipons point...

Ainsi prit fin ma seconde année scolaire. Comme l'année d'avant, je bouclai ma valise et retournai à cette campagne où, pour toujours, reposaient mes parents. Et, comme l'an d'avant, je trouvai mon oncle, ma tante et leurs enfants en fort bonne santé. De nouveau, je sentis m'étreindre le charme prenant du pays natal. Ce charme, voyez-vous, n'a jamais cessé d'agir sur moi. Et pour rompre la monotonie de toute une année d'études, il n'avait pas son pareil au monde.

Cependant, brisant ce charme où toute ma jeunesse s'était bercée, brusquement, mon oncle me remit pour ainsi dire sous le nez la question de mon mariage. Il ne fit d'ailleurs rien plus que de répéter ses paroles de l'année d'avant : même discours, même motif. A ceci près toutefois que si sa première proposition était vague et sans allusion directe, j'appris, cette seconde année, de qui il s'agissait. Et le choix ajoutait à mon embarras. Mon oncle ne me destinait personne autre que sa propre fille, ma cousine. Cette alliance eût arrangé chacun : je ne pouvais moi-même n'en pas convenir. Et mon père, affirmait mon oncle, avait de son vivant ébauché lui aussi ce même projet. Que ce fût là l'idée de mon pauvre père, c'était, à vrai dire, de la bouche de mon oncle que je l'apprenais. Je n'en avais par moi-même jamais eu le sentiment. Et cette révélation me surprit. Mais enfin, il n'y avait rien de déraisonnable dans la proposition de mon oncle, et s'il était vraiment là d'accord avec mon père, la démarche était fort compréhensible.

Cependant — vous allez me trouver insensible, et j'en mérite peut-être le reproche — cependant, la totale indifférence où j'étais à l'égard de ma cousine rendait la chose bien difficile. Dans mon enfance, j'allais, presque chaque jour, m'amuser chez mon oncle. Et je n'avais pas de camarade plus intime que ma cousine. Or, vous le saisirez aisément, c'est un fait qu'entre jeunes gens si proches qu'on les pourrait dire frère et sœur, jamais ne s'établit de véritable amour. Peut-être poussé-je à l'extrême le catégorique de cette affirmation. Mais il est certain qu'une perpétuelle camaraderie tue entre homme et femme cette sensation de nouveau, d'inconnu, qui fournit à l'amour une nécessaire excitation. L'amour est comme l'encens : c'est quand on l'allume que son odeur vous prend. Ou encore comme le saké : c'est à la première coupe qu'on en goûte la saveur. Ainsi, ce choc qu'est l'amour n'occupe dans le ruban du temps qu'un court moment, qu'une pointe délicate : je ne puis m'empêcher d'en rester persuadé. Si on laisse passer ce moment, un incessant voisinage peut sans doute créer l'intimité : non l'amour, dont le nerf alors se paralyse insensiblement. C'est pourquoi, plus j'y pensais, et moins j'avais désir de faire de ma cousine ma femme.

— Si tu tiens absolument à terminer tes études, conclut mon oncle, eh bien, on différera jusque-là le mariage. Mais tu connais le proverbe : « Pour bien faire, fais vite! ». Alors, on pourrait peut-être, sans attendre, boire ensemble le saké des fiançailles, qu'en penses-tu?

Je n'avais, moi, aucune vue sur ma cousine, et fiançailles ou pas fiançailles, ma foi, cela revenait au même. Mais je choisis de refuser net. Mon oncle me fit mauvaise mine, ma cousine fondit en larmes. Ce n'était pas la tristesse de me perdre, mais le dépit, bien féminin, d'avoir été refusée : je ne l'aimais pas plus qu'elle ne m'aimait elle-même, la chose était sûre.

Je repartis pour Tôkyô.

VII

Ma troisième année scolaire s'acheva, et, pour la troisième fois, je retournai chez moi. Comme les autres années, j'avais attendu avec impatience que la fin des examens me permît de m'échapper de Tôkyô. Telle est l'attirance du pays natal. Vous devez, vous aussi, avoir cette expérience : là où on est né, la couleur de l'air est autre, autre l'odeur de la terre; et l'on y sent flotter autour de soi, tendrement, le souvenir des parents défunts. Oui, ces deux mois de juillet et d'août, j'allais m'enterrer dans cette chaude ambiance comme un serpent au fond de son trou, et là, immobile, savourer cette tiédeur, ce bien-être à nul autre pareil!

Dans ma simplicité, je pensais inutile de me casser davantage la tête sur ce projet de mariage avec ma cousine. La chose ne m'allait pas : je l'avais refusée, c'était tout. A la volonté de l'oncle je n'avais pas cédé, et cela suffisait à ma tranquillité. De toute l'année, je crois, je n'avais pas évoqué ce souvenir. Et c'est avec ma même bonne humeur de tous les ans que, cette fois encore, je retournai chez moi.

Or, dès mon arrivée, je fus bien obligé de remarquer que mon oncle à mon égard avait changé d'attitude : son visage n'avait plus son habituelle bonhomie, et il ne fit pas un geste pour m'attirer dans ses bras. Mais, avec la générosité d'esprit où mes parents m'avaient élevé, je n'y prêtai pas, les premiers jours, grande attention. Puis, soudain, le fait me frappa. D'ailleurs, chose qui surprit ma naïveté, mon oncle n'était pas le seul à me faire bizarre figure. Bizarre était ma tante, bizarre ma cousine, bizarre encore le fils aîné, qui, pourtant, quelques semaines auparavant, désireux d'entrer dans une école de commerce, m'avait, au long d'une lettre affectueuse, demandé conseil.

J'avais déjà en moi ce besoin, dont je vous ai parlé, de tout creuser :

— Comment ai-je pu, moi, changer de la sorte ? me demandai-je.

Et aussitôt :

— Mais non, ce n'est pas moi, ce sont eux qui ont changé!

Et j'eus la soudaine intuition que mes parents défunts venaient d'enlever de devant mes yeux le voile qui les obscurcissait, et qu'enfin, grâce à mes parents, je voyais. Même morts, il me semblait que mes parents me protégeaient de leur amour, comme s'ils eussent encore été vivants. Superstition, je le veux bien, encore que je ne fusse pas, à cette époque-là, si dépourvu de jugement. Mais, que voulez-vous, ces croyances superstitieuses, c'étaient mes ancêtres qui me les avaient léguées, et leur force invincible était dans mon sang. Elle s'y cache sans doute aujourd'hui encore.

Solitaire, je gravis la colline où mes parents reposent, et m'agenouillai sur leur tombe commune, dans un sentiment de deuil à la fois et de reconnaissance. Et avec cette foi que mon bonheur futur était encore dans leurs mains à eux, qui gisaient là sous cette pierre froide, je leur demandai de protéger ma destinée. Vous sourirez. Et je vous comprends. Mais j'étais ainsi.

Comme en un tour de main, mon univers venait de se métamorphoser. Et c'était pour la deuxième fois de ma vie.

La première de ces métamorphoses, ç'avait été vers quinze ou seize ans, quand, pour la première fois, j'avais en présence d'une femme eu la révélation de la beauté de ce monde. Cela m'avait laissé comme atterré. Doutant de mes yeux, je me les étais frottés pour être sûr qu'ils voyaient :

— Comme elle est belle!

Quinze ou seize ans, garçon ou fille, c'est, comme on dit vulgairement, l'âge où l'amour commence à vous chatouiller. Je venais de découvrir l'amour. Je venais d'apercevoir dans la femme le symbole de la beauté terrestre. Jusque-là, je ne m'étais pas douté de son existence. Et voici que sur elle s'étaient ouverts mes yeux sillés, et que tout mon univers s'était métamorphosé.

Cette fois, ç'avait été l'attitude de mon oncle qui, à nouveau, venait de transformer mon univers. Ç'avait été très brutal. C'était venu avant tout pressentiment, avant toute transition. Lui et les siens avaient, d'un coup, surgi devant moi tout autres, et avec eux toutes choses. A nouveau, j'en restai atterré. Et, à le laisser entre leurs mains, mon avenir m'apparaissait si précaire!

VIII

J'avais, jusque-là, laissé à mon oncle la gestion de mon patrimoine. Mais le sentiment peu à peu s'affirmait en moi que de ne pas lui demander de comptes était envers la mémoire de mes parents une impardonnable faute. Mon oncle cependant, se disant débordé de travail, ne couchait pour ainsi dire jamais au même endroit. Deux jours ici, trois jours là-bas. Une perpétuelle navette entre la ville et notre domaine. Un visage toujours tourmenté. Et toujours sur sa bouche, comme un tic, ces mots : débordé, débordé de travail... *Quand j'étais encore sans soupçons, je le croyais, moi aussi, vraiment débordé. Et puis, je me disais que, le fût-il moins qu'il le voulût paraître, il eût quand même joué l'affairé pour se donner l'air plus moderne. Mais à présent que j'étais décidé à y voir clair et à trouver l'occasion de parler comptes avec mon oncle, je ne pouvais me défendre de suspecter en cette attitude affairée un simple prétexte à m'éviter. De fait, je n'arrivais pas à mettre la main sur mon oncle.*

J'avais entendu dire que mon oncle, à la ville, entretenait une maîtresse : un de mes anciens condisciples m'en avait prévenu. Mon Dieu, tel que je le connaissais, que mon oncle entretînt une maîtresse, la chose n'était pas pour me surprendre. Le surprenant était que, du vivant de mon père, jamais tel bruit n'avait couru. Le même camarade me mit au courant de divers autres racontars, dont l'un au moins était à vérifier. Il avait été un temps où chacun considérait mon oncle comme coulé par de désastreuses opérations. Mais, depuis ces deux ou trois dernières années, il était, disait-on, revenu à flot. Mon doute prenait corps.

Enfin, j'entrai en conversation avec mon oncle : et je voudrais dire en pourparlers. Pourparlers *est évidemment un bien grand mot, mais, pour faire saisir l'orientation de nos entretiens, je ne vois guère d'autre expression. C'est vraiment à un ton de pourparlers que nous en devions venir. La tactique de mon oncle était d'affecter de me traiter, d'un bout à l'autre, en enfant. De mon côté, d'un bout à l'autre, j'avais décidé de lui faire franchement face, sans prendre la peine de cacher mes soupçons. Nous nous coupions de la sorte, l'un et l'autre, toute possibilité d'accord amiable.*

Je ne saurais ici, au gré de mes souvenirs, vous conter minutieusement le détail de ces pourparlers. Le récit me pousse : et plus que ces différends avec mon oncle, il est dans ma confession un moment important auquel je suis impatient d'en venir. Si vous aviez pu vous déplacer, j'eusse aimé de vous parler sans hâte. Je n'en ai pas eu la chance. Et, mal habitué d'écrire, pressé par un temps qui m'est compté, force m'est bien de passer plus vite sur certains points.

Vous vous rappelez certainement celui de nos entretiens où je vous disais qu'il n'existe pas en ce monde une race spéciale qui serait celle des gens mauvais, mais que la vérité était celle-ci que, l'occasion se présentant, il n'est de gentilhomme qui ne se fasse vilain : et que c'était à cause de cela qu'il fallait toujours rester sur ses gardes. Tout en me reprochant de m'emporter, vous m'avez alors attentivement écouté, et vous m'avez demandé quelle singulière occasion pouvait de la sorte faire d'un gentilhomme un vilain. L'argent! vous ai-je répondu; et vous m'avez alors fait grise mine. Je me souviens parfaitement du mécontentement peint sur votre visage. Je puis à présent vous dire que c'est à mon oncle que je pensais alors. Qu'un homme normal peut, à la vue de l'argent, se muer en homme mauvais; que nul être au monde ne mérite une absolue confiance, mon oncle m'en fournissait l'exemple, cet oncle dont je me souvenais avec haine. Pour vous, qui ne pensiez qu'à poursuivre en son fin fond une psychologie toute théorique, ma réponse sans doute n'était pas satisfaisante : trop banale. Mais pour moi qui l'avais vécue, ma réponse était une réponse vivante. Et la preuve, c'est que je me suis emporté. Plus qu'une réponse originale construite d'une tête froide, je dis vivante une réponse, même banale, faite d'une langue chaude. C'est de sang que la vie est faite. Voyez-vous, une réponse vivante, ce n'est pas seulement une suite de mots à faire vibrer l'air : c'est chose forte, et capable d'ébranler fortement le cœur humain.

IX

Bref, mon oncle avait escamoté ma fortune. Et le fait est que durant les trois années de mon séjour à Tôkyô la chose lui avait été facile. Quant à moi, d'avoir laissé à mon oncle la libre disposition de ma fortune entière, j'étais, du point de vue commun, un rare imbécile. Qui eût dépassé le point de vue commun eût peut-être, à son tour, décelé en mon excessive confiance la marque d'une pureté digne de respect. Quoi qu'il en soit, si, de mon point de vue à moi, je jette, me dédoublant, un regard sur le jeune homme que j'étais alors, j'en suis à déplorer que le sort ne m'ait pas fait naître un peu plus canaille, et je n'arrive pas à me consoler de ma trop grande honnêteté. Et encore, est-ce si sûr? N'eussé-je pas tout donné, au contraire, pour effacer en moi toute expérience, reprendre mon âme d'enfant, en vivre la candeur? Le moi que vous connaissez, ne l'oubliez pas, c'est un moi sali de toutes les poussières de la vie. S'il est vrai qu'on puisse tirer orgueil d'un cumul de ces années toutes vécues dans la saleté, alors, je le veux bien, appelez-moi votre aîné!

J'en reviens à mon oncle. Si, comme il le voulait, j'avais épousé sa fille, qu'eussent été pour moi les conséquences matérielles de ce mariage? Les mêmes, cela va de soi : le mariage n'eût rien changé. Il entrait dans les plans de mon oncle de m'amener à épouser sa fille : non dans l'intérêt des deux familles, mais dans son intérêt à lui, infiniment plus vil. Moi qui n'aimais ni ne détestais ma cousine, j'eusse fort bien pu me laisser persuader. D'avoir dit non *me laissait du moins une agréable consolation. Puisque, mariage ou pas, je devais de toute manière être dépouillé, j'étais assez content d'avoir refusé ma cousine, et fait échec sur ce point aux volontés de mon oncle. Si peu que ce fût, j'avais fait sentir de la sorte que ma personne existait... Mais j'ai tort d'insister. Vous qui êtes en dehors de ces mesquineries, vous penserez à juste titre que d'étaler complaisamment cette petite satisfaction d'amour-propre est, au fond, le fait d'une assez sotte rancune.*

Entre mon oncle et moi, des parents communs intervinrent en médiateurs. Mais je n'avais en eux nulle confiance. Et non seulement je me méfiais d'eux : mais je les traitais en véritables ennemis. De l'instant même où je m'étais rendu compte que mon oncle m'avait trompé, je prêtai à l'univers des hommes la même duplicité. Si c'est là, me disais-je, le frère que mon père admirait tant, je sais désormais à quoi m'en tenir sur le reste de l'humanité! C'est ainsi que je raisonnais.

Ces médiateurs, cependant, dressèrent inventaire de tout ce qui me restait. Le tout, évalué en argent, donnait moins encore que je n'avais pensé. Mais je réfléchis qu'il me fallait ou accepter cette somme ou engager un procès. Exaspéré, j'hésitai entre l'une ou l'autre solution. Mais le procès m'eût demandé beaucoup de temps, et pris comme je l'étais par mes études, ce temps m'était précieux : il eût été navrant d'en faire si bon marché. En fin de compte, toutes choses pesées, je priai un ami d'enfance de tout liquider pour moi. Mon ami me déconseilla de tout vendre en même temps : mais je m'en tins à ma décision. De ce moment même, j'avais résolu de quitter pour toujours mon pays natal, et de ne plus me retrouver en face de mon oncle.

Avant de partir, je fis un dernier pèlerinage au tombeau de mes parents. Je n'ai jamais depuis revu leur tombe, et je sais maintenant que je ne la reverrai jamais.

Mon ami fit comme je l'en avais prié. Mais il ne put aboutir que longtemps après mon retour à Tôkyô. A la campagne, il ne suffit pas, pour vendre, de le vouloir. Il faut toujours compter avec les acheteurs qui, le moment venu, devinent vos motifs et diminuent leurs offres. La somme que je reçus ne représentait pas, tant s'en faut, la valeur marchande des biens dont je n'avais pas été dépouillé. A vous le confier, je n'avais d'autre fortune que quelques bons d'État que j'avais emportés de chez moi, et le peu d'argent provenant de la vente de mes biens. Mon patrimoine était bien rogné, et, ce qui ajoutait à ma rancœur, sans qu'il en allât de ma faute. Toutefois, c'était plus qu'il ne m'en fallait pour ma vie d'étudiant. Pour préciser, j'avais peine à dépenser la moitié de mon revenu.

Et c'est précisément ces moyens un peu exceptionnels qui allaient me jeter dans la plus inattendue des situations.

X

Le premier désir que je voulus réaliser avec mon argent, ce fut d'abandonner ma trop bruyante pension pour avoir une petite maison à moi. Mais il y avait l'ennui d'acheter des ustensiles de ménage. Encore, il y avait la question de trouver une vieille servante : et si elle n'était pas scrupuleusement honnête? Et si, en mon absence, elle gardait mal la maison? Toutes ces incertitudes me tourmentaient, et rendaient difficile la réalisation de mon projet. Un jour pourtant, je me dis que je pouvais toujours commencer par chercher la maison, et, sans y attacher d'autre importance, je partis en promenade. Je descendis vers l'ouest la colline de Hongô, et remontai la pente de Koishikawa, allant droit sur le temple Denzûin. Depuis qu'on a construit là un tramway, ces quartiers ont bien changé. Mais à l'époque dont je vous parle, il n'y avait là, à main gauche, que les murs de boue sèche de l'arsenal, et, à main droite, qu'un terrain mi-friche mi-colline, et uniformément couvert d'herbes sauvages. Je me tins là un moment, la tête vide, à regarder, du côté de Hongô, la vallée que je venais de franchir. Le paysage, qui, même à présent, n'est pas si vilain, était, de ce temps-là, vraiment séduisant, avec, à perte de vue, l'épaisseur unie de toute cette verdure qui imposait aux nerfs son calme reposant. Si seulement, en ces environs, je pouvais trouver la maison de mes rêves! Je traversai les herbes, et, par un chemin étroit, marchai vers le nord. Aujourd'hui même, il n'y a place pour nulle jolie rue parmi ces maisons à l'alignement irrégulier. Mais alors, tout cela était franchement sale. Longeant les ruelles, traversant les passages, je me mis à tourner de droite et de gauche. Finalement, je m'adressai à une marchande de gâteaux :

— Vous ne connaîtriez pas une maison à louer dans les environs : petite, mais confortable?

— Ah, une maison?... fit-elle. Une maison à louer?... Ma foi...

Son air disait clairement qu'elle n'en connaissait pas, et, en ayant fait mon deuil, je m'apprêtai à m'en retourner. Mais elle, à ce moment :

— Au fait, une pension de famille ne vous irait pas?

Sans hésitation, je changeai mes plans. Être bien tranquille dans une famille, et m'éviter du même coup tous les soucis d'une maison à moi... après tout ce ne serait pas plus mal! Je m'assis dans la boutique, et la marchande me donna tous détails.

La famille en question, me dit-elle, était la famille d'un officier, ou plutôt la famille laissée par un officier, le chef de famille ayant été tué sur les champs de bataille sino-japonais, ou ailleurs. Sa veuve, jusqu'à cette dernière année, avait habité près de l'école militaire d'Ichigaya. Mais l'habitation, qui comprenait même des écuries, était trop vaste pour elle. Elle l'avait vendue, et était venue s'installer en ce quartier. Elle s'y sentait pourtant un peu isolée, et eût volontiers pris en pension quelqu'un de convenable : il n'y avait là, m'assura la marchande, que cette veuve et sa fille unique, avec leur servante. Je me dis que, taciturne comme je l'étais, cela devait tout à fait me convenir. Mais si, me présentant, j'allais être refusé? Un simple étudiant, et inconnu... J'eus envie de m'abstenir. Cependant, il y a étudiant et étudiant. Mon apparence était fort correcte, et puis... je portais la casquette d'étudiant de l'Université Impériale. Vous allez rire, en vous demandant ce que cette casquette pouvait avoir à faire en la circonstance. Mais, de ce temps-là, les étudiants d'université étaient beaucoup moins nombreux, beaucoup plus considérés que ceux d'aujourd'hui : j'avais confiance en ma casquette, et me présentai, sans autre recommandation, à la maison indiquée.

Je trouvai la veuve chez elle, et lui fis part de mon désir. Elle me posa diverses questions, sur ma famille, mes études, et autres sujets. Je dus, je ne sais en quoi, lui inspirer confiance, car elle me donna sur-le-champ l'autorisation d'emménager quand bon me semblerait. Cette femme était, d'évidence, droite et nette. Je pensai que, sans doute, les femmes de soldats doivent toutes être ainsi. Et je l'admirai avec étonnement. Mais en même temps, je ne laissai pas d'être intrigué : avec la nature que je lui découvrais, comment cette femme pouvait-elle craindre la solitude?

XI

J'emménageai sans délai : j'avais loué, lors de ma première visite, la pièce même où la veuve m'avait reçu. C'était la meilleure de la maison. A Hongô, on venait de construire des pensions de haut style, et j'étais renseigné sur ce qu'un étudiant pouvait espérer de mieux comme chambre. Mais la pièce dont je devenais le nouvel occupant était de beaucoup plus élégante. Au début, elle me paraissait même, pour un étudiant, beaucoup trop bien.

C'était une pièce de huit nattes. Sur le côté de l'alcôve d'honneur, il y avait une étagère à panneaux; et, répondant au couloir extérieur, un grand placard de six pieds de large. Il n'y avait pas de fenêtre proprement dite, mais les grandes vitres coulissantes du couloir extérieur étaient exposées au grand soleil du sud.

Le jour de mon emménagement, je trouvai dans l'alcôve d'honneur des fleurs un peu trop arrangées, et sur le côté, un koto dressé. Ni les fleurs ni le koto n'étaient de mon goût. Élevé près d'un père aussi amateur de poésies chinoises, de calligraphies, et des rites du thé, j'avais, dès l'enfance, eu le goût formé aux choses parfaitement sobres : à cause de cela, sans doute, une décoration si maniérée et coquette ne pouvait que m'inspirer du mépris.

De son vivant, mon père avait rassemblé un assez grand nombre d'antiquités, que mon oncle n'avait pas absolument toutes dispersées. En quittant la maison, j'avais déposé chez mon ami tout ce qui en restait. Simplement, parmi les kakemono qui se trouvaient là, j'avais choisi les quatre ou cinq les plus à mon goût, et, les sortant de leurs boîtes, les avais emportés dans ma valise. Je me promettais, dès installé dans ma nouvelle chambre, de les suspendre, pour le plaisir de mes yeux, dans l'alcôve d'honneur : hélas, à voir devant moi ces fleurs banales et ce koto, je ne m'en sentais plus le courage! Et quand, plus tard, la propriétaire me dit que ces fleurs avaient été mises là tout exprès, en signe de bienvenue, je ne pus me défendre de rire amèrement en moi-même. Pour le koto, c'était différent : si on l'avait mis là, ce ne devait être que faute de place ailleurs. Mais il était bien gênant!

Vous devez déjà vous attendre à voir se profiler au travers de ce récit une ombre féminine. Et votre curiosité, je l'avais aussi moi, avant même d'emménager. Était-ce l'influence de ces imaginations assez malsaines, ou mon manque d'habitude du monde, je ne sais : mais la première fois que je rencontrai la jeune fille de cette maison, c'est une salutation très troublée qui sortit de mes lèvres. Elle, de son côté, se mit à rougir.

D'après les manières et comportements de la mère, j'avais essayé, en imagination, de me construire un portrait de la fille. Ce portrait n'était guère à son avantage. Femme d'officier, la mère est comme ça et comme ça, me disais-je. Fille de cette mère-là, la jeune fille, à son tour, doit être comme ça et comme ça... Ainsi, de fil en aiguille, j'étendais le champ de mes suppositions. Mais à peine avais-je vu la jeune fille que tout ce bel édifice s'effondrait. En moi étaient entrés ces effluves sensuels qui nous viennent de la femme, et que je n'avais jusqu'alors jamais imaginés tels. De ce moment, les fleurs de l'alcôve d'honneur me parurent charmantes, et le koto appuyé au mur le moins encombrant des instruments.

Régulièrement, chaque fois qu'elles étaient fanées, la jeune fille renouvelait mes fleurs. Souvent aussi, elle transportait le koto dans sa chambre, qui, formant avec la mienne angle droit, se trouvait sur une même diagonale. Moi, les deux coudes sur ma table, j'écoutais sa musique. Jouait-elle bien, ou mal? Ce n'était pas de ma compétence. Mais elle ne jouait rien de compliqué, et je ne pensais pas qu'elle fût beaucoup plus habile à manier le koto que les fleurs. En matière de fleurs, je m'y connaissais, et ne pouvais douter qu'elle y fût encore novice.

Maintenant, c'est sans timidité aucune que la jeune fille venait décorer ma chambre de fleurs de plus en plus variées. Mais l'arrangement était toujours le même, et le vase non plus ne changeait guère. Pourtant, c'était le côté musique qui me réservait le plus de surprises. Patt, patt, patt, les notes avaient beau tomber comme des gouttes de pluie, jamais je ne distinguais la voix qu'elles étaient censées accompagner. Non que la musicienne ne chantât. Mais sa petite voix de confidence n'arrivait pas à percer : à chaque observation de la mère, elle s'éteignait même complètement.

Moi, c'était de tous mes regards que je regardais ce malhabile arrangement de fleurs, de toutes mes oreilles que j'écoutais ce koto malhabile.

XII

J'avais quitté mon pays natal en proie à une grande misanthropie. Qu'on ne peut s'appuyer solidement sur personne en ce monde, cette conviction me perçait jusqu'aux moelles. Cet oncle, cette tante, ces autres parents en qui je voyais de vrais ennemis, ils étaient pour moi l'image symbolique de l'entière humanité. C'était au point que, dans le train même, j'en étais venu à observer, sans en avoir l'air, les faits et gestes de mes compagnons de voyage, et que l'on ne pouvait s'adresser à moi sans que je me misse aussitôt sur la défensive. Bref, je me sentais l'âme triste et lourde, lourde parfois comme si j'eusse avalé du plomb. Et j'avais tous les nerfs comme aiguisés en aiguilles. C'est là, je pense, la vraie raison pour laquelle, de retour à Tôkyô, j'avais quitté ma bruyante pension. On pourrait objecter que si j'avais eu des embarras d'argent, je n'eusse pas eu l'idée d'habiter une maison à moi. Je ne dis pas. Mais ce dont je suis bien sûr, c'est que si j'avais gardé intacte ma sérénité d'autrefois, je n'eusse jamais, même riche, pensé à me mettre sur les bras les tracas d'une maison.

Même après mon emménagement à Koishikawa, je ne pus, quelque temps durant, arriver à détendre mon esprit que cette misanthropie avait comme bandé. J'avais honte de moi, mais je ne cessais de jeter à la ronde des regards furtifs d'âme tourmentée. Jusqu'à pécher par curiosité, je gardais la tête tendue et les yeux concentrés, imposant peu à peu à mes lèvres la règle d'un mutisme figé. Tous les êtres de la maison, j'observais, à la manière d'un chat, tous leurs faits et gestes, de derrière la table où je restais silencieusement accroupi. Au point d'avoir conscience d'être pour eux une véritable peste, je les poursuivais sans relâche, de toute ma vigilante attention. Et pickpocket qui ne volait point, j'avais parfois sur les lèvres un dégoût de moi-même.

Vous trouverez cela étrange. Comment, direz-vous, le moi que j'étais pouvait-il, d'un même cœur, nourrir sa misanthro-

pie et tomber amoureux, admirer des bouquets sans art, trouver du charme à un koto maladroit? Si vous me questionnez ainsi, je vous répondrai simplement que ma misanthropie était sincère, et sincère aussi mon amoureux émoi. Je vous livre l'un et l'autre état d'âme pour vrai, et ne puis rien vous expliquer de plus. A vous, avec votre psychologie, d'en chercher une interprétation. Un seul mot cependant : je pense que, si, touchant l'argent, je n'avais plus la moindre illusion sur l'humanité, au contraire, touchant l'amour, je n'avais encore nulle raison de ne pas lui faire confiance. Les mêmes choses ainsi qui, vues du dehors, paraissent incohérentes, et que je reconnais moi-même être contradictoires, pouvaient dans mon cœur coexister sans contradiction.

En parlant de la veuve ma propriétaire, je ne disais jamais aux autres la veuve, *mais* la dame de la maison. *C'est pourquoi, désormais, en cette confession non plus, je ne l'appellerai plus jamais* la veuve. *Cette dame, donc, estimait en moi mon silence et ma réserve. Aussi, elle m'admirait pour mon ardeur à l'étude. Quant à mes regards furtifs et tourmentés, jamais elle n'y faisait allusion. Innocence ou discrétion, je ne sais : mais elle n'avait pas l'air d'y prêter la moindre attention. Mieux encore. Un jour, je ne sais à quel propos, elle me dit combien elle admirait chez moi ce qu'elle appelait une générosité naturelle : et je compris à ces paroles qu'elle me respectait sincèrement. Ce qu'il y avait d'honnête en moi rougit de confusion, et se mit à protester de tout l'immérité d'un pareil éloge. Mais elle :*

— Mais non : vous ne vous rendez pas compte vous-même de vos propres qualités, voilà tout! dit-elle très sérieusement.

Ce n'était pas, me semblait-il, un étudiant que cette dame avait pensé prendre chez elle en pension : mais plutôt quelque fonctionnaire de ministère. C'est du moins le genre de personne qu'elle avait demandé au voisinage de lui procurer. Mais d'un homme ainsi contraint de venir habiter chez autrui, elle ne pouvait attendre qu'il eût un gros traitement. Aussi s'était-elle forgé de toutes pièces un type d'hôte imaginaire près duquel, en contraste, ma générosité à moi ressortait à ses yeux. Mais générosité *n'est pas un mot si simple. A me comparer avec l'hôte à la vie serrée que ma propriétaire attendait, je pouvais, quant à l'argent, passer pour généreux. Mais je savais bien, moi, que cette générosité-là n'avait pour ainsi dire aucun rapport avec la générosité d'âme que j'eusse souhaité de trouver en moi. Quoi qu'il en fût, ma propriétaire était femme, et, en femme, dans une généralisation hâtive, étendait à mon être moral des qualités tout extérieures. C'est pourquoi elle m'appliquait d'un bloc, sans distinguer entre ses deux sens, ce terme élogieux de* générosité.

XIII

La confiance que la dame de la maison plaçait en moi en était venue à déteindre sur moi. Mes regards étaient moins inquiets, mon cœur plus posé, moins agité. A ne s'offusquer ni de ce besoin que j'avais de voir le mal en toute chose, ni des soupçons maladifs qui perçaient sous chacune de mes attitudes, les gens de la maison m'avaient fait un bien immense. Ma nervosité restant parmi eux sans écho, mes nerfs, jour par jour, s'étaient calmés.

La dame de la maison était personne d'entendement, et il n'était pas impossible qu'elle eût arrêté délibérément son attitude à mon égard. Il se pouvait aussi que, simplement, comme elle me l'avait dit, elle me prêtât plus de générosité d'âme que je n'en avais réellement. Au reste, tous mes mouvements mesquins, se déroulant au profond de moi-même, ne se manifestaient pas tellement au dehors : si bien que la dame de la maison avait pu se tromper sur moi.

Au fur et à mesure que le calme descendait en moi, je devenais plus intime avec les gens de la maison. Avec la mère comme avec la fille, j'en étais arrivé à échanger de légers badinages. Parfois, elles m'appelaient chez elles pour le thé. D'autres fois, c'était moi qui, m'étant muni de gâteaux, les invitais le soir chez moi. Et je sentais s'élargir d'un coup le cercle de mes rapports sociaux. J'en perdais même de fort précieuses heures d'étude. Mais, chose nouvelle, je n'en ressentais nul désagrément. La dame de la maison avait, il va de soi, beaucoup de loisirs. Quant à la jeune fille, elle allait au lycée, avait ses leçons de fleurs, ses leçons de koto, et je la supposais très prise. Pourtant, à ma stupéfaction, elle paraissait toujours libre. Aussi, tous trois, nous nous réunissions à tout propos, et, bavardant de choses et d'autres, passions le temps agréablement.

Quand on m'appelait, c'était presque toujours la jeune fille. Soit que, tournant à angle droit le couloir extérieur, elle vînt à l'entrée de ma chambre, soit que, traversant le salon, elle entrouvrît, de derrière, les cloisons qui séparaient ma chambre d'une autre pièce contiguë, elle se tenait debout un moment et, m'appelant par mon nom :

— Alors, on travaille ? me demandait-elle.

Moi, je gardais toujours ouvert sur ma table quelque livre savant, et, tenant là-dessus mes yeux fixés, devais, de loin, faire l'effet d'un homme studieux. En vrai, je n'étudiais guère. Et ce que j'attendais, les yeux rivés au livre que je ne lisais pas, c'était que la jeune fille vînt m'appeler. S'il arrivait qu'elle déçût mon attente, c'était moi qui, à mon tour, me levais, et, m'avançant vers l'entrée de sa chambre :

— Alors, on travaille ? demandais-je.

La jeune fille occupait, touchant le salon, une chambre de six nattes. La mère, elle, se tenait soit dans le salon soit dans la chambre de sa fille. Le salon et la chambre de la jeune fille étaient séparés par une cloison mobile, mais, en vrai, ces deux pièces n'en faisaient qu'une, où les deux femmes, sans cesse, allaient et venaient. Quand, du couloir, j'appelais, c'était toujours la mère qui me répondait d'entrer : la jeune fille, même présente, se taisait.

Parfois, bien que rarement, et toujours pour une raison précise, la jeune fille me rendait visite. Il arrivait même qu'elle s'assît et bavardât. Mon cœur alors s'emplissait d'un trouble étrange. J'essayais de me dire qu'un tête-à-tête avec une jeune fille est toujours en soi chose troublante : mais cette explication n'arrivait pas à me satisfaire. Il y avait autre chose de plus profond, qui, insensiblement, m'avait enlevé toute tranquillité. Et de sentir que mes attitudes devaient malgré moi trahir mon trouble ajoutait à mon mal. La jeune fille, elle, était plutôt d'apparence tout égale. Cette enfant qui, jouant du koto, n'osait pas même élever la voix, était-ce vraiment la même femme qui, en face de moi, se montrait si à l'aise ? J'en restais ébahi.

Quand elle s'attardait trop, sa mère, du salon, l'appelait :

— Oui, je viens ! répondait-elle.

Mais, parfois, elle restait. Pourtant, elle n'était plus une enfant, cela me sautait aux yeux. Même, je pouvais, à certains signes intentionnels, juger qu'elle voulait, de son côté, me faire bien comprendre qu'elle n'était plus une enfant.

XIV

La jeune fille à peine partie, je poussais un soupir de satisfaction. Mais, en même temps, j'avais le sentiment du vide que son départ me laissait, et aussi le désir de lui demander pardon pour le soupir bête qui venait de m'échapper. Contradiction plus féminine peut-être que virile. Et vous autres, jeunes gens d'aujourd'hui, la jugeriez sans doute plus durement encore. Mais, que voulez-vous, nous autres avions si peu l'habitude des femmes!

La mère ne sortait que très rarement. Mais, quand cela lui arrivait, jamais sa fille et moi n'étions laissés seuls tous deux. Était-ce pur hasard, était-ce voulu? Je n'aurais su le dire. Mais, si gênant que ce me soit de faire cet aveu, l'attitude de la mère à mon égard était, à bien l'observer, assez incohérente. Tantôt, elle donnait l'impression de vouloir elle-même nous rapprocher, sa fille et moi. Tantôt, au contraire, elle semblait, obscurément, être en face de moi sur une vigilante défensive. C'était bien, de ma vie, la première fois que je me heurtais à pareil comportement, et je me sentais piqué.

J'eusse voulu que la mère se décidât franchement pour l'une ou l'autre attitude. Au regard de la logique, ces deux attitudes étaient, d'évidence, contradictoires. Et moi, dupé que j'avais été par mon oncle, je ne pouvais m'empêcher de pousser un peu plus, et de penser que, de ces deux attitudes contradictoires, il devait y en avoir une de vraie, l'autre de feinte. Mais laquelle était la vraie, je n'y voyais goutte. Et non seulement je ne pouvais en décider, mais la raison profonde de cette curieuse incohérence, je la ruminais en vain. Finalement, faute de pouvoir m'expliquer pareil illogisme, je me contentai de l'imputer à la seule nature féminine :

— Bah, elle est femme, me disais-je : et les femmes et la logique...!

Tout ce qui m'embarrassait touchant les femmes, je le mettais ainsi sur le compte du seul illogisme féminin.

Méprisant à ce point la femme, je n'arrivais cependant

pas, quoi que je fisse, à mépriser la jeune fille qui m'avait attiré. Ma logique, devant elle, était comme abolie, tant l'amour que je lui vouais touchait de près à la foi. En me voyant appliquer à une femme ce mot proprement religieux, vous aurez sans doute un sentiment de gêne. Pourtant, même aujourd'hui, ce rapprochement m'apparaît profondément juste. C'est que l'amour digne de ce nom n'est pas, voyez-vous, tellement différent de la foi : de cela, je suis fermement persuadé. Chaque fois que je regardais le visage de celle que j'aimais, je me sentais devenir plus pur. Chaque fois que je pensais à elle, je sentais brusquement m'envahir une pénétrante noblesse. Si à cette chose étrange qu'on appelle l'amour on pouvait supposer deux bouts, je dirais qu'au bout qui tend vers le ciel vit une foi divine, au bout qui tend vers la terre se meut le désir des sens. Et si cette image est juste, alors je puis dire aussi que, d'emblée, mon amour à moi s'était élevé à la plus haute limite de l'amour. Je suis homme, bien sûr, et ne pouvais rejeter mon enveloppe de chair. Mais, dans mes yeux pleins de l'image de l'aimée, dans mon cœur plein de son souvenir, ne flottait alors aucun trouble charnel.

Cependant, la méfiance que je portais à la mère se conciliant mal avec l'amour grandissant que je portais à la fille, les relations se compliquaient insensiblement. Toutefois, tout se passait en dedans de nous trois, et rien d'extérieur ne perçait. Et puis, je ne sais à quel propos, je me pris à douter de la valeur du jugement rapide que j'avais porté sur la mère. Que ses deux attitudes fussent contradictoires signifiait-il nécessairement que l'une des deux était feinte? Elles n'étaient pas, ces deux attitudes, intermittentes, mais simultanées : et cela méritait d'être pris en considération. Voyons, me disais-je. La mère désire me rapprocher de sa fille, et, d'un autre côté, reste à mon égard sur la défensive : et c'est bien là ce que j'ai interprété d'abord comme contradictoire. Mais c'est sans cesser de me rapprocher de sa fille que la mère demeure sur ses gardes. Et il n'y a nul doute que ce désir de nous rapprocher, sa fille et moi, ait été un désir comme en ligne droite et ininterrompu. Seulement, voilà : elle ne veut pas que ce rapprochement, tournant à une trop grande intimité, dépasse la juste limite par elle fixée... Je ne sentais, quant à moi, nul vilain désir de chair germer au fond de moi, et les précautions de la mère me parurent bien superflues. Mais, du moins, j'abandonnai toute mauvaise interprétation du comportement de la mère.

XV

En mettant bout à bout, en pensée, les diverses attitudes de la mère, je me persuadai que j'avais, en cette maison, gagné la confiance de tous. J'avais même, entre temps, eu la preuve que cette confiance m'avait été donnée dès ma première visite. Moi qui m'étais mis à me méfier de l'humanité entière, cette confiance qui m'était témoignée me déconcertait un peu. Je me l'expliquai par ce fait que les femmes sont, plus que les hommes, êtres riches d'intuition : c'est même parce qu'elles s'abandonnent trop à cette intuition qu'il est si facile aux hommes de les tromper. A présent que, vieilli, je revis en pensée toutes ces choses, je trouve souvent risibles mes comportements de tout jeune homme. Ainsi, cette intuition, dont je faisais le privilège des femmes, ne m'en servais-je point moi-même avec une constante intensité pour scruter l'âme de la jeune fille qui m'avait attiré? Et puis, moi qui avais pris la ferme résolution de me méfier de tout être humain, ne nourrissais-je point à l'égard de la même jeune fille une absolue confiance? Et encore, moi qui ne pensais nul être au monde capable de généreuse confiance envers autrui, n'étais-je point l'objet de la confiance de la mère de cette jeune fille?

Si je parlais rarement de mon pays natal, je ne parlais jamais de ma dernière grande déception : le seul souvenir m'en donnait comme un malaise. Je me bornais à mettre la maîtresse de la maison sur le chemin des confidences. Mais elle ne l'entendait pas de cette oreille, et c'étaient mes confidences à moi qu'elle sollicitait à tout propos. A la fin, je parlai :

— Non, jamais plus je ne retournerai au pays natal : rien ne m'y attend plus, ni personne, hors le tombeau de mes parents!

La mère me montrait un visage bouleversé. La fille pleurait. Moi, d'avoir parlé, je me sentais soulagé.

La mère prit tout de suite à mon égard une attitude si expressive que toutes paroles eussent été superflues :

— Ah, je le savais bien, que mon intuition ne m'avait pas trompée! avait-elle l'air de dire.

Et elle me traitait en jeune parent qu'il eût été de son devoir de protéger. Je ne m'en formalisai pas. Bien au contraire, j'y éprouvais de la douceur. Mais bientôt, un nouveau doute surgit dans mon esprit.

Le point de départ de ce doute-là fut quelque chose de très flou : mais à se grossir soi-même sans cesse, le doute a tôt fait d'étendre ses racines. A quelle occasion, je ne sais plus, mais cette similitude me frappa : et si on répétait sur moi la manœuvre même de mon oncle? Mon oncle, lui aussi, ne faisait-il pas tout pour me rapprocher de sa fille? De ce moment, tout d'un coup, cette dame si serviable et affectueuse m'apparut sous les traits de la plus vile intrigante. Et d'amer dépit, je me mordis les lèvres.

Ce que cette dame avait d'abord dit, c'est que, se sentant un peu isolée, elle désirait prendre un pensionnaire. Je ne pensais pas qu'il y eût là le moindre mensonge, et les confidences que des rapports plus familiers m'avaient values ne laissaient là-dessus, je crois, place pour aucun doute. Mais tout de même, on ne pouvait prétendre que son état de fortune fût très brillant. Et, du point de vue de ses intérêts, elle n'avait rien à perdre à faire de moi son gendre.

Je me remis sur une plus stricte défensive. Mais ayant pour la fille le grand amour que je vous ai dit, de quoi pouvait-il me servir d'accumuler envers la mère méfiance sur méfiance? En moi-même, je me raillais, je m'insultais moi-même :

— Quel imbécile tu fais!

Mon imbécillité, c'était cette contradiction d'aimer la fille tout en soupçonnant la mère. Mais n'y eût-il eu que cela, que j'eusse sans grand chagrin accepté d'être un imbécile. Là où commençait pour moi une véritable angoisse, c'était en ce soupçon que, tout comme sa mère, la fille elle aussi ne fût qu'une intrigante. Et si les deux femmes jouaient devant moi une vile comédie dont tous les actes eussent été concertés derrière mon dos? Cette pensée me faisait si grand mal que je ne pensais pas avoir la force de la supporter. Ce n'était plus pour moi une simple question d'agrément ou de désagrément : mais une question foncièrement vitale. Pourtant, j'avais en la jeune fille foi si solide que je n'arrivais pas à douter d'elle en rien. Ainsi, pressé entre la confiance et le doute, j'étais comme un homme qui ne peut ni avancer ni reculer. Doute et confiance, l'un et l'autre sentiment pouvait être fondé, l'un et l'autre mal fondé.

XVI

J'allais toujours à l'université : mais, aux cours, c'était comme dans une brume que je percevais la voix du professeur. Il en allait de même à mes heures d'étude : les mots du livre, s'ils m'entraient dans les yeux, s'évanouissaient en fumée avant de m'entrer dans l'esprit. Et je me mis à m'isoler dans un long mutisme. Deux ou trois de mes camarades interprétèrent à faux le changement qui s'était opéré en moi, et répandirent partout avec admiration que je venais de tomber dans une profonde extase. Je n'essayai même pas de remettre les choses au point. Ce masque commode dont on venait de me couvrir le visage faisait admirablement mon affaire. De temps à autre pourtant, brusquement saisi de scrupules, je m'agitais avec bruit, et, chez l'un, chez l'autre, courais à la ronde. Ce dont mes camarades restaient stupéfaits.

La maison où je logeais n'avait que de rares visiteurs, amis ou parents. La jeune fille recevait bien parfois des camarades de lycée. Mais les conversations se tenaient toujours à voix si ténue que je m'apercevais à peine de la présence des visiteuses. Puis elles s'en allaient avec les mêmes précautions. C'était par pure réserve à mon égard. Mais, si tendu que fût mon esprit, je ne m'en rendais pas compte. Car nul d'entre les camarades qui venaient me voir, moi, n'avait cette féminine discrétion. Non qu'ils fussent des rustres : mais de là à se gêner pour les gens de la maison...! En sorte que, si l'on en eût jugé par le comportement des visiteurs, j'avais, moi, locataire, l'air d'être le maître de la maison, tandis que la jeune fille, qui, elle, était chez elle, se conduisait, en fait, comme la plus discrète des parentes pauvres.

Je vous conte tous ces détails au fil de mes souvenirs. Mais ils n'auraient pas d'autre importance, s'il n'était là un fait que je ne puis, lui, passer sous silence. Tantôt au salon, tantôt dans la chambre de la jeune fille, il arrivait qu'une voix d'homme se fît entendre, sur un ton qui n'était pas le ton habituel de mes visiteurs à moi : voix toujours très basse. Était-ce chaque fois le même visiteur, ou non? Et de quoi parlait-on? Je m'efforçais en vain de le deviner. Plus je m'y efforçais, plus je sentais mes nerfs se crisper. Et dans la chambre où j'étais enfermé, cet état nerveux empirait étrangement. Parent, ou simple connaissance? me demandais-je d'abord. Puis : jeune, ou d'un certain âge? De derrière la table où je restais accroupi, comment le savoir? Je ne pouvais pourtant pas aller entr'ouvrir les cloisons! Dire que mes nerfs tremblaient serait peu : c'était comme de grandes vagues qui les frappaient, les martelaient. Dès que le visiteur s'était retiré, je demandais chaque fois son nom. Chaque fois on se contentait, mère ou fille, de me donner le nom que je demandais. La déception devait alors se peindre sur mon visage. Mais comment avoir l'audace d'exiger une réponse satisfaisante! De quel droit? L'éducation que j'avais reçue m'obligeait à respecter en moi une certaine dignité de caractère, et je me taisais. Mais, en même temps, ce respect de moi-même, j'avais si grand désir de passer outre, que c'était une vraie figure de mendiant que je tendais vers les deux femmes. Elles riaient. N'était-ce point moquerie? Ou était-ce seulement gentillesse? Gentillesse sincère? Ou gentillesse feinte? J'avais à ce point perdu mes moyens que, sur le moment, je restais incapable de rien saisir. Et après, des heures durant :

— M'ont-elles, ou non, pris pour un imbécile? ne cessais-je de me répéter à moi-même.

J'étais libre. Libre d'abandonner mes études à moitié chemin, libre d'aller où bon me semblait, libre de mener la vie qui me plaisait, libre d'épouser la femme que je choisirais, en quelque endroit qu'elle fût née. Je n'avais, seul comme je l'étais, à demander conseil à personne. Souventes fois, j'avais pris de fermes résolutions : oui, m'armant de courage, j'allais demander à la mère la main de sa fille! Mais chaque fois, une hésitation m'avait arrêté, et jamais la demande n'était sortie de mes lèvres. Non que je fusse effrayé des conséquences d'un refus possible. Certes, une déception eût changé mon destin : en bien, en mal, je ne sais. Mais, à coup sûr, ma vie en eût été engagée dans une orientation nouvelle, et l'occasion m'en eût été fournie de me trouver devant un univers tout neuf. Cet univers-là, je pouvais, en descendant bien au fond de moi, trouver le courage de l'affronter. Non, ce qui, en vrai, me faisait hésiter, c'était l'idée que j'aurais pu, moi, mordre à une amorce, tomber dans un filet tendu : voilà ce qui m'irritait. Trompé comme je l'avais été par mon oncle, je m'étais juré que, d'aucune manière, nul être humain ne me tromperait jamais plus.

XVII

Je n'achetais guère que des livres. Ce que voyant, la dame de la maison insista pour que, de temps en temps, j'achetasse aussi des kimono. Je dois à la vérité de reconnaître qu'elle avait raison : je ne possédais que des vêtements de coton, tissés à la campagne. Nous autres, étudiants de ce temps-là, n'eussions jamais porté de kimono de soie. Je me rappelle, à ce sujet, qu'un de mes camarades, fils d'un quelconque commerçant qui, à Yokohama, menait un certain train, reçut un jour, par messager, un gilet d'hiver, en soie doublée d'ouate. Et comme, tous, nous nous moquions, lui, très gêné, s'empêtrait dans je ne sais quelles explications. En fin de compte, il enfouit le gilet au fond de sa valise, se gardant de l'en jamais sortir. Naturellement, nous protestâmes, et, l'entourant, le contraignîmes de porter son gilet. Quelque temps passant, la malchance fit que les poux s'y mirent. Enchanté du prétexte, notre camarade fit une boule de son fameux gilet, et, au cours d'une promenade, le jeta dans le grand égout de Nézu. J'étais alors avec lui, et ne savais que rire, du haut du pont, en le regardant faire : je n'avais pu arriver à attacher à ce vêtement la moindre valeur!

Depuis l'histoire que je viens de vous conter, j'avais eu le temps de grandir. Mais l'idée ne me serait jamais venue de me faire faire des kimono de sortie. Je n'en étais pas encore à l'âge où, tous examens passés, il sied de se laisser pousser les moustaches : et j'avais cette bizarre association d'idées que, jusque-là, il était inutile de me préoccuper de ces questions de vêtements. Aussi :

— Mais, j'ai besoin de livres, nul besoin de vêtements! répondis-je à mon hôtesse.

Mais elle :

— Et tous ces livres que vous achetez, vous les lisez tous ? me demanda-t-elle.

De fait, parmi les livres que j'achetais, dictionnaires mis à part, il en était que j'eusse dû lire et dont les pages n'étaient même pas coupées. Et la question me laissait coi. Tant qu'à faire d'inutiles achats, pourquoi pas des kimono aussi bien que des livres ? Et puis, sous prétexte de la remercier des petits services qu'elle me rendait, je voulais faire à la jeune fille, obi ou pièce de soie, un présent qui lui plût. Je demandai à la mère de tout acheter à ma place :

— Non, je n'y vais pas seule : vous venez avec moi! ordonna-t-elle impérieusement. Vous, et ma fille aussi!

En ce temps-là, élevés que nous étions dans une ambiance toute différente de la vôtre, ce n'était pas l'usage pour nous, étudiants, de sortir avec de jeunes femmes. Je suis encore très respectueux des usages, mais, alors, j'en étais esclave. J'eus un moment d'hésitation. Puis, prenant bravement mon parti, je sortis avec les deux femmes.

La jeune fille était fort parée, et, avec la blancheur naturelle de son teint, si richement rehaussé de poudre de riz, elle attirait plus encore les regards. Mais ceux qui venaient de l'admirer se retournaient ensuite vers moi, et je me sentais tout gêné.

Nous fûmes tous trois dans les magasins de Nihonbashi faire nos emplettes. Mais au fur et à mesure des achats, nous changions d'idées, et cela prenait plus de temps que je n'avais pensé. La mère, m'appelant par mon nom comme si déjà j'eusse été de la famille :

— Comment trouvez-vous ça ? me consultait-elle.

De temps à autre, elle déroulait le bout d'un rouleau de soie, et, appliquant, dans le sens de la longueur, l'étoffe sur sa fille, des épaules à la taille :

— Reculez de deux ou trois pas, me demandait-elle, et dites-nous quel effet ça fait!

— Ça, ça ne va pas!... Ça, ça va admirablement! décidais-je tour à tour.

Bref, j'émettais gravement mon opinion, tout comme un homme achevé.

Tout cela avait été long, et, quand nous nous en retournâmes, c'était l'heure de dîner. La mère voulut, dit-elle, m'offrir quelques bonnes choses en remerciement : elle nous conduisit dans l'étroit passage de Kiwaradana où se trouve encore un tout petit théâtre. Si le passage était étroit, le restaurant n'était guère large non plus. Et moi qui ne connaissais pas ce quartier m'étonnai que la mère s'y retrouvât si bien.

Il était nuit noire quand nous rentrâmes. Le lendemain était un dimanche, et je restai chez moi tout le jour. Le lundi, dès le matin, j'allai au cours. Alors, un camarade :

— Parfait! railla-t-il. Et peut-on savoir depuis quand tu es marié? D'ailleurs, mes compliments : ta femme est fort bien!

Il avait dû nous apercevoir tous les trois à Nihonbashi.

XVIII

De retour à la maison, je racontai cette histoire aux deux femmes. La mère rit :

— Ça a dû rudement vous ennuyer! me dit-elle.

Et ce disant, fixement, elle me dévisageait. Je pensai, sur le moment, que ce devait être là, tout à fait, la manière dont les femmes s'y prennent pour sonder le cœur des hommes : il y avait dans les yeux de la mère suffisamment de sous-entendu pour légitimer cette réflexion. Hélas, si j'eusse alors franchement ouvert à la mère le fond de mon cœur, comme ç'eût été mieux pour moi! Mais déjà un doute indélébile s'imprimait fortement en moi. Et comme j'allais m'ouvrir et parler, subitement, la voix me resta dans la gorge. Je ne sus que changer le cours de la conversation.

Désireux moi-même de sonder les intentions de la mère touchant l'avenir de sa fille, je pris le détour d'éviter de me mettre directement en cause, et feignis de m'informer d'un hypothétique prétendant :

— Ce n'est pas, me répondit la mère, que deux ou trois fois déjà, ma fille n'ait pas été demandée. Mais elle est si jeune! Voyez : elle n'a pas encore terminé son lycée! Aussi ne suis-je nullement pressée!

Ce qu'elle ne disait pas explicitement, mais ce qu'il était facile de sous-entendre, c'était le prix que prenait à ses yeux la très grande beauté de sa fille :

— Au reste, pourquoi me hâter? Je puis la marier dès que je le voudrai!

Elle ajoutait que, n'ayant que cette enfant, il lui serait bien dur de s'en séparer. Et même elle laissait à penser qu'elle en était encore à ne pas avoir décidé le genre d'union qu'elle choisirait : si elle enverrait sa fille en qualité de femme dans une autre famille, ou si elle adopterait pour sa fille un mari qui entrât dans sa propre maison.

Cette conversation m'en avait, à mon sens, beaucoup appris sur les intentions de la mère. Mais l'orientation que j'avais moi-même donnée à l'entretien m'avait fait manquer une bonne occasion de me déclarer. En fin de compte, il me fut impossible de dire un seul mot de mes propres sentiments. Et, la conversation faiblissant, j'allais en profiter pour regagner ma chambre.

Au début de l'entretien, quand j'avais raconté la plaisanterie de mon camarade de cours, la jeune fille s'était tenue près de nous :

— Ça, par exemple, c'est trop fort! avait-elle dit en riant.

Puis, sans bruit, elle s'était retirée dans un coin de la pièce, le dos tourné. Comme, pour me relever, je me tournais légèrement, j'aperçus sa silhouette. Les sentiments d'un être ne se laissent pas lire sur son dos, et sur ses sentiments à elle, je n'avais ainsi nulle indication. Elle, agenouillée devant une armoire entrouverte, en avait sorti quelque étoffe, qu'elle tenait contre ses genoux. Or, par l'ouverture de l'armoire, je distinguai clairement les deux pièces de soie, l'une pour moi, l'autre pour elle, achetées l'avant-veille : ces deux pièces de soie étaient posées l'une sur l'autre.

J'allais me lever, quand, d'un ton soudainement grave :

— Et vous, qu'en pensez-vous? me demanda la mère.

Ton et question étaient si brusques que force m'était à moi de demander, en retour, le sens de cette question :

— Pensez-vous, précisa la mère, qu'il soit mieux de la marier vite?

Je lui répondis qu'à mon avis le mieux était de ne pas trop se presser.

— Je le pense aussi! dit-elle.

J'en étais là de mes rapports avec la mère et la fille, quand la Nécessité m'imposa d'y mêler un autre homme. Si cet homme et moi n'eussions pas habité sous ce même toit, toute ma destinée en eût été changée. S'il n'eût pas traversé ma vie, je n'aurais pas, sans doute, à vous écrire cette confession, à vous laisser ce testament. Je me tenais là, naïf, sans même reconnaître dans l'ombre qui venait sur moi l'ombre même du diable, sans même deviner que toute ma vie en allait être obscurcie. Cet homme-là, je dois à la vérité de dire que c'est moi, et nul autre, qui l'imposai à la famille même près de laquelle je vivais. Sans doute, je n'avais pu me dispenser du consentement de la mère, et, tout de suite, sans lui rien cacher, avais sollicité d'elle qu'elle accédât à mon désir. Elle s'y était d'abord nettement refusée. Mais j'avais de fortes raisons d'amener cet homme près de moi, et elle n'en avait aucune, du moins de claire, de s'y opposer. C'est pourquoi, malgré tout et tous, je fis ce que j'estimais être mon devoir.

XIX

Cet ami, je le désignerai ici par K, qui est l'initiale de son nom. K et moi étions amis d'enfance : c'est-à-dire, vous l'avez compris, que nous étions du même village. K était fils d'un bonze de la secte Shin. Non le fils aîné, mais le deuxième fils. C'est pourquoi son père avait accepté qu'on l'adoptât. Et K était entré dans la famille d'un médecin. Dans mon pays, l'influence spirituelle de la secte Shin est considérable, et les bonzes de cette secte-là sont sur tous autres favorisés : même matériellement. Tenez, un exemple : quand la fille d'un bonze de la secte Shin arrive en âge de se marier, les fidèles de la paroisse, tenant conseil, choisissent pour elle une famille convenable où elle puisse entrer en qualité de femme; et, bien sûr, le père n'a pas à se préoccuper du trousseau. Bref, la sollicitude des fidèles fait que les bonzes de la secte Shin sont, chez nous, très à l'aise.

Ce n'était donc pas que le vrai père de K fût embarrassé pour vivre. Était-ce que ses ressources ne lui permettaient pourtant pas d'envoyer son deuxième fils faire ses études à Tôkyô ? Je ne sais, pas plus que je ne sais si les facilités d'études que la nouvelle famille pouvait procurer à son fils entrèrent en ligne de compte dans les pourparlers précédant l'adoption. Mais cette adoption fut conclue, et K, comme je l'ai dit, entra dans la famille d'un médecin. Nous étions tous deux, lui et moi, à la même école secondaire : et je me rappelle encore la stupéfaction qui me saisit en entendant, au moment de l'appel, le Maître donner à K un autre nom que celui sous lequel je le connaissais.

La famille adoptive de K avait une certaine fortune. Elle lui fit une pension suffisante pour lui permettre de venir à Tôkyô continuer ses études. Il y arriva un peu après moi, et, aussitôt, s'installa à la même pension. En ce temps-là, les étudiants souvent occupaient à deux ou trois une même chambre : K et moi faisions chambre à deux. Si l'on met dans une même cage des animaux sauvages capturés dans la montagne, j'imagine que, serrés les uns contre les autres, ils ne peuvent que jeter au dehors des regards pleins de haine. De même, K et moi avions peur de Tôkyô : de la ville et des gens. Il n'était que notre petite chambre de six nattes où nous fussions à l'aise et regardions l'univers de haut, comme si nous en eussions été les maîtres.

Nous étions sincères. Nous voulions devenir de grands hommes : K surtout, qui avait une grande force d'âme. Élevé dans les choses bouddhiques, il avait pris pour devise le mot shôjin, *qui veut dire* purification, *par l'abstinence ou par l'effort :* Rester pur, et aller droit! *Et cette devise donnait la clef de tous ses actes. C'est pourquoi, dans mon cœur, je tenais K en si grande estime, en si grand respect.*

Du temps où nous étions tous deux à l'école secondaire, K m'embarrassait déjà avec ses sempiternelles et difficiles questions d'ordre religieux ou philosophique. Influence du bonze son père? Influence du lieu où il était né, ce temple à l'atmosphère si spéciale? Je ne sais. Mais plus que le commun des bonzes, il avait en lui la vocation bouddhique. Or, le père adoptif de K voulait faire de lui un médecin, et c'est avec cette intention formelle qu'il l'avait envoyé à Tôkyô. Mais lui, têtu, était venu bien décidé à ne pas faire sa médecine. Je lui en fis le reproche, et lui représentais que cela équivalait à duper ses parents adoptifs. K était audacieux :

— Oui, c'est vrai! me répondit-il. Mais si c'est pour « la Voie », il est permis d'agir ainsi!

Vraisemblablement, il ne se rendait pas très bien compte lui-même de ce qu'était cette « Voie ». Et je ne voudrais pas affirmer que j'y eusse moi-même compris grand-chose. Mais, à nos jeunes âmes, ce mot rendait un son pur. Eût-il été pour nous vide de sens, que cela n'eût en rien diminué la noblesse du sentiment qui nous guidait. Dans notre volonté d'arriver à « la Voie », rien de vulgaire ne se pouvait glisser... Je donnais à K ma pleine approbation. Dans quelle mesure cette approbation de ma part engagea-t-elle K à persévérer dans son dessein, c'est une question. Têtu comme il l'était, j'eusse eu beau m'opposer à ses plans : il les eût, il me semble, poursuivis avec la même obstination. N'importe. L'approbation que je venais de donner engageait, dans une certaine mesure, ma responsabilité pour l'avenir. Si jeune que je fusse, j'en avais conscience. Et à supposer même qu'au moment où cela se passait je ne me fusse pas rendu compte que ma responsabilité était à ce point engagée, il n'en reste pas moins qu'au jugement d'un homme fait le seul ton de l'encouragement par moi donné m'obligeait à accepter par la suite la part de responsabilité qui me revenait.

XX

K et moi entrâmes au lycée supérieur, dans la même section. K, avec la plus grande candeur, employait pour ses études de lettres l'argent que son père adoptif lui envoyait pour des études de sciences :

— On n'en saura rien! disait-il avec calme.

Puis, avec audace :

— Et si on le sait, que veux-tu que ça me fasse!

Calme et audace, tels étaient bien les deux aspects sous lesquels je ne pouvais me défendre de considérer K. Et, des deux, c'était moi le plus inquiet.

A la fin de la première année scolaire, K ne retourna pas au pays. Il prit, pour étudier me dit-il, une chambre dans un temple de Komagomé. De fait, à mon retour, début septembre, je le trouvai enfermé dans un temple assez sale, près de la statue de la Grande-Kannon. Près du bâtiment principal, il habitait là un pitoyable réduit. Mais il y avait pu travailler à son gré, et me paraissait satisfait. Il me semblait, à moi, trouver là le signe que, degré par degré, sa vie s'acheminait vers un état tout monastique. Il portait au poignet un chapelet. Quand je lui demandais à quoi cela lui servait, il se contenta d'esquisser avec le pouce le geste de compter les grains. Chaque jour, souventes fois, il devait ainsi égrener son chapelet. Mais le sens de cette pratique m'échappait. Compter de petits grains enfilés en rond, grain à grain, sans cesse! Aussi longtemps qu'on tourne en ce cercle, où la fin? Où, le progrès? Et quand, et où, K sortirait-il de sa rêverie pour interrompre ce désespérant égrenage? Cette histoire de chapelet n'a pas d'autre importance. Mais, souvent, j'y songe encore.

Aussi, dans la chambre de K, je vis une bible. Il m'avait jusqu'alors souvent cité les livres saints du bouddhisme. Mais jamais encore nous n'avions parlé de christianisme. Je restai surpris, et ne pus m'empêcher de lui demander la raison de cette lecture :

— La raison? Il n'y en a pas! me répondit-il.

Puis, après un moment :

— Un livre si estimé, il est bien naturel de le lire!

Et il ajouta que, s'il en trouvait l'occasion, il lirait volontiers le Coran. L'expression Le Coran ou le sabre! *l'intéressait au plus haut point.*

Le deuxième été, à la demande de sa famille d'adoption, K retourna au pays. Il s'abstint probablement de rien dire de ses études, et sa famille ne s'aperçut de rien. Vous, qui avez l'expérience des choses scolaires, vous me suivrez certainement quand je remarquerai combien le commun des gens est ignorant de tout ce qui touche aux étudiants et aux études. Pour nous, cela est tout simple, mais le reste du monde en ignore jusqu'au premier mot. A ne respirer, comme nous le faisons, que l'air des salles de cours, nous imaginons trop vite que, de cette ambiance, toutes choses, grandes ou petites, sont connues du monde entier. C'est un tort. Et, de ce point de vue, K avait du commun des hommes une plus sûre expérience que moi. C'était avec la sérénité sur son visage qu'il rentrait à Tôkyô. Nous rentrions par le même train. Et, à peine installés dans notre compartiment :

— Alors, comment cela s'est-il passé? demandai-je à K avec inquiétude.

— Il n'en a même pas été question! me répondit-il.

Le troisième été, celui qui devait me voir, hélas, abandonner pour toujours la terre où reposaient mes parents, j'essayai de persuader K de retourner avec moi dans sa famille. Il refusa :

— A quoi ça sert, dit-il seulement, de retourner ainsi chaque année au pays?

Il voulait rester à Tôkyô pour y étudier. Faute de pouvoir l'entraîner, je me résignai à partir seul. Ce que furent, engageant mon avenir, ces deux mois passés au pays natal, et quelles tumultueuses houles j'y vécus, je vous l'ai dit et n'y reviendrai pas. Finalement, l'âme débordant de rancœur, de mélancolie, et de cette tristesse qu'engendre la solitude, je rentrai en septembre, et retrouvai K. Or, son destin, à lui aussi, venait de changer. A mon insu, il avait écrit à son père adoptif, et, de son propre mouvement, découvert sa tromperie. Ce geste, il l'avait déjà décidé du premier jour où il avait menti. Peut-être espérait-il que, devant le fait accompli, maintenant qu'il était trop tard pour rien changer, il amènerait sa famille à s'incliner, à lui laisser suivre le chemin qu'il avait choisi. Ce qu'il y a de sûr, c'est

conflict Tokyo - pays natal

qu'il n'entrait pas dans ses intentions de continuer à tromper sa famille une fois entré à l'université. L'eût-il voulu, d'ailleurs, qu'il ne pouvait guère espérer pouvoir longtemps encore cacher la vérité. S'en était-il rendu compte ? C'est fort possible.

XXI

Quand il reçut la lettre de K, le père adoptif entra en grande colère. Il répondit par retour qu'à l'individu assez corrompu pour avoir de la sorte trompé ses parents, il n'enverrait plus le moindre subside. K me montra cette lettre. Presque en même temps, une seconde lettre lui parvint, de son vrai père celle-là, et K me la montra aussi. Les reproches n'en étaient pas moins durs. Et c'était compréhensible, car le vrai père avait à l'égard du père adoptif un devoir de solidarité morale qu'il ne pouvait renier. C'est pourquoi, sans doute, il faisait savoir à son fils qu'il ne pouvait, lui non plus, l'aider désormais en quoi que ce fût. L'événement était grave. K allait-il, cassant son adoption, demander sa réintégration officielle dans sa vraie famille, ou, sans recourir à cet extrême, allait-il tenter un compromis avec sa famille adoptive ? La question se poserait. Mais ce qui pressait, c'était, pour lui, de trouver de quoi vivre.

— As-tu une idée ? demandai-je à K.

— Bah, je vais chercher des cours dans quelque école du soir!

A cette époque, il était plus qu'aujourd'hui facile de trouver du travail supplémentaire, plus facile même que vous ne pouvez penser : et j'espérais que, par cet expédient, K se tirerait d'affaire. Mais ma responsabilité était engagée. Au moment où K, désobéissant à son père adoptif, s'était lancé sur sa route à lui, je l'y avais, moi, encouragé. Un indifférent « Ah, tiens! », une attitude de mains dans les poches eussent été indignes de moi. Et, sur-le-champ, j'offris à K de l'aider. Mais lui, d'un ton sans réplique, refusa net. Je connaissais trop bien son caractère pour ne pas être d'avance certain qu'il préférerait gagner lui-même sa vie plutôt que de se mettre sous la protection de qui que ce fût, même d'un ami :

— Une fois admis à l'université, me dit-il, ne pas être capable de gagner sa vie, fi, ce n'est pas d'un homme!

Je ne pouvais, sous prétexte d'accomplir mon devoir, blesser

K à fond : je me résignai à le laisser agir à sa guise, sans trop me mêler de ses affaires.

K eut tôt fait de trouver l'emploi qu'il désirait. Mais, avare de son temps comme il l'était, cette tâche, il va sans dire, lui était lourde. Pourtant, sans lâcher en rien ses études, chargeant son nouveau fardeau, il continuait hardiment sa marche. Je m'inquiétais pour sa santé. Mais lui, vaillant, sans même y prêter l'oreille, ne faisait que rire de mes craintes.

Cependant, ses rapports avec son père adoptif se compliquaient de plus en plus. K n'avait plus de temps à perdre, et, sans doute, je ne le voyais plus si souvent que je fusse au courant de tous les détails : mais je savais que la réconciliation s'annonçait chaque jour plus difficile. Un médiateur s'était bien entremis : mais quand il avait demandé à K de revenir pour s'expliquer, K avait refusé. La raison qu'il donnait était qu'il ne pouvait abandonner les cours en pleine année scolaire. Mais, au pays, on n'avait vu là que le signe du plus dur entêtement, et l'affaire s'en était envenimée : dans le même temps, K avait exaspéré ses deux familles. Je m'en étais inquiété, et avais écrit aux deux pères. En vain. Je ne reçus aucune réponse, et mes lettres, là-bas, furent enterrées. Alors, moi aussi, je me butai. Jusqu'alors, c'était la seule force des choses qui commandait mon attitude envers K. Désormais, en dehors de toute considération de principe, je résolus de me solidariser entièrement avec lui, et de lui donner, de moi-même, tout l'appui que je pourrais.

Au pays, on finit par décider de réintégrer K dans sa vraie famille, à charge pour elle de rembourser au père adoptif les sommes qu'il avait avancées. Mais, son vrai père se désintéressant de lui, K n'en restait pas moins livré désormais à lui-même : on ne le lui avait pas caché. Pour parler le langage du Vieux-Japon, c'était un peu comme s'il eût été expulsé de la maison paternelle. La chose, peut-être, n'allait pas jusque-là : mais c'est ainsi que K la prenait. Au fond, il manquait à K la mère qu'il avait perdue en sa toute première enfance. Tout un côté de son caractère lui venait, je crois, d'avoir été élevé par une marâtre. Si sa mère eût vécu, elle n'eût pas laissé, j'imagine, un tel fossé se creuser entre le père et le fils. D'autre part, je ne pouvais pas, à y réfléchir, ne pas faire entrer en ligne de compte le caractère même du père. Il était bonze, je le veux bien. Mais, quant à son sens intransigeant de l'obligation morale, il tenait, sur beaucoup de points, moins du bonze que du chevalier.

XXII

L'affaire de K étant, de la sorte, arrivée à un palier, je reçus une longue lettre du mari de sa sœur aînée. Ce beau-frère se trouvait aussi être apparenté à la famille du médecin qui avait adopté K. C'est pourquoi il avait servi d'intermédiaire aussi bien pour l'adoption que pour la réintégration. Et K m'avait dit que ses avis avaient eu du poids.

Cette lettre me demandait des nouvelles de K. Comment vivait-il, depuis qu'il avait rompu avec les siens ? La sœur aînée s'en inquiétait, et le mari me priait de répondre d'urgence. Plus que son frère aîné, qui avait succédé au père dans les charges du temple, K n'avait cessé d'aimer cette sœur, même quand le mariage l'avait éloignée de lui. Les trois enfants étaient de la même mère. Mais entre K et sa sœur aînée, il y avait une grande différence d'âge : et quand il était encore enfant, c'était elle qui, plus que la marâtre, lui avait servi de seconde mère.

Je montrai cette lettre à K. Il se contenta de me dire qu'il avait, lui aussi, reçu de sa sœur deux ou trois lettres inquiètes : il lui avait chaque fois répondu que rien ne justifiait qu'elle se fît tant de souci à son sujet. La famille où sa sœur était entrée étant pauvre, elle ne pouvait, quelle que fût son affection pour son frère, demander à son mari de l'aider en rien.

Je fis, à très peu près, au beau-frère la réponse que K avait faite à sa sœur. Mais j'ajoutai que, le cas échéant, je ferais tout le nécessaire : on pouvait donc être rassuré. J'insistai là-dessus à mots très nets, et je soulignai que j'avais pris cette décision tout à fait spontanément. Je voulais, sans doute, tranquilliser la sœur aînée quant à l'avenir de son frère. Mais, en même temps, je ne pouvais oublier l'insulte que les deux familles m'avaient faite en ne répondant pas à mes lettres passées, et n'étais pas fâché de leur donner cette leçon.

Quand il fut procédé à la réintégration de K dans sa famille d'origine, il en était à sa première année d'université. Jusque vers la moitié de la seconde année, presque un an et demi durant, il vécut par ses propres moyens. Mais, petit à petit, le surme-

nage semblait avoir agi sur lui : sur sa santé, sur son esprit. Aussi, les longues difficultés qu'il avait eues avec sa famille adoptive pour le règlement de sa situation devaient, je crois, y être pour quelque chose. Toujours est-il que ses sentiments tournaient au noir. Il clamait parfois que nul autant que lui n'avait de malheurs et qu'il devait, contre le monde entier, en supporter la charge : et si l'on appelait son attention sur les malheurs des autres, il s'emportait. Et puis, à voir, un à un, s'éloigner de lui ses beaux rêves d'avenir, la nervosité le gagnait. C'est, du reste, une expérience commune, et banale. Au début de ses études, on a de longs espoirs, et l'on part comme pour un beau voyage. Un an, deux ans passent. L'heure des derniers examens approche. On s'aperçoit de la lenteur de sa propre marche, et l'on se désespère. Encore une fois, expérience courante, et les réactions de K étaient dans la règle. Simplement, elles étaient d'un excessif emportement. Et je pensai que mon premier devoir était de ramener mon ami au calme.

Je lui représentai d'abord qu'il devait laisser là tout travail supplémentaire, et, pour un temps au moins, se rendre libre et se divertir : de ce repos, dépendait son avenir. Mais K était têtu, et ne fut pas d'accord. Cela, je l'avais prévu. Mais, au pied du mur, la tâche m'apparut plus désespérée encore que je ne l'avais pensé :

— Allons crois-tu donc que mes études soient l'unique but que je poursuive! Mon but, c'est de fortifier ma volonté, et de devenir un homme, un vrai! me répondait-il toujours. Et pour cela, vois-tu, rien de tel que de rechercher de soi-même les coups les plus durs possibles!

Au regard du simple bon sens, c'était là pure folie. Et, par-dessus le marché, l'expérience avait prouvé que, loin de fortifier sa volonté, il s'était tout simplement, à ce jeu-là, démoli les nerfs. Mais, moi, j'avais échoué, et je changeai de tactique. Je feignis qu'il m'eût convaincu, et lui exprimai mon désir d'avoir désormais, moi aussi, le même idéal, et de suivre le même chemin. A vrai dire, tout là-dedans n'était pas mensonge : telle était la force de persuasion de K qu'on se sentait, à l'écouter, attiré malgré soi à sa conviction à lui. Quoi qu'il en fût, je finis par le persuader de venir habiter avec moi pour me guider sur le chemin de l'esprit. Ainsi, allant jusqu'à m'agenouiller devant lui pour faire plier son entêtement, je le décidai, Dieu sait au prix de quels efforts, à venir vivre près de moi.

XXIII

Pour ainsi dire en annexe de ma chambre, il y avait une pièce de quatre nattes. Quand on venait de l'entrée, il fallait forcément, pour arriver à ma chambre à moi, passer par cette pièce, et cela la rendait très incommode. C'est là que, faute de mieux, j'installai K. Ma première idée avait été de partager avec lui ma chambre à moi, et de garder, pour nous deux, la libre disposition de la petite pièce attenante : mais fût-elle très étroite, K préférait avoir sa chambre à lui, et lui-même avait arrêté cette solution.

Comme je vous l'ai dit, la maîtresse de la maison n'avait pas tout de suite donné son consentement :

— Si je tenais une vraie pension, m'avait-elle dit, plus vous seriez et mieux cela m'arrangerait : deux mieux qu'un, trois mieux que deux. Mais je n'en fais pas une affaire. Et si vous pouviez vous dispenser d'amener ici votre ami, vous me feriez plaisir!

— Mais il est si peu exigeant, si vous saviez!

— Là n'est pas la question. Exigeant ou non, j'ignore tout de lui, et à le prendre chez moi je ne vois que des désagréments!

— Mais, moi non plus, je n'ai pas toujours habité la maison : au tout début, vous ne connaissiez rien de moi, que je sache!

— Vous, c'est différent : dès le premier jour, j'ai vu à qui j'avais affaire!

Alors, moi, je souriais d'un sourire amer. Mais, de nouveau la mère, changeant de tactique :

— Et puis, dans votre intérêt même, il n'est pas bon d'amener ici cet ami. Croyez-moi : renoncez à votre projet!

— Pas bon? Et pourquoi?

C'était à son tour à elle de sourire amèrement.

A vrai dire, ce n'était pas pour moi une nécessi é de principe que de partager à ce point avec K toutes choses de ma vie quotidienne. Mais c'était une nécessité de fait : si, chaque mois, j'eusse essayé de compter devant lui l'argent qui lui était nécessaire, il eût certainement refusé, tant s'exagérait en lui l'esprit d'indépendance. Au contraire, à le garder près de moi, il m'était facile, à son insu, de remettre à la maîtresse de la maison le prix de nos deux pensions. Encore restait-il à la convaincre. Et je ne voulais rien lui dire de la situation matérielle de mon ami.

Ce sur quoi j'insistai, c'est le véritable délabrement de K. Plus on le laisserait seul, plus son caractère s'irait recroquevillant. Je contai ses difficultés avec sa famille adoptive, sa rupture avec sa vraie famille, et le reste. Bref, K se noyait. Je voulais le prendre dans mes bras, le réchauffer à la chaleur de mon corps : et pour cela, il fallait qu'il fût près de moi. Et, en considération de toutes les épreuves qu'il avait subies, je priai les deux femmes de prendre de K le soin le plus chaleureux. C'est avec de tels arguments que j'eus raison de la résistance de la mère. Quant à K, je lui cachai tout de ces négociations, du commencement à la fin : et je goûtais, à agir ainsi, une réelle satisfaction. K emménagea un beau jour, comme si de rien n'était, et moi je le reçus avec mon même visage de toujours.

La mère et la fille, très aimablement, l'aidèrent à défaire ses bagages. Je savais que c'était là pure gentillesse à mon égard, et j'en étais tout heureux. K, lui, avait le même air indifférent qui lui était familier.

Quand je demandai à K comment il trouvait sa nouvelle installation :

— Ce n'est pas mal! fit-il seulement.

S'il m'est permis de le dire, j'attendais mieux que ce Ce n'est pas mal! *Jusqu'alors, K n'avait eu qu'une chambre sordide, exposée au nord et sentant le moisi. Et de sa nourriture il n'en allait guère mieux. D'être venu chez moi était pour lui comme si, quittant le fond d'une vallée ténébreuse, il eût été transporté sur une haute cime. Lui, pourtant, n'en paraissait rien apprécier. Orgueilleux entêtement sans doute. Mais surtout principes. Pénétré qu'il était de la doctrine du Bouddha, vêtement, nourriture, habitation, c'étaient là sujets méprisables. Y porter le moindre attachement était déjà un péché. A revivre dans ses lectures la vie des grands bonzes et des apôtres du Christ, il lui était venu comme une hantise de ne pas faire assez pour séparer en lui l'esprit de la chair. Qu'il allât même jusqu'à se persuader que c'est en fouettant la chair qu'on illumine l'âme, je ne jurerais pas du contraire.*

Je pris soin de ne rien faire qui pût heurter de front ses croyances. Simplement, je choisis d'exposer au soleil ce bloc de glace, dans l'espoir qu'il fondrait en eau tiède. Alors, me disais-je, de lui-même il comprendra.

He moves K in
with him

Even now, no names,
just 'K'.

XXIV

Moi, c'est la douceur avec laquelle la dame de la maison m'avait traité qui, jour par jour, m'avait rendu la gaîté. Et la même expérience, je voulais la tenter sur K. A le connaître depuis si longtemps, je savais, sans doute, à quel point nos caractères différaient. Tout de même, depuis que j'étais entré en cette maison, j'avais vu, un à un, s'arrondir tous les angles de mon caractère à moi. Et il n'y avait aucune raison, pensais-je, pour que l'ambiance de cette demeure ne mît point tôt ou tard au cœur de K la grande paix dont il avait besoin.

K était, plus que moi, homme à l'orientation nette. Non seulement il consacrait à l'étude le double du temps que j'y consacrais moi-même, mais son intelligence naturelle dépassait de beaucoup la mienne. A l'université, nos spécialités ayant divergé, il eût été malaisé d'établir un classement : mais à l'école secondaire et au lycée supérieur, où nous étions dans les mêmes classes, K était toujours avant moi. Si bien que, de tout temps, et quel que fût l'ordre d'activité envisagé, j'avais de moi-même considéré comme définitivement établie l'impossibilité où j'étais de lui arriver à la cheville. Cependant, quand j'eus réussi à l'amener chez moi, j'eus l'impression qu'il était un angle sous lequel je jugeais avec plus de clairvoyance que lui. K, s'il m'est permis de m'expliquer, ne distinguait pas le fossé qui sépare endurance et patience. Mais, pour votre gouverne, j'insisterai un peu sur ce point, et je vous demande votre attention. Voici. Fonctions physiques ou fonctions morales, toutes nos fonctions internes sont liées à l'excitation qui leur vient du dehors. C'est cette excitation extérieure seule qui peut ou les développer ou les détruire. Et comme une excitation qui resterait constamment égale à elle-même cesserait d'être une excitation, c'est une nécessité pour la fonction de recevoir une excitation de plus en plus forte. Mais c'est une autre nécessité que de maintenir entre l'excitation et la fonction un harmonieux équilibre : sinon, fût-ce à son insu et à l'insu des siens, le sujet court un grand risque. C'est, au fond, ce que veulent dire les médecins quand ils vous mettent en garde contre ce qu'ils appellent les traîtrises de l'estomac : si vous prenez l'habitude de restreindre chaque repas à du potage de riz, alors, disent-ils, au bout d'un temps donné, et sans que vous vous en soyez même aperçu, votre estomac en sera venu à refuser de digérer les aliments plus solides; c'est pourquoi, conseillent-ils, il faut s'exercer sans cesse à absorber les aliments les plus variés possible. Est-ce à dire qu'il faille systématiquement habituer l'estomac à accepter des aliments en quantité toujours plus grande? Les médecins ne disent pas cela. Ce n'est pas une question de quantité proprement dite, mais une question d'équilibre entre l'excitation et la fonction, un juste accroissement d'excitation déclenchant une juste résistance de la fonction. Et la chose est facile à comprendre. A supposer, en effet, un estomac dont la résistance irait diminuant au fur et à mesure qu'on augmenterait sa ration d'aliments, qu'adviendrait-il du malheureux estomac? Cet exemple montre bien comment on doit interpréter la recommandation des médecins de varier les aliments. C'est par cette argumentation que je voudrais rendre sensible à vos yeux en quoi K, bien qu'il eût plus de grandeur d'âme que moi, était, en un sens, moins clairvoyant. Pour K, l'excitant, c'était la difficulté. Mais ce en quoi K se trompait, c'était de croire que, par la seule force de l'habitude, il vaincrait la difficulté. Il avait cette persuasion qu'il suffisait d'aller de difficulté en difficulté pour voir venir le moment où la seule vertu de la répétition ferait s'évanouir devant lui la notion même de difficulté. Il ne se rendait pas compte que l'être humain est chose bornée, la difficulté chose infinie : avant que la difficulté ne cède, c'est l'être humain qui doit céder.

Cette conviction, qui était la mienne, j'eusse voulu de toutes mes forces y amener K. Mais à peine eussé-je commencé de plaider que j'eusse, j'en étais certain, rencontré chez lui une opposition décidée. Sans nul doute, suivant son habitude, il se retrancherait derrière l'autorité des anciens sages. Ce qui m'obligerait, moi, à lui montrer clairement en quoi il différait de ces sages. S'il se fût alors rangé à mon avis, nous en fussions restés là : mais avec la nature que je lui connaissais, je n'osais l'espérer. Quand la discussion en arrivait là, le comportement habituel de K était de ne jamais revenir sur ses pas. Mieux : il poussait plus avant. Et la distance qu'il avait ainsi franchie en paroles, il mettait son point d'honneur à la franchir aussi en actions. Alors, il était redoutable. Il était grand. Il se détruisait lui-même pour avancer plus encore. Si l'on en juge par le résultat, sa grandeur était, à peine un succès acquis, d'émietter ce succès, et ses succès l'un après l'autre. Cela, et rien de plus. Folie de destruction. Encore n'y effleurait-il jamais le banal, le médiocre. Ce caractère, je le connaissais, et, le connaissant, je ne pouvais que me taire. Et puis, comme je vous l'ai dit, je le trouvais, depuis quelque temps, comme neurasthénique. En admettant que je l'eusse pu convaincre, il en eût gardé du dépit. Je n'avais pas peur d'aller avec lui jusqu'à la dispute. Mais ce n'eût pas été charitable. Je me rappelais mon expérience à moi, et combien m'avait été pénible le sentiment de ma solitude. Cet ami qui m'était cher, pouvais-je risquer de le mettre dans la même détresse ? Que dis-je, le mettre dans la même détresse : ç'eût été le pousser de mes propres mains dans une détresse pire encore! C'est pourquoi, même après que notre vie commune eut commencé, je me fis, pour quelque temps du moins, une règle d'éviter à son adresse toute critique qui eût risqué de lui paraître trop critique. Je m'en remettais à cette calme ambiance du soin de le calmer insensiblement.

XXV

En cachette, je demandai aux deux femmes de faire, le plus souvent possible, conversation avec K. C'était, à mon sens, le mutisme où il s'était jusqu'alors enfermé qui lui avait fait tant de mal. Comme se rouille un morceau de fer inutilisé, ainsi son cœur muet s'était rouillé : cette image s'imposait à moi.

— Mais c'est un être dont on ne sait vraiment par quel bout le prendre! me répondit la mère en riant.

Et la jeune fille, pour m'expliquer ce que sa mère entendait par là :

— Par exemple, dit-elle, vous lui demandez s'il y a encore du feu dans son brasero. Il vous répond : « Non. » Vous lui offrez d'apporter du charbon pour attiser le brasero. Lui, répond : « Pas besoin. » Vous vous inquiétez alors s'il n'a point froid : « J'ai froid, répond-il. Mais je ne veux pas de charbon. » Et avec ça, il se dérobe à toute conversation. Que voulez-vous faire!

Rire était facile. Mais je ne pouvais vraiment laisser les choses en l'état. Cette situation était intenable pour les deux femmes, et il fallait y remédier. Je sais bien que nous étions au printemps, et que K, peut-être, avait l'excuse d'avoir pu vouloir dire qu'un brasero ne lui était pas absolument nécessaire. Quoi qu'il en fût, il n'était pas douteux qu'il fût homme difficile à manier.

Alors, comme en me mettant au centre, j'essayai de réunir en un même cercle les deux femmes et K. Étais-je en conversation avec K ? J'appelais les deux femmes. Étais-je à bavarder chez les deux femmes ? J'allais chercher K. Bref, je ne perdais aucune occasion de les rapprocher. K, il va sans dire, goûtait peu cette tactique. Parfois, sans nulle excuse, il se levait et partait. Ou bien, quand je l'appelais, il s'abstenait de venir :

— Quel plaisir peut-on bien prendre à bavarder de la sorte ? me disait-il.

A cette question, je ne faisais que rire. Mais, au fond de moi, j'avais le sentiment net que K me méprisait.

En un sens, je méritais peut-être ce mépris. Mon horizon, sans doute, était moins haut que celui de K. Je ne le nie pas. Mais de tenir les yeux fixés au ciel sans rien voir de ce qui se passe au-dessous, n'était-ce pas là infirmité? A cet égard, ce qui, à mon sens, importait avant tout, c'était de le rendre humain. De quelques grandes images que sa mémoire fût pleine, s'il ne devenait lui-même un grand homme, à quoi bon? Cela me semblait une vérité. Et pour le rendre humain, le premier moyen était, à mes yeux, de le faire asseoir parmi des femmes. Une fois imprégné de cette atmosphère que seules les femmes savent créer, son sang rouillé se renouvellerait de lui-même.

L'expérience s'annonçait bien. Ce qui avait paru incompatible semblait peu à peu devoir se fondre. K commençait à se rendre compte qu'au dehors de lui un autre monde existait. Un jour, il me confia qu'après tout, la femme n'est pas être si méprisable. Au début, il paraissait exiger de la femme le même degré de savoir et d'intelligence qu'il était habitué de trouver en moi. Et quand, sur ce point, la femme le décevait, on sentait en lui comme du mépris. Sans jamais se mettre lui-même à la portée de la femme, il laissait peser sur l'univers, hommes et femmes sans distinction, un même regard égal. Mais il changeait. Comme je lui représentais qu'à échanger à deux seulement, entre hommes, nos pensées, nous ne pouvions progresser que dans une seule direction, le reste du monde nous échappant :

— C'est vrai! me dit-il.

Moi, quand je parlais du reste du monde, c'est à la jeune fille de mes rêves que je pensais. Mais je ne confiai rien à K de mon secret.

Jusqu'alors, bâtissant de ses livres un château fort, K là-dedans enfermait son cœur. Ce cœur, maintenant, semblait s'ouvrir. Et c'était là la plus belle joie qui pût m'être réservée. Depuis que j'avais résolu d'amener K près de moi, je n'avais eu que ce but : à voir mon succès si proche, je ne pouvais me défendre de m'en réjouir. Tout cela, je le cachai à K, mais l'allai dire aux deux femmes : ma joie fut la leur.

why does he want to open K's heart?
Is he running away from himself?

XXVI

K et moi suivions, dans la même faculté, des cours différents, dont les heures ne coïncidaient pas. C'est pourquoi nous n'allions ni ne revenions en même temps. Quand je rentrais, si K était déjà là, je me contentais d'une brève salutation. K, levant de dessus son livre ses mêmes yeux de toujours :

— Te voilà revenu ? disait-il.

Tantôt je répondais d'un seul signe de tête. Tantôt :

— Oui! faisais-je.

Un jour, j'avais dû passer par Kanda, et, en retard, j'étais revenu à pas pressés. Arrivé à la maison, j'ouvris bruyamment la porte à claire-voie. A ce moment, j'entendis la voix de la jeune fille. Cette voix me semblait sortir de la chambre de K. Quand on venait de l'entrée, il y avait en ligne droite le salon, puis la chambre de la jeune fille; et alors, à main gauche, la chambre de K, puis la mienne : tel était le plan de la maison. Où on parlait, et qui parlait, j'avais, à vivre là depuis de longs mois déjà, pris l'habitude de le saisir d'emblée. Je refermai la porte. La voix se tut. Je commençai à me déchausser. Mais, m'étant mis à suivre la mode, je portais alors des bottines à lacets très longues à défaire; et cela me prit du temps. Je n'entendais plus rien. Je trouvai la chose bizarre, mais me dis que je pouvais m'être trompé. J'allai, comme d'habitude, à la chambre de K, et ouvris les cloisons : la jeune fille et K se trouvaient là, tranquillement installés. K, comme d'ordinaire :

— Te voilà revenu ? me dit-il.

Et la jeune fille :

— Heureuse de votre retour! salua-t-elle sans se lever.

Était-ce pure suggestion ? Mais ce salut de la jeune fille me parut un peu sec. Le ton m'en semblait différent de son même ton de toujours. Je m'adressai à elle :

— Et votre mère ?

Je ne mettais en cette question aucune intention particulière.

Simplement, la maison me paraissait plus qu'à l'ordinaire silencieuse, et ces mots m'étaient venus spontanément.

Effectivement, la mère était sortie, en compagnie de la servante, laissant sa fille seule avec K. J'eus un mouvement de tête, comme songeur. Depuis si longtemps que j'habitais là, pas une seule fois la mère ne m'avait, moi, laissé en tête-à-tête avec sa fille! Enfin :

— Quelque affaire urgente? demandai-je.

La jeune fille se mit à rire. J'en fus heurté. Je n'aime pas d'une femme qu'elle rie en pareil cas, bien qu'à vrai dire ce soit chose commune à toutes les jeunes filles de rire pour peu de chose, et qu'il n'y eût pas de raison pour que la jeune fille de la maison fît exception. Au reste, ayant vu quelle mine je faisais, elle reprit aussitôt son expression habituelle :

— Non, rien d'urgent : une course seulement! me dit-elle d'un ton plus sérieux.

Le pensionnaire que j'étais n'avait pas le droit de pousser plus loin.

J'eus à peine le temps de me mettre en kimono que la mère et la servante étaient de retour. Puis vint l'heure du dîner, et nous nous retrouvâmes tous les quatre à la même table. Au début, on m'avait traité en hôte, et, chaque fois, la servante m'apportait dans ma chambre la table-plateau de mon repas. Mais, avec le temps, nous avions abandonné ce procédé un peu formel, et je prenais mes repas en compagnie des deux femmes. Quand K était venu à la maison j'avais, en insistant, obtenu qu'on le traitât de la même manière. A cette fin, j'avais fait présent à la maîtresse de maison d'une table légère à pieds pliants. Ce genre de table, on le trouve maintenant dans toutes les familles. Mais à l'époque dont je vous parle, il ne s'était pas encore établi de se réunir, pour les repas, autour d'une même table : et la nôtre, j'avais dû la faire faire sur mesure, à mon idée, par un ébéniste d'Ochanomizu.

À table, la mère expliqua que, ce jour-là, le marchand de poisson n'était pas passé à l'heure, et qu'elle avait dû courir en ville pour faire les provisions. Comme elle avait à préparer nos repas, la chose était toute naturelle, pensai-je. Cette réflexion dut se lire sur mon visage, car la jeune fille, à nouveau, partit d'un éclat de rire. Mais, cette fois, grondée par sa mère, elle se retint aussitôt.

XXVII

A huit jours de là, traversant la chambre de K, je le trouvai, à nouveau, en conversation avec la jeune fille. A peine m'eut-elle vu entrer qu'elle se prit à rire. J'aurais dû lui demander ce qu'elle trouvait en moi de si risible. Mais je me contentai d'aller droit à ma chambre. K, à qui je n'avais rien dit en entrant, s'abstint, de son côté, de son habituel Te voilà revenu ? *Et la jeune fille, entr'ouvrant les cloisons, passa chez elle.*

Au dîner, la jeune fille fit à sa mère la réflexion que j'étais un drôle d'homme : et, cette fois encore, après une hésitation, je m'abstins de lui demander pourquoi. Seulement, je remarquai que la mère, elle, jetait à sa fille un regard assez dur.

Après le dîner, j'emmenai K en promenade. Par derrière le temple Denzûin, tournant autour du jardin botanique, nous ressortîmes au bas de la côte Tomizaka. Pour une promenade, ce n'était pas si court. Mais nous parlâmes peu. K était, de nature, moins loquace encore que moi, qui n'étais pas bavard. J'avais pourtant, chemin faisant, essayé d'amorcer la conversation. Ce dont je parlai surtout, c'était de la maison où nous étions en pension, désireux de savoir ce que K pensait des deux femmes. Il ne me fit que des réponses ni mer ni montagne, difficiles à interpréter, imprécises et simples tout ensemble. Plutôt que les deux femmes, c'étaient ses études à lui qui l'intéressaient. Il est vrai que les examens de seconde année approchaient, et que, dans ces conditions, son attitude était, plus que la mienne, normale. Il ne me parlait guère que de Swedenborg : Swedenborg par-ci, Swedenborg par-là... Et, dans mon ignorance, je l'admirais.

Nous passâmes nos examens :

— Maintenant, nous dit la maîtresse de la maison, vous n'en avez plus que pour un an!

Elle avait l'air tout heureuse. Moi, je pensais que sa fille, son unique orgueil, aurait elle aussi, l'an prochain, terminé son lycée. Un jour que j'en parlais avec K :

— Bah, les femmes, ça sort du lycée sans jamais rien savoir! me dit-il.

Ce qu'il oubliait, c'est que la jeune fille, son programme régulier mis à part, devait apprendre la couture, le koto, les fleurs. Je ris de son étourderie, et lui fis remarquer qu'au reste ce ne sont pas les plus savantes études qui font les meilleures femmes : c'était là une de mes idées favorites que je lui resservais. Il n'y contredit point. Mais il ne paraissait pas non plus très convaincu. Rien ne pouvait, à moi, me faire plus de plaisir. A l'entendre, de son même ton indifférent, exprimer son mépris des femmes, je concluais que la jeune fille qui m'était, à moi, toute la femme n'entrait pas pour lui en ligne de compte. Aujourd'hui, à me retourner sur mon passé, je me rends compte qu'à ce moment la jalousie, déjà, avait germé en moi.

Je parlai à K d'aller quelque part pour l'été. Mais cela ne semblait pas lui sourire. Gêné comme il l'était, il n'eût pu, il va de soi, s'éloigner seul : mais, moi l'emmenant, où était la difficulté ?

— Pourquoi ne veux-tu pas que nous partions ? lui demandai-je.

— Je n'ai pas de raison particulière. Simplement, ici, je me trouve mieux pour étudier!

— Mais, pour la santé, c'est tellement mieux d'aller dans une station d'été, à la fraîcheur!

— Eh bien, vas-y seul!

Y aller seul, je ne pouvais m'y résoudre. C'était déjà d'un assez mauvais œil que je voyais croître l'intimité de K avec les deux femmes. Mais, me demanderez-vous, pourquoi le résultat même que j'avais d'abord poursuivi si ardemment en était-il venu à me blesser de la sorte ? Ma foi, je n'ai rien à répondre, si ce n'est qu'entre moi et un imbécile je ne vois guère de différence. Quoi qu'il en soit, inquiète de cette discussion qui menaçait de s'éterniser, la mère s'entremit entre nous deux. A la fin, nous convînmes d'aller au bord de la mer, sur la côte de Bôshû.

XXVIII

K avait peu voyagé. Pour moi aussi, du reste, le paysage de Bôshû était nouveau. Ignorant l'un et l'autre tout de cette côte-là, nous débarquâmes au premier port où le petit vapeur fit escale. S'il me souvient bien, l'endroit s'appelait Hoda. Je ne sais ce que ce port est devenu. Mais ce n'était à ce moment-là qu'un misérable village de pêcheurs. Ce qui y frappait d'abord, c'était un relent de poisson. Mais surtout, dès qu'on tentait de s'y baigner, bousculé qu'on y était par la mer, on s'écorchait bras et jambes. Ce n'étaient que galets de la grosseur du poing, qui, sous les vagues qui les frappaient, allaient sans cesse roulant de droite et de gauche.

J'en eus vite assez. K, lui, bien ou mal, n'émettait pas d'opinion. Du moins, son visage restait d'une immuable égalité. Et Dieu sait pourtant qu'il ne s'était jamais baigné qu'il ne se blessât. Finalement, je le persuadai de changer de villégiature. Nous fûmes à Tomiura, puis à Nako, sur la même côte. Toute cette partie de la presqu'île était fréquentée par des étudiants, et les prix y étaient abordables. K et moi, souvent, restions assis sur les rochers de la côte, admirant tour à tour les teintes dont les vagues se coloraient au loin, et le fond de la mer à nos pieds. Ce fond surtout était attirant. Rouges ou bleus, de petits poissons qu'on ne voit jamais au marché y perçaient çà et là l'eau transparente : nous les voyions si clairement qu'on aurait pu les désigner du doigt.

Assis sur ces rochers, souvent j'ouvrais un livre. K, lui, restait presque toujours inactif et muet. Abîmé dans sa méditation ? Perdu dans la contemplation du paysage ? Ou occupé aux fictions de cette imagination qui était sa plus fidèle compagne ? Je n'aurais su le dire. De temps à autre :

— Que fais-tu ? lui demandais-je.

— Rien! répondait-il d'un mot.

Moi, souvent :

— Si seulement, à mon côté, je pouvais, à la place de K,

voir assise la jeune fille de là-bas, comme je serais heureux! pensais-je.

Mais cette sorte d'infidélité envers K n'était rien encore. Le pis, c'était que, parfois, j'y ajoutais ce soupçon brutal que K lui aussi, peut-être, sur la roche où il était assis, caressait au même moment la même image de la même femme. Alors, de rester là, tranquillement assis devant un livre ouvert, m'exaspérait soudain. Et, brusquement dressé, je me mettais, sans la moindre retenue, à pousser de grands cris. Ne croyez pas que j'eusse même l'idée de déclamer avec suite, en guise de divertissement, quelque poème chinois, ou de chanter quelque chanson de chez nous : je n'en eusse pas supporté la douceur. Non. C'étaient de vrais cris de sauvage que je poussais. Une fois même, j'allais jusqu'à saisir K brutalement au collet :

— Et si je te poussais à la mer?

K ne broncha pas. Simplement, sans même se retourner :

— Excellente occasion, dit-il : ne te gêne pas!

Je desserrai aussitôt les doigts.

La neurasthénie de K semblait, à ce moment, quasi-guérie. Par contre, je devenais, moi, chaque jour plus nerveux. A voir K plus calme que je ne l'étais moi-même, je commençai par le jalouser. Puis je me mis à lui en vouloir de l'espèce d'inattentive indifférence où il était à mon égard. C'était sans doute, à y bien réfléchir, une sorte d'orgueil de sa part. Mais que ce fût de l'orgueil ne suffisait pas à me rendre le calme. J'essayai alors d'analyser cet orgueil. Voyons. Était-ce que, plans d'études ou plans d'avenir, K venait de reprendre confiance en soi? Si ce n'était que ce genre d'orgueil, alors, entre nous, nulle rivalité n'était à craindre. Bien au contraire, le sentiment que l'aide par moi donnée à K portait ses fruits ne pouvait que me causer de la joie. Oui mais... si ce n'était pas cela? Si, par exemple, cette sérénité de K lui venait d'un grand amour qu'il eût porté à la jeune fille que j'aimais moi-même? Jamais alors, non, jamais, je ne pourrais le lui pardonner! Un fait me paraissait bizarre. C'est que K n'avait jamais donné le moindre signe qu'il eût pressenti, à mes attitudes, mon amour pour cette jeune fille... Mais d'un autre côté, à dire le vrai, je n'avais nullement affiché cet amour! Et puis, quant à cet ordre de sentiments, K était si peu perspicace! C'était même pour cette raison que je n'avais pas hésité à l'amener chez moi : avec K, pas de danger d'être deviné! m'étais-je dit.

XXIX

J'avais pris la résolution d'ouvrir à K mon cœur. Et ce n'était pas là résolution hâtive : elle datait d'avant notre départ de Tôkyô. Simplement, il fallait, pour parler, un moment favorable : et je n'avais l'art ni de saisir ce moment au passage quand il se présentait, ni de le faire naître quand il ne se présentait pas. A réfléchir aujourd'hui sur les mœurs de ce temps-là, je conviens que le milieu qui était le mien était assez spécial. Je n'y ai jamais entendu quiconque parler femmes avec tant soit peu d'abandon. Je ne dis pas que, des gens qui se trouvaient là, nul n'eût vraiment rien à dire sur ce sujet : mais parmi ceux-là mêmes qui eussent eu matière à confidences, la règle était qu'on se tût. Vous qui respirez à présent un air fait de liberté, vous trouverez cela étrange. Était-ce là vestige de ce confucianisme où certains de nos aïeux trouvaient leur loi morale? Ou pudeur seulement? Je vous laisse le soin d'en juger.

K et moi étions assez intimes pour qu'il n'y eût guère entre nous de sujets qu'il ne nous fût point possible d'aborder. Parfois, bien que rarement, ce n'était pas qu'il ne nous arrivât de parler inclination, ou même amour : mais l'entretien jamais n'aboutissait qu'à de vagues abstractions. Et, je le répète, ce genre d'entretien était entre nous chose exceptionnelle. Nous parlions surtout livres, études, avenir, aspirations, progrès moral : c'étaient là, pour ainsi dire, nos seules préoccupations. Si étroite que fût notre intimité, une fois pris le pli d'un pareil sérieux, je ne pouvais d'un coup changer de ton. Faite de sérieux, notre intimité n'avançait que par le chemin du sérieux. Mes pensées pour la jeune fille de la maison, combien de fois n'avais-je pas été sur le point de les confier à K! La langue m'en démangeait à me faire mal : et j'eusse voulu lui percer dans la tête un trou, par où lui insuffler comme une tendre haleine.

Vous, en me lisant, vous ne verrez là qu'un risible petit

scrupule : pour moi, la difficulté était alors immense. Durant le voyage, je m'étais senti tout aussi lâche qu'à la maison. J'observais K sans cesse, guettant l'occasion de m'ouvrir à lui. Mais avec son air de fouler le monde aux pieds, il me désemparait complètement. Si je puis me servir de cette image, K avait le cœur tout laqué d'un noir et épais vernis. Et du sang que je lui offrais, pas une goutte ne pénétrant son cœur, c'était sur moi que mon propre sang rejaillissait.

Cette attitude même de K, si puissante et si haute, il y avait des moments pourtant où elle m'inspirait un grand apaisement. Je me repentais alors de mes soupçons envers lui, et, du même élan, eusse voulu lui en demander pardon. Je sentais alors, à m'humilier, quelle vile nature était la mienne : et je me haïssais moi-même.

Mais aussitôt les mêmes soupçons revenaient me heurter à grandes vagues. Mille comparaisons en naissaient, toutes à mon désavantage. Je me disais que les traits de K étaient de ceux qui, plus que les miens, plaisent aux femmes; que son caractère, exempt de toutes mes petitesses à moi, était, plus que le mien, séduisant; qu'un je ne sais quoi de distraitement absent, mêlé en lui à je ne sais quoi de solidement viril, le favorisait sur moi; que, par la puissance de l'intelligence encore, il m'était supérieur... Je ne pouvais, quant à ce dernier point, tabler sur aucun classement, car nous ne suivions pas les mêmes cours : mais je me sentais si incapable de lui arriver même à la cheville! Ainsi, passant en revue ses qualités à lui, et ses qualités seulement, j'en avais les yeux comme aveuglés. Alors, balayant d'un coup l'apaisement qui venait à peine de me naître, mon ancienne angoisse m'envahissait de nouveau.

K finit par se montrer inquiet de mes comportements bizarres :

— Tu sais, me dit-il, si tu en as assez, nous pouvons rentrer à Tôkyô!

Il suffisait que K me fît cette proposition pour que je perdisse l'envie de rentrer. Au fait, en avais-je seulement eu l'envie? Ou prenais-je peur, soudain, de ramener K à Tôkyô?

C'est alors que j'eus l'idée d'un grand voyage à pied. Contournant le cap de Bôshû, nous passâmes sur l'autre bord de la presqu'île. Sous le brûlant soleil, nous peinions à marcher. Bernés par le proverbial « Oh, c'est à une toute petite lieue d'ici! » des pêcheurs de cette côte de Kazusa que nous longions, sans cesse, nous haletions. Si bien que, moi qui avais décidé cette marche, je finissais par ne plus savoir pourquoi nous marchions. C'est ce que, me forçant à plaisanter, je dis à K. Mais lui :

— Pourquoi on marche ? Parce qu'on a des jambes!

Quand la chaleur était trop forte, nous nous baignions sur la première plage venue. Mais, exposés de nouveau au grand soleil, nos corps épuisés fléchissaient comme des loques.

XXX

A poursuivre pareil effort, chaleur et fatigue ont tôt fait de dérégler le rythme du corps humain. État, cependant, tout différent de la maladie. La sensation qu'on éprouvait, c'était que l'âme, absente, avait émigré dans un autre corps. Des paroles que j'échangeais avec K, c'était comme si mon comportement habituel eût été absent. L'amitié, la haine jalouse que tour à tour je ressentais pour K, il me semblait que, nées avec le voyage, elles devaient finir avec lui, comme si le voyage même leur eût donné une nouvelle nature. En bref, ce que j'éprouvais, c'était que la chaleur, le sel marin, la marche, bouleversant nos anciens rapports, leur avaient donné une tonalité nouvelle. Nous n'étions plus, K et moi, que deux marchands ambulants que les hasards de la route eussent fait voyager de compagnie. Nous avions beau parler : nos paroles n'arrivaient plus à leur niveau habituel, et ne touchaient aucun sujet dont la complication eût demandé le moindre effort intellectuel.

C'est de cette manière que nous fîmes route jusqu'au port de Chôshi. Voyage banal, sauf un seul incident, dont il me souvient encore très nettement. Avant de quitter la province de Bôshû, nous nous rendîmes dans un endroit du nom de Kominato, et, aux environs, visitâmes le pèlerinage de Tainoura, ou l'Anse aux Dorades. Ce voyage est déjà lointain, et mes souvenirs assez flous : d'autant qu'à ce moment-là je ne portais guère d'intérêt à pareilles histoires. Mais toujours est-il que c'est à Kominato qu'est né, nous dit-on, le bonze Nichiren. Or, le jour où il naquit, l'océan, rapporte la légende, déposa sur la plage deux dorades, en offrande d'heureux augure. Et c'est depuis que les pêcheurs du village s'abstiennent de pêcher en cette anse, où les dorades se rassemblent en multitude. Nous louâmes un bateau pour aller voir les dorades.

Moi, je ne faisais que regarder les vagues. On y voyait se croiser les reflets violets de dorades innombrables, et je ne me lassais pas de ce spectacle. K, lui, ne s'y intéressait en rien. Plus qu'aux dorades, c'était, j'imagine, à Nichiren qu'il pensait. Nous revînmes au village. Il y avait là un temple nommé Tanjôji, ou Temple de la Naissance, en souvenir, sans doute, de la naissance de Nichiren. Ce temple était fort beau. K y voulut voir le bonze-supérieur. Mais nous étions, à vrai dire, très bizarrement accoutrés : K, sa casquette enlevée par le vent de la côte, l'avait remplacée par un chapeau de jonc; et nos kimono, à tous les deux, étaient sales et sentaient la sueur. Aussi déconseillai-je à K de se présenter dans cette tenue. Mais K s'entêtait :

— Si tu ne veux pas entrer, me disait-il, eh bien, attends-moi dehors!

Contraint, je l'accompagnai, persuadé qu'on nous mettrait à la porte. On fut au contraire fort aimable. On nous introduisit dans une grande et belle salle, et le supérieur en personne nous reçut sans nous faire attendre. Les préoccupations de K n'étaient nullement les miennes, et je ne prêtai à la conversation qu'une oreille fort distraite. Je crois cependant me rappeler que, K posant des questions sur Nichiren, le bonze, comme récitant une leçon :

— On lui fait, dit-il, et à très juste titre, la réputation d'un grand maître en ce genre de calligraphie qu'on appelle Calligraphie abrégée...

K, dont l'écriture était affreuse, eut un air tout désappointé :

— Que voulez-vous que ça me fasse, qu'il écrivît bien ou mal! semblait-il protester.

Ce qu'il désirait, lui, savoir de Nichiren était sans doute d'une philosophie autrement profonde! Je ne saurais dire si le bonze satisfit ou non les exigences de K. Ce que je sais bien, par contre, c'est qu'à peine sorti de l'enclos du temple, K se mit avec conviction à disserter sur Nichiren. Moi, accablé que j'étais par la chaleur, je n'en pouvais mais, et ne répondais que d'une voix lointaine. A la fin, agacé, je ne répondis plus du tout.

Ce ne fut, si je ne me trompe, que le lendemain soir que nous pûmes nous reposer dans un hôtel. Comme, après le repas du soir, nous nous couchions, K mit la conversation sur je ne sais quel sujet ardu. Je n'avais guère répondu, la veille, à ses discours sur Nichiren : et sans doute en était-il mal satisfait, car, à un moment donné, il lança que pour ne porter dans son cœur nul désir de progrès moral, il fallait vraiment être un imbécile. L'attaque était pour moi, et K me traitait en bien petit esprit. Moi, je n'avais dans mon cœur que l'image de la jeune fille que j'aimais : et elle m'envahissait, cette image, tout comme un arbre étend au loin ses racines... Tout de même, je ne pouvais, devant un pareil mépris, me contenter de sourire : à mon tour, je m'expliquai.

XXXI

Au cours de cette explication, j'employai avec insistance le mot humain. *K, lui, m'opposait que c'était là pour moi mot vraiment trop commode, en ce qu'il me servait à recouvrir toutes mes faiblesses. A y penser aujourd'hui, il est clair que K avait raison. Mais d'avoir tout de suite reproché à K de n'être pas humain était point de départ si agressif que je n'avais déjà plus le jugement qu'il m'eût fallu pour reconnaître alors le bien fondé de son grief. Et comme je m'accrochais plus fortement à ma thèse, K me demanda en quoi je le trouvais inhumain :*

— Tu es humain, lui dis-je : peut-être même trop humain. Ce sont tes paroles qui sont inhumaines; tes paroles, et aussi les actes que tu t'imposes à toi-même!

K me répondit que s'il donnait cette impression, la faute en était à la seule imperfection de sa culture morale. Ce fut là toute sa plaidoirie. Moi, déçu d'une si mauvaise défense, j'eus pitié de lui et changeai de ton aussitôt. Le ton de K aussi baissait progressivement :

— Si tu avais lu comme moi la vie des anciens, me dit-il, tu ne m'aurais pas attaqué de la sorte!

Et, disant cela, il était tout songeur et triste. Quand K disait ainsi les anciens, *il ne parlait ni des héros ni des grands génies : mais de ces hommes qui, pour le bien de leur âme, maltraitaient leur chair, et se flagellaient pour trouver la Voie; d'un mot, de ces ascètes qui jour et nuit se mortifiaient. Et il ajouta :*

— Ne peux-tu donc comprendre toute cette peine que je m'impose pour me mortifier? Comme j'aimerais que tu eusses à mon égard un peu plus de clairvoyance!

Ce soir-là, sans plus, nous nous endormîmes. Dès le lendemain, nous avions repris notre âme de simples marchands ambulants : haletants et noyés de sueur, nous continuâmes notre route. Pourtant, chemin faisant, je ne pouvais pas, en moi-même, ne pas revenir sur la conversation passée. C'était une bien belle occasion qui m'avait été donnée là d'ouvrir mon cœur à K! Pourquoi donc avais-je refusé de la voir, refusé de la saisir au passage? Le regret m'en cuisait. Pourquoi, au lieu de m'en tenir à l'abstraction de ces humain et inhumain, n'avais-je pas, simplement, fait à K mes confidences toutes nues? Ç'eût été tellement mieux! Bien sûr, quand moi j'avais employé ces mots, je les sentais vivants et riches de tout l'amour que je portais en moi. Mais pourquoi avoir distillé cette matière vraie en une sorte de froide théorie tout juste bonne à être soufflée dans l'oreille de K? Pourquoi, cette matière, n'en avoir pas mis directement sous les yeux de K la vérité originale? Cet aveu m'eût fait tant de bien! Pourquoi, bah, c'était toujours la même raison! Nos études communes avaient imposé à notre amitié leur ton neutre : et cette force acquise, j'avais, une fois de plus, manqué du courage nécessaire pour rompre en visière avec elle. Je m'en accuse ici. Qu'on appelle cette faiblesse pose, ou vanité, cela revient au même. Avec cette nuance, cependant, que cette pose, cette vanité, n'étaient pas tout à fait de la pose, de la vanité vulgaires. Mais cette nuance, vous la saisirez, et cela me suffit.

Quand nous rentrâmes à Tôkyô, le soleil nous avait tout brûlés. Ce retour, aussi, faisait diversion à nos pensées. Humain, ou inhumain, ces mots s'estompaient en moi. Et K, de son côté, avait perdu son attitude religieuse : le problème de la chair et de l'âme ne semblait plus hanter son cœur. Nous regardions de droite et de gauche, presque en étrangers, le visage de ce Tôkyô affairé. A Ryôgoku, malgré la chaleur, nous fîmes un véritable repas d'hiver autour d'un sukiyaki de coq de combat. Un tel plat ne pouvait que nous donner du courage : K proposa d'utiliser sans retard cette énergie pour finir à pied notre route, de Ryôgoku à Koishikawa. Plus robuste que lui, j'acceptai sans me faire prier.

A notre arrivée, la mère nous dévisagea avec stupéfaction. De cette marche éperdue, nous ne revenions pas seulement tout noirs : nous revenions aussi tout amaigris. La mère, sa surprise passée, eut un mot d'admiration :

— Comme vous voilà forts! dit-elle.

La jeune fille, elle, ne nous voyait pas des mêmes yeux : elle éclata de rire. Avant ces vacances, ce rire moqueur me blessait. Mais, ce jour-là, j'éprouvai à l'entendre un vrai plaisir. Sans doute, à nous voir en cet état, il y avait vraiment de quoi rire. Mais surtout, cela faisait si longtemps que je ne l'avais entendu rire!

XXXII

Le plaisir que j'avais eu à retrouver la jeune fille s'accrut bientôt de la conscience que je prenais d'un changement marqué dans son comportement. Après si long voyage, nous avions, au moment de reprendre notre vie habituelle, mille petits embarras dont seules des mains féminines nous pouvaient sortir. Ces menus services, la maîtresse de la maison, il va sans dire, nous les rendait à son habitude. Mais c'était l'attitude de la jeune fille qui m'intéressait. Or il me paraissait bien qu'en toute chose elle me fît passer le premier, reléguant K au second plan. Bien sûr, si elle eût trop ostensiblement manifesté cette préférence, j'en eusse été comme humilié pour K, et peut-être même n'eussé-je pu me défendre de m'en froisser. Mais tout était fait avec un tact si savant que rien n'y venait gâter ma joie. Simplement, elle me donnait, dans le partage de son amabilité, part plus grande, mais de telle manière que moi seul, me semblait-il, fusse à même de noter la nuance. C'est pourquoi K, lui, restait d'humeur parfaitement stable. Si bien que, dans le secret de mon cœur, je pouvais me laisser aller à chanter l'hymne de mon triomphe sur K.

L'été, cependant, s'était achevé, et, la mi-septembre venue, nous dûmes retourner aux cours. Cette année encore, nos horaires différaient, et, avec eux, les heures auxquelles nous allions et revenions. Trois fois par semaine, je rentrais après K. Mais jamais plus je n'avais surpris la jeune fille en conversation avec lui, et je m'étais déjà presque déshabitué de cette idée. Simplement, K tournait chaque fois vers moi ses yeux de toujours, et, de sa même formule de toujours :

— Te voilà revenu ? disait-il.

Je lui répondais, moi aussi, de ma même machinale réponse de toujours, brève et insignifiante.

Or — c'était, si je ne me trompe, vers la mi-octobre — un jour que j'avais fait la grasse matinée, je dus, faute de temps, laisser là mon uniforme et mes bottines à lacets, et aller au cours en kimono, enfilant juste, en courant, les brides de mes sandales. Ce jour-là, K ne rentrait qu'après moi. Sachant cela, je ne craignis pas, à mon retour, d'ouvrir à grand bruit la porte à claire-voie. C'est juste à ce moment que j'entendis, à ma stupéfaction, en même temps que la voix de K que je croyais absent, la voix rieuse de la jeune fille. Je n'avais pas de bottines à défaire : bondissant par-dessus l'entrée, je me précipitai vers la chambre de K. Quand j'ouvris les cloisons, K était, à son habitude, accroupi devant sa table. De jeune fille, point. Mais j'avais eu le temps d'entrevoir sa silhouette en fuite.

— Tu es rentré si tôt? demandai-je à K.

— Oui : je ne me sentais pas bien, j'ai laissé le cours!

J'eus à peine le temps de gagner ma chambre et de m'y installer que, m'apportant le thé, la jeune fille entra :

— Heureuse de votre retour! salua-t-elle.

J'aurais dû lui demander en riant pourquoi, quelques minutes auparavant, elle s'était enfuie. Mais je n'étais pas homme à avoir cette franchise. Laisser dans l'ombre ce petit incident pour le pouvoir ensuite ruminer douloureusement, voilà tout ce dont j'étais capable! La jeune fille se retira aussitôt par le couloir extérieur, et, s'arrêtant devant la chambre de K, échangea avec lui deux ou trois mots à travers les cloisons. Cela devait faire suite à leur conversation d'avant mon arrivée, car je ne compris rien à leurs paroles.

Cependant, l'attitude de la jeune fille s'affranchissait de jour en jour. Maintenant, ma présence ne la gênait nullement. Souvent, du couloir extérieur, elle demandait à K d'entrer chez lui : une fois entrée, elle s'attardait volontiers avec lui. Je sais bien qu'alors elle avait probablement à faire chez K : courrier à distribuer, linge à rendre, et, que sais-je, tout ce qui fait naturellement partie du train quotidien d'une maison. Certes. Mais, dominé que j'étais par le désir sauvage de posséder cette femme à moi seul, rien de tout cela, à moi, ne me semblait naturel. Quelquefois même, j'imaginais qu'elle évitait ma chambre à dessein, pour ne se rendre que chez K... Mais, direz-vous, s'il en était ainsi, pourquoi n'avoir pas demandé à K de quitter la maison? Tout simplement parce que je l'y avais amené presque malgré lui, et que, si je l'en faisais partir, mon premier geste devenait un non-sens. Non, à moi, cela ne m'était pas permis!

XXXIII

C'était en novembre, par un jour froid où il pleuvait. Mon pardessus tout trempé, j'avais, comme toujours, traversé l'enclos du petit temple de Konnyaku-Emma, et grimpé le raidillon qui menait à la maison. Là, bien que la chambre de K fût vide, je vis dans son brasero un feu vif qu'on venait d'attiser. Désireux, moi aussi, de tendre les mains aux charbons rouges, j'ouvris en hâte les cloisons et passai dans ma chambre. Mais mon brasero à moi était éteint. Il n'y restait que de la cendre blanchâtre, sans même un seul charbon qui couvât et auquel on pût rallumer le feu. Brusquement, je me sentis de mauvaise humeur.

La mère, qui avait entendu mes pas, vint dans ma chambre. A me voir ainsi, figé et muet, elle dut avoir pitié de moi : elle m'aida à enlever mon pardessus et à passer un kimono; puis, comme je me plaignais du froid, elle fut dans la chambre voisine me chercher le brasero de K.

— K est-il déjà rentré? lui demandai-je.

— Rentré et ressorti!

Ce jour-là était un de ceux où K ne devait rentrer qu'après moi :

— Tiens, comment se fait-il qu'il soit déjà là? pensai-je en moi-même.

Mais déjà la mère, comme si elle eût deviné mes pensées :

— Il aura dû avoir à faire par là! ajoutait-elle.

Pendant un temps, je me mis à lire. En cette maison profondément calme, nulle voix ne se faisait entendre. Seuls m'envahissaient le froid et la tristesse de l'arrière-saison. Soudain, je n'y tins plus, fermai mon livre, et me d essai. J'avais envie de m'agiter, de voir autour de moi s'agiter des gens. La pluie enfin avait cessé, mais le ciel restait froid, et comme de plomb. Je pris sur l'épaule mon parapluie, et, longeant le mur de boue sèche de l'arsenal, je descendis du côté de l'est. On n'avait pas encore aménagé les rues. La pente était plus raide qu'elle n'est à présent, la rue plus étroite, le tracé plus en zigzag. Au bas de la vallée, il y avait, du côté sud, de hauts bâtiments qui masquaient le soleil, et, par-dessus le marché, le drainage n'était que rudimentaire. Si bien que la rue était, en ce fond, pleine de boue, surtout entre le petit pont de pierre qui se trouvait là et la rue Yanagichô. Fût-ce chaussé de hauts socques ou de bottes, on ne pouvait avancer qu'avec grande attention. Les passants devaient tenir le milieu, un peu surélevé, de la chaussée : là, partageant la boue, il y avait comme une ligne qu'il fallait suivre attentivement. Quand je dis ligne, *cela avait bien un ou deux pieds de large, et c'était tout à fait comme si on eût tendu, sur le milieu de la rue, un obi : les passants, en colonne par un, s'y suivaient lentement. C'est sur cet étroit ruban que, tout à coup, je me trouvai nez à nez avec K. Uniquement préoccupé de mes pieds, je ne l'avais pas aperçu. Ce n'est qu'en sentant devant moi le passage bouché que je levai les yeux sur lui :*

— Où es-tu allé ? lui demandai-je.

— Oh, jusque-là! dit-il seulement, et, comme toujours d'un ton détaché.

K et moi nous croisâmes en nous effaçant. Or, juste derrière K, venait une jeune femme. Myope comme je l'étais, je ne m'en étais pas aperçu tout de suite. Mais, une fois K passé, je la regardai : quand j'eus reconnu en cette femme la jeune fille de la maison, l'étonnement me figea. La jeune fille rougit légèrement et me salua... En ce temps-là, les femmes ne se ramenaient pas, comme aujourd'hui, les cheveux sur le front : mais la mode était de se les tirer en arrière, et de se les enrouler sur la tête à la manière d'un serpent. Cette coiffure, je la regardai fixement, l'esprit comme aboli. A la fin, je me rendis compte que, de nous deux, l'un devait céder le passage à l'autre. Rageusement, je mis un pied dans la boue liquide, laissant plus de place qu'il n'en fallait pour que la jeune fille passât.

Je débouchai dans Yanagichô. Mais où aller ? Où que ce fût, je savais n'y plus pouvoir trouver le moindre divertissement. Alors, sans prendre garde aux éclaboussures, je marchai à grands pas furieux à même ce fleuve de boue. Et, en hâte, je rentrai.

XXXIV

— Tu es sorti avec la jeune fille? demandai-je à K.

— Non, me dit-il : je l'ai rencontrée par hasard dans Masagochô, et nous sommes revenus ensemble!

Je n'avais pas le droit de pousser plus loin, et ne pouvais que retenir les questions qui se pressaient en moi. Mais, au dîner, je me mis, par recoupement, à interroger la jeune fille. Elle eut ce rire que je haïssais chez elle. Et à la fin :

— Où je suis allée? Eh bien, cherchez!

J'étais alors d'une susceptibilité quasi-maladive, et je ne pouvais souffrir sans irritation qu'une jeune femme me traitât aussi à la légère. Mais à la table qui nous réunissait chaque jour, il n'y avait que la mère qui, d'habitude, devinât en moi ce sentiment. K restait à toute chose indifférent. Et quant à la jeune fille, avait-elle discerné en moi cette irritabilité, et l'excitait-elle à dessein; ou n'en avait-elle rien deviné, et agissait-elle par naïveté pure? J'en eusse difficilement décidé. Pour une si jeune femme, elle ne manquait pas de jugement. Mais, des défauts que je détestais chez le commun des jeunes femmes, on ne pouvait dire non plus qu'elle fût absolument exempte. C'était surtout depuis l'arrivée de K que je m'étais, chez elle, aperçu de ces défauts. Pourquoi seulement depuis l'arrivée de K? me direz-vous. Mon Dieu, était-ce que ma jalousie à l'égard de K me donnait plus de clairvoyance? Était-ce que la présence de deux jeunes gens avait incité la jeune fille à une plus apparente coquetterie? Je n'aurais su le dire. Mais ce que je ne puis nier, même aujourd'hui, c'est que j'étais jaloux de K. Je vous l'ai dit souvent, je sentais sans cesse en moi la pression de la jalousie. Vus de l'extérieur, les motifs n'en étaient que choses toutes minimes : mais à ma jalousie aux aguets, tout prétexte était bon pour dresser en mon cœur une tête sifflante. D'un autre côté, et soit dit en passant, je me demande si la jalousie n'est pas le nécessaire revers dont l'amour serait la face nécessaire. Voyez : depuis mon mariage, j'ai vu jour par jour décroître ma jalousie; mais, avec elle, a décru la première ardeur de mon amour.

Mon cœur jusque-là si hésitant, il était des moments où j'eusse voulu le jeter aux mains de qui pût le recevoir : et ce n'était pas à la jeune fille que je pouvais faire ce présent, mais à la mère. Oui, j'eusse voulu m'ouvrir tout entier à la mère, et lui demander de me donner sa fille. Pourtant, de jour en jour, je différai de parler. A entendre cette confession, vous allez me taxer de veulerie, et je vous comprends : pourtant, il est sûr que ce n'était pas le manque de volonté qui m'arrêtait. Ce qui m'avait empêché de m'avancer, ç'avait été, avant la venue de K en cette maison, la peur d'être une fois de plus dupé par autrui. Ce qui m'en empêchait depuis que K était là, c'était un sentiment autre : cette crainte, qui me dominait, que la jeune fille ne me préférât K. Si son cœur penchait vraiment vers K, de quoi pouvait-il me servir d'avouer mon amour? Et ne croyez pas qu'il n'y eût là que, par avance, la peur d'être refusé : quel que fût mon amour pour elle, et à supposer même que j'eusse été agréé, la seule pensée qu'elle en préférait un autre eût suffi à me détourner de la prendre pour femme. Je sais bien qu'il y a des hommes qui, sans consulter personne, pas même celle qu'ils choisissent, prennent pour femme qui leur plaît, et vont après promenant par le monde un regard content de soi. Mais ces hommes-là n'appartiennent qu'à deux catégories bien spéciales : ou ce sont des viveurs chez qui une trop lourde expérience a détruit la pureté et le respect de la femme; ou ce sont des balourds qui, ignorant tout de l'amour, n'en ont pas senti le caractère de libre réciprocité. Une fois marié, tout s'arrange! disent-ils. Mais ce raisonnement-là, je ne pouvais, moi, me résoudre à l'admettre : telle était l'ardeur de mon amour. Bref, sur le chapitre de l'amour, je faisais figure tout ensemble de très noble théoricien et de très novice exécutant.

Ce n'est pas non plus qu'à vivre aussi longtemps sous le même toit, je n'eusse souvent eu l'occasion de m'ouvrir à la jeune fille directement. Mais, élevé dans les coutumes du Vieux-Japon, j'avais nettement conscience que pareil procédé n'était pas permis. Et cela ne m'eût-il pas arrêté qu'il est encore fort douteux que j'eusse parlé. Ç'eût été tellement inutile! Car si le caractère japonais garde toujours et partout sa réserve, à plus forte raison ne pouvais-je attendre d'une jeune fille japonaise qu'elle eût, en pareil cas, l'audace de donner, sans retenue et selon la vérité de son cœur, la réponse sollicitée.

XXXV

Ainsi, ne pouvant ni avancer ni reculer, je restais figé sur place. Quand, retenu au lit, un malade somnole de jour, il lui arrive de voir distinctement les objets qui l'entourent, sans pouvoir, quoi qu'il fasse, bouger bras ni jambes : telle était parfois ma souffrance secrète.

Cependant, la vieille année partie, la nouvelle année était venue. Un jour, la dame de la maison demanda à K d'inviter quelques-uns de ses amis pour jouer aux cartes-poèmes. K lui répondant aussitôt qu'il n'avait pas un seul ami, la dame de la maison en resta abasourdie. De fait, d'amis qui fussent vraiment des amis, K n'en avait pas. Il avait, sans doute, un certain nombre de ces camarades à qui l'on dit bonjour en passant : mais ils n'étaient certes pas gens à jouer aux cartes-poèmes. Alors la dame de la maison me demanda, à moi, d'inviter de mes amis. Mais comment jeu si léger aurait-il pu me tenter, dans l'état d'âme où je me trouvais? Je fis une vague réponse, sans plus. Cependant, le soir venu, la jeune fille vint tous les deux nous chercher, et nous traîna, pour ainsi dire, devant le jeu de cartes. Il n'y avait nul invité : nous quatre seulement, et la partie commença fort calme. D'autant que K, qui n'avait pas l'habitude du jeu, prenait une attitude de mains dans les poches :

— Mais connais-tu seulement par cœur, lui demandai-je, le vieux recueil des Cent Poèmes de Cent Poètes *où ces poésies sont prises?*

— Non, pas par cœur! fit-il.

La jeune fille jugea-t-elle ma question humiliante pour K? Je ne sais. Mais, de ce moment, elle lui vint en aide ostensiblement. Tant et si bien que tous les deux s'unissaient contre moi en véritables alliés. Peu s'en fallut que cette attitude ne me déterminât à un éclat. Mais K était resté, depuis le début, d'une humeur si égale, et s'abstint si innocemment d'afficher sa victoire que la soirée s'acheva sans autre incident.

C'est après cette soirée — deux ou trois jours après, si je ne me trompe — que les deux femmes s'absentèrent pour aller, dirent-elles, faire leur visite de nouvel an à des parents d'Ichigaya. Les cours de janvier n'avaient pas encore repris, et nous restâmes, K et moi, seuls dans cette maison vide. Je n'avais envie ni de lire ni de sortir, et, âme vague, coudes au rebord du brasero, menton au creux des paumes, je songeais. K, dans sa chambre, ne faisait non plus nul bruit. Tel était notre silence qu'on n'eût su dire, à écouter, si nous étions là ou non. Mais ce comportement nous était familier, et je n'y prenais pas garde. Or, vers dix heures, K ouvrit soudain les cloisons qui séparaient nos chambres, et se montra. De là, debout :

— A quoi penses-tu? me dit-il.

Moi, je ne pensais guère. Simplement, l'image de la jeune fille était en moi, et celle de sa mère. Celle de K aussi, qui, depuis quelques temps, tournant et tournant dans ma tête, y était venue brouiller les images des deux femmes. Je levai les yeux sur K. Mais que, depuis peu de temps, je le considérais comme une sorte d'obstacle, pouvais-je le lui dire en face? Je laissai mes yeux fixés sur les siens, sans mot dire. Alors, il entra franchement dans ma chambre, et s'accroupit en face de moi, près du brasero. J'enlevai mes coudes du rebord du brasero, et, gentiment, le poussai un rien vers lui.

K entreprit une conversation qui lui ressemblait fort peu :

— Elles sont allées à Ichigaya. Mais chez qui?

— Chez une tante, il me semble!

— Qui est cette tante?

— La femme d'un officier, je crois!

— Mais les femmes ne font pas de visite de nouvel an avant la mi-janvier, que je sache! Pourquoi ont-elles commencé si tôt, elles deux?

— Ça, je ne sais pas!

Quelle autre réponse aurais-je pu faire?

XXXVI

Longtemps encore, K ne parla que des deux femmes : il en arrivait à poser questions si détaillées que je n'y pouvais répondre. Mais ses paroles suscitaient en moi moins d'agacement que d'intérêt. Je lui avais souvent, moi, parlé des deux femmes. Mais combien avait été indifférente son attitude d'alors! Et combien changé son ton de maintenant! Pareil changement ne pouvait m'échapper. A la fin :

— Mais pourquoi diable ne me parles-tu aujourd'hui que de ces deux femmes ? lui demandai-je.

A cette question, brusquement, K se tut. Mais ses lèvres tremblaient, et moi je scrutais ce tremblement. K était, de nature, avare de paroles. D'ordinaire, les mots ne sortaient jamais de sa bouche qu'il n'eût ce tic d'avancer les lèvres, un peu comme font les lapins : on eût dit que ses lèvres s'opposaient expressément à sa volonté, et qu'il lui fallait une victoire pour arriver à parler. C'était là, peut-être, ce qui donnait à ses paroles un tel poids : une fois que, déchirant la bouche, la parole jaillissait, elle avait deux fois plus de puissance que celle du commun des hommes.

J'avais eu, à scruter ses lèvres, le sentiment immédiat que je ne sais quoi d'exceptionnel en allait sortir. Mais quoi ? Je n'en avais nul pressentiment. Quand enfin les paroles sortirent, je restai atterré. Ce qu'il me livrait à mots pesants, c'était sa brûlante passion pour la femme même que j'aimais. Vous, comprenez ma stupeur. C'était comme si, d'un coup de baguette, il m'eût changé en roche. J'avançais, moi aussi, les lèvres : mais je ne pouvais parler.

Masse de frayeur, masse de souffrance, je ne sais : mais j'étais une masse. Pierre ou fer, je n'étais, de la tête aux pieds, qu'un bloc durci. Mes poumons avaient perdu toute élasticité, et me pesaient, eux aussi, comme une masse dure. Puis, je me repris. Je redevins un vivant. Et aussitôt :

— Ça y est! me dis-je. J'ai perdu la partie : il m'a devancé!

Mais que faire? Je ne voyais rien à rien. Avec quelle partie de moi-même aurais-je pu penser? Des aisselles, une sueur froide perçait ma chemise : je l'endurais, immobile. K cependant, de ses lèvres lourdes, morceau par morceau, vidait sur moi son cœur. Moi, je ne pouvais plus supporter ma souffrance. Cette souffrancc, sans doute, elle devait se peindre en grandes lettres sur ma figure, tout comme sont peints les panneaux-réclames. K lui-même, malgré son habituelle insensibilité, s'en fût aperçu : mais, tout concentré sur soi, il ne me prêtait nulle attention. D'un bout à l'autre, sa confidence coulait d'un même ton : lent et lourd. Mais à cette lenteur, à cette lourdeur mêmes, je savais que rien, jamais, ne déracinerait son amour. Je l'écoutais à demi. Et je m'interrogeais à demi : que faire? Bouleversé que j'étais, les détails de sa confession m'entraient mal dans l'oreille. Mais le ton m'en secouait la poitrine. Déjà, à la souffrance, se mêlait en moi la peur : mon adversaire était le plus fort, et cette évidence me gagnait.

K s'était tu. Et moi je ne pouvais rien dire. Ne croyez pas qu'à ce moment je me sois froidement demandé si je devais, moi aussi, lui ouvrir mon cœur, ou s'il était mieux de me taire, et que je me sois tu par raison. Non. Simplement, je ne pouvais rien dire. Je ne désirais rien dire.

Nous prîmes notre repas face à face. La bonne nous servit. Je ne touchai presque pas aux mets. De tout le repas, nous parlâmes à peine. Quand les deux femmes allaient-elles donc revenir?

XXXVII

Retirés dans nos chambres, nous y restâmes, chacun de notre côté. K était aussi silencieux qu'il l'avait été le matin même. Moi, je sombrais dans une immobile méditation.

Je me jugeai moralement conduit à m'ouvrir à K. Mais, en même temps, il me parut que j'avais déjà laissé passer le moment de parler. Pourquoi, le matin, n'avais-je pas arrêté K, et attaqué à mon tour ? Là commençait ma très grande faute. Si, à tout le moins, l'ayant laissé achever sa confession, j'avais parlé aussitôt après, comme déjà ç'eût été mieux! A présent que K avait vidé son cœur, si moi je parlais, de quoi aurais-je l'air ? J'avais beau tourner et retourner la question : je n'en sortais pas. Parler maintenant, quelle incohérence! Le remords de n'avoir point parlé m'ébranlait la tête.

Si K seulement, rouvrant les cloisons, revenait vers moi du même élan que ce matin, alors, je serais sauvé! Ce matin, somme toute, j'avais été comme la victime d'un guet-apens : je ne m'attendais à rien! Mais si K revenait, alors, l'avantage perdu, j'allais le reprendre! Je levais les yeux sur les cloisons : en vain, rien ne s'ouvrait. K restait enfermé dans sa silencieuse immobilité.

Cette immobilité de K, minute par minute, me portait à la tête. Que pense-t-il, me disais-je, derrière ces cloisons ? Cette question m'envahissait, et je n'en pouvais supporter l'incertitude. Souvent ainsi, à notre ordinaire, nous gardions la même immobilité silencieuse, de l'un et de l'autre côté des mêmes cloisons : alors, tout naturellement, j'oubliais l'existence de K. Mais ce jour-là, comprenez-le, tous ces comportements étaient faussés. Allais-je, moi, ouvrant les cloisons, approcher K ? Non, je ne le pouvais pas. J'avais laissé échapper l'occasion de parler : il fallait attendre que K reprît l'initiative. Attendre. C'était tout ce qui m'était permis.

Je ne tenais plus en place. Si je fusse resté là, je crois que j'eusse, d'un saut, bondi sur K. Je passai dans le couloir, et du couloir dans le salon. Je n'avais pas soif : j'avisai la bouilloire, me versai de l'eau chaude, et bus. De là, je gagnai l'entrée : je me trouvai au beau milieu de la rue. Sans but. Mais je n'aurais su m'arrêter : et, n'importe où, par ces rues calmes de janvier, j'allai. Mais plus je marchais, et plus K me hantait. De cette obsession, je ne tentai même pas de me débarrasser : au contraire, je la ruminais en marchant.

Ce qui, de K, me frappait avant tout, c'était cette incompréhensible complexité d'âme. Comment, d'un coup, avait-il pu me faire cette confession ? La passion en lui était-elle donc si forte, qu'il n'ait pu s'empêcher de me l'avouer ? Et cet autre homme en lui, ce K habituel que je croyais connaître, où ce vent de tempête l'avait-il emporté ? Autant d'énigmes. K était la force même. K était le sérieux même. Avant d'arrêter ma propre conduite, je devais absolument lui parler, l'interroger : longtemps. Mais le prendre pour adversaire ! J'en étais tremblant. J'allais comme dans un rêve, de rue en rue. Je revoyais la chambre de K, et là, son visage à lui, qui m'obsédait. J'entendais comme une voix :

— Marche, marche toujours : de quelque manière que, toi, tu t'agites, lui reste attaché à sa passion, et de là tu ne le feras pas bouger !

Alors, il prenait à mes yeux l'apparence d'un démon : et je sentais à jamais sur moi sa possession maudite.

Brisé, je rentrai. De sa chambre émanait un tel silence qu'on l'eût dit inhabitée.

XXXVIII

J'étais à peine rentré qu'un bruit de pousses se fit entendre. En ce temps-là, les roues des pousses n'étaient pas munies de pneumatiques, et l'on pouvait, de loin, distinguer l'agaçante ferraillerie des roues métalliques grattant le chemin. Les pousses s'arrêtèrent au seuil de la maison.

Une demi-heure après, on m'appelait pour le dîner. Les kimono de fête des deux femmes, tels qu'elles venaient de les quitter pour se changer, mettaient dans la chambre de la jeune fille un désordre colorié.

— Nous n'avons voulu vous causer nul désagrément, dit la mère : voyez, en nous dépêchant, nous sommes arrivées juste à temps pour préparer le dîner!

Mais, ni chez K ni chez moi, cette gentillesse n'éveillait d'écho. Attablé, mais avare de paroles, je ne fis qu'une sèche réponse. Et plus que moi encore, K restait silencieux. Or, les deux femmes, ce soir-là, étaient revenues toutes gaies de leur exceptionnelle sortie, et nos tristes attitudes faisaient avec la leur contraste frappant :

— Mais enfin, qu'avez-vous ? me demanda la mère.

— Je ne me sens pas très bien!

Et c'était vrai. La jeune fille, de son côté, fit à K la même question. K, dédaignant une aussi facile excuse :

— Je n'ai pas envie de parler!

— Tiens! Et pourquoi ? poursuivit la jeune fille.

A ce moment, j'ouvris mes paupières lourdes et levai les yeux sur K. Qu'allait-il répondre ? Cela m'intéressait. Ses lèvres, comme toujours, tremblaient un peu. Mais pour qui ne le connaissait pas à fond, ce tic ne pouvait rien signifier d'autre si ce n'est qu'il était court de réponse. La jeune fille se mit à rire :

— Je vois, dit-elle : encore quelque difficile meditation, pas vrai ?

K rougit un peu.

Je me mis au lit plus tôt que d'habitude. La mère n'avait pas oublié que je m'étais plaint, et, vers dix heures, m'apporta une bouillie de blé noir. Mais, comme déjà j'avais éteint :

— Eh bien, eh bien! s'annonça-t-elle.

Elle entrouvrit, ce disant, les cloisons qui me séparaient de K. De la lampe à pétrole posée sur la table de K, une lumière oblique filtra jusqu'à moi : K n'était pas couché. La mère s'installa à mon chevet :

— C'est sûrement un rhume, dit-elle : il faut vous tenir au chaud! Tenez!

Avec autorité, elle me mit sous le nez l'épaisse bouillie de blé noir : je bus sous sa surveillance.

Jusqu'à une heure très avancée, je continuai de songer. Mais je ne savais que tourner et retourner les mêmes pensées... Et K, que faisait-il, si près de moi? Alors, comme si mes lèvres eussent parlé d'elles-mêmes :

— Hé! l'appelai-je.

— Hé! répondit-il.

— Tu ne dors pas?

— Je vais me coucher!

— Que fais-tu maintenant?

K ne répondit pas. Mais je l'entendis bientôt ouvrir avec bruit son placard, en tirer ses couvertures, faire son lit.

— Quelle heure est-il? demandai-je.

— Une heure vingt!

Puis je l'entendis souffler sa lampe. Je devinai dans la maison une obscurité complète. Un grand calme s'établit.

A la faveur des ténèbres, mes yeux voyaient intensément. Machinalement, mes lèvres rappelèrent K :

— Hé!

— Hé!

— Ce dont tu m'as parlé ce matin... ne voudrais-tu pas, à nouveau... commençai-je.

Je ne pensais pas, bien sûr, à continuer cette conversation à travers les cloisons : je désirais seulement savoir de K s'il était disposé à reprendre ses confidences. Mais K, que j'avais par deux fois appelé et qui par deux fois m'avait répondu si naturellement, hésita cette fois. D'une voix sourde :

— Ah, oui! dit-il seulement.

Un étonnement s'empara de moi.

XXXIX

L'hésitation que K venait de laisser paraître en cette conversation nocturne, son comportement la souligna encore le lendemain et le surlendemain : chez lui, nulle velléité de revenir sur ses confidences passées. Je sais bien qu'il n'en avait plus l'occasion : les deux femmes ne s'absentaient pas, et il nous eût fallu toute une journée bien à nous pour reprendre à l'aise cet entretien. Tout de même, ce silence de K me portait sur les nerfs. Tant et si bien que, moi qui m'étais contenté jusque-là de me tenir secrètement prêt pour le moment où K, de lui-même, reviendrait sur ses confidences, je décidai désormais de prendre à la première occasion l'initiative d'un second entretien.

Cette décision, pourtant, je différai de la mettre à exécution. Discrètement, je m'attachai à observer de près les faits et gestes des deux femmes. Tant que leurs comportements, me disais-je, ne différeraient en rien de l'ordinaire, c'est que K n'aurait parlé que pour moi seul, sans avoir encore rien avoué ni à la fille ni à la mère. Assuré de cet automatique recoupement, je repris un peu de calme : nul besoin, pensais-je, de rien précipiter, de remettre inopportunément devant K toutes choses sur le tapis. Mieux valait attendre que me fût fournie une occasion que, cette fois, j'étais bien décidé à ne pas laisser échapper. C'est pourquoi, revenant sur ma première décision, je résolus de laisser les choses en l'état.

Ainsi ébauché, ce schème psychologique se présente très simple. Mais, en moi, les sentiments se pressaient, complexes, dans un mouvement tout pareil au flux et au reflux de la mer, avec une alternance de bas et de hauts. D'une part, si l'attitude de K restait égale et stationnaire, je ne l'en interprétais pas moins de diverses manières. D'autre part, si, à mettre bout à bout en pensée les paroles et agissements des deux femmes, je n'y décelais rien d'anormal, je ne m'en demandais pas moins dans quelle mesure étaient sincères les comportements sur lesquels je tablais. Enfin, d'un point de vue plus théorique, je doutais sans cesse si ce n'est pas une illusion de supposer que cette machinerie compliquée qu'est l'âme humaine se laisse lire de l'extérieur, aussi facilement que le mécanisme d'une horloge se trahit aux yeux par le mouvement des aiguilles. Bref, construisant sur une même donnée plusieurs interprétations contradictoires, j'avais pris plus de peine que je n'ai dit pour arriver à ce calme tout relatif. Encore, à choisir plus strictement mes termes, n'est-ce pas calme *que je devrais écrire : je devrais ici éviter ce mot, car jamais en ce temps-là je n'ai connu de vrai calme.*

Cependant, les cours avaient repris. Les jours où nos horaires coïncidaient, nous allions à l'université et en revenions ensemble. A l'observateur qui nous eût regardés du dehors, rien n'eût paru changé à notre intimité. Mais que chacun de nous deux nourrît dans son cœur un monde de pensées bien à lui, nous autres ne nous y trompions point. Un jour, je n'y tins plus. Au beau milieu de la rue, brusquement, j'attaquai. Avant tout, je demandais à K si j'étais le seul à qui il se fût confié : n'avait-il point déjà parlé aux deux femmes? D'après sa réponse pensais-je, j'arrêterais ma ligne de conduite :

— C'est à toi que je me suis ouvert, et à nul autre! me répondit K.

Cette réponse me remplit de joie. Je savais K capable de ruse, plus que moi peut-être, et, plus que moi, hardi. Trois années durant, sur le chapitre de sa pension d'études, il avait pu tromper sa famille adoptive. Mais je connaissais le motif de cet acte, et ma confiance en lui n'en avait été en rien amoindrie. Bien au contraire : je l'en avais estimé davantage. C'est pourquoi, si soupçonneux que je fusse, l'idée ne me vint même pas de douter de l'assurance qu'il venait de me donner si clairement.

Alors, j'essayai de le sonder sur ses intentions. Il aimait : qu'allait-il faire? S'en tenir aux faits qu'il m'avait confiés, ou envisager, dans le domaine pratique, une issue quelconque? A cette seconde question, K ne répondit pas. Muet, les yeux à terre, il se remit à marcher. Je le suppliai de ne me rien cacher, de m'ouvrir le fond de son cœur. En vain : je n'obtins de lui nulle autre réponse si ce n'est qu'il n'avait aucune raison de me rien cacher. Mais sur le point précis que je désirais éclaircir, rien! Nous étions dans la rue : je ne pouvais ni m'arrêter ni le presser davantage. Les choses en restèrent là.

XL

Un jour, j'allai à la bibliothèque de l'université : il y avait longtemps que la chose ne m'était arrivée. Assis au bout d'une large table, tout un côté de mon corps exposé au soleil qui venait de la fenêtre voisine, je feuilletais les revues étrangères récemment arrivées. Je devais, pour le commencement de la semaine suivante, rapporter à mon directeur d'études des matériaux sur un sujet donné. Je ne trouvais rien, et, deux ou trois fois déjà, j'avais dû, sur place, échanger les revues. Finalement, je mis la main sur un article intéressant, que je me mis à lire avec ardeur. Or, de l'autre côté de la table, on m'appela à voix très basse. Je levai les yeux. J'aperçus K, qui, debout, se penchait vers moi par-dessus la table. Comme vous le savez, on ne doit pas, dans les bibliothèques, déranger ses voisins, et c'est une règle de parler à voix basse : aussi le comportement de K n'avait-il rien que de très normal. Cependant, je ressentis comme un choc.

K, toujours à voix très basse :

— Tu travailles ?

— Oui, une petite recherche!

Mais K resta dans sa même posture. Et, de la même voix sourde :

— Tu ne veux pas venir te promener avec moi ?

— Je veux bien, si tu peux m'attendre un peu.

— Je t'attends!

Il s'assit en face de moi. Moi, j'avais l'esprit tout agité. Je ne savais plus lire. Il me semblait, sans raison, que K avait au cœur quelque obscur dessein. Venait-il me demander des comptes ? Ce sentiment s'imposait à moi. Je ne pus que fermer ma revue. Comme je me levais :

— Déjà fini ? demanda K, très calme.

— Non, mais ça ne fait rien!

Je rendis la revue, et sortis avec K.

Où aller ? Peu nous importait. Nous sortîmes par Tatsuo-

kachô, et, traversant Ikénohata, entrâmes dans le parc d'Uéno. C'est à ce moment que K en vint au sujet qui nous brûlait tous deux. Il est bien clair, quand j'y pense maintenant, qu'il ne m'avait invité à cette promenade que pour en venir là. Tout de suite, je fus fixé : K n'était pas encore arrivé à sortir du domaine des sentiments pour arrêter une ligne de conduite précise. Il eut simplement cette question vague :

— Toi, dis-moi, qu'en penses-tu?

Et ce qu'en penses-tu *signifiait :*

— Toi qui vois dans quel abîme l'amour vient de me jeter, dis-moi, de quels yeux me juges-tu?

Bref, ce qu'il voulait, c'était mon jugement sur l'homme désemparé que l'amour avait fait de lui. En ce désarroi, je reconnus un signe précis du changement qui s'était opéré en K. Au risque de me répéter une fois de plus, je dois bien souligner ici que K était de nature assez forte pour ne jamais se soucier du jugement d'autrui. Ce qu'il estimait devoir faire, il était homme à le faire : seul envers et contre tous, ne voyant que son but, avançant à grands pas, plein d'audace et de courage. Je gardais encore fortement gravé en moi le souvenir de son comportement vis-à-vis de sa famille adoptive. Oui, cette fois, K était changé : la conclusion sautait aux yeux.

— Tiens, fis-je, pour une fois mon jugement t'est indispensable?

Alors, d'un ton dont la tristesse tranchait sur son ton habituel, il m'avoua avoir honte de sa propre faiblesse :

— Je suis égaré, me dit-il. Je ne vois plus rien en moi-même. Et je n'ai d'autre recours que de te demander, à toi, ce que tu vois en moi!

J'avais prise sur lui. Je ne le lâchai pas :

— Égaré! Que veux-tu dire?

— Je ne sais plus, me dit-il, si je dois avancer ou si je dois reculer!

Je resserrai ma prise :

— Mais si tu voulais reculer, le pourrais-tu?

Il en eut le souffle comme coupé :

— Je souffre! se plaignit-il.

Et, en vérité, la souffrance creusait son visage. Ah, s'il en eût aimé une autre, comme j'eusse trouvé les paroles qu'il eût fallu pour faire tomber en sa gorge sèche comme une pluie bienfaisante! Je crois sincèrement que j'étais né avec, en moi, assez de compassion pour le pouvoir consoler : mais l'homme de ce jour-là n'était plus moi!

XLI

Quand, dans un combat d'escrime, s'abordent deux champions d'écoles différentes, ils commencent par s'observer avec des yeux aigus : c'est tout à fait ainsi que j'observais K. Yeux, esprit, muscles, tout ce qui s'appelait moi se ramassait en une garde si serrée qu'elle ne laissait pas un seul pouce d'ouverture : c'est dans cette position que je faisais face à K. Lui, l'innocent, était d'une imprudence telle que de le dire plein d'ouvertures serait trop faible encore : qu'il était tout ouverture, voilà l'expression juste. Pour employer une image d'un autre ordre, c'était comme si, chargé de la défense d'un fort, il m'en eût lui-même livré le plan, que j'eusse à loisir examiné sous ses yeux.

Ce K, je le voyais flotter, perdu, entre son idéal ancien et la réalité qui le guettait. Je savais que, d'un seul coup, je pouvais l'abattre : et cette mienne puissance me fascinait. Sans plus attendre, je me précipitai sur cet adversaire découvert. Je me haussai devant lui, et pris une attitude grave, formelle, catégorique. Feinte de ma part, sans doute. Mais toute ma pensée était si concentrée, si tendue sur cette feinte qu'elle ne me laissait sentir ni mon propre ridicule ni ma propre honte :

— Qui ne porte dans son cœur aucun désir de progrès moral est un imbécile! me fendis-je à fond.

Je lui resservais ainsi, mot pour mot, ton pour ton, l'attaque que lui m'avait portée lors de notre voyage en Bôshû. Mais je visais, je m'en accuse, à plus cruel encore qu'à une vengeance : à couper devant lui la route de son amour.

K avait été élevé dans la doctrine de la secte Shin. Mais, dès le temps de son école secondaire, il s'écartait déjà de cette doctrine. Je ne saurais tracer ici un tableau complet des différences de doctrine entre les diverses sectes : je ne prétends point à pareille compétence. Mais un point m'est familier : je crois connaître, entre les sectes, les différences de dogme sur le licite ou l'illicite des rapports entre homme et femme. La secte Shin est sur ce chapitre très large. K, lui, je vous l'ai dit, avait depuis l'enfance pris pour devise le mot shôjin, *qui, vous le savez, implique l'idée d'abstinence. Cela, je le saisissais bien. Je n'avais pas laissé, pourtant, d'être étonné quand j'avais appris de la bouche même de K en quel sens absolu il prenait sa devise. Pour lui, la Voie étant absolument tout, il fallait lui sacrifier absolument tout. Tel était son credo de départ, commandant, il va de soi, non seulement continence, mais absolue abstinence. Il en résultait que, même exempte de tout désir de chair, toute pensée d'amour était, pour K, obstacle devant la Voie. Cela, K me l'avait souvent répété, du temps où il peinait pour gagner sa vie. A cette époque, fort de mon amour, je m'opposais de tout mon cœur à sa doctrine. Mais, quand je le contredisais, il me regardait avec pitié : pitié faite moins de compassion que de mépris.*

Ayant avec K tout ce passé de commun, de lui jeter à la face que seul un imbécile pouvait ne porter en son cœur aucun désir de progrès moral *était lui faire un mal immense. Mais, comme je vous l'ai dit plus haut, mon plan était simple. Ce n'était certes pas de démolir d'un coup de pied le passé moral édifié par K au prix de tant de mortifications : mais, bien au contraire, de le déterminer à poursuivre sa marche vers son idéal premier. Que, de la sorte, il trouvât ou non la Voie, il touchât ou non le ciel, cela m'était parfaitement indifférent. Mais ce que je ne voulais à aucun prix, c'était qu'abandonnant brusquement l'orientation initiale de sa vie, il vînt se mettre en travers de mes intérêts à moi. En un mot, quand je lui lançais qu'*il fallait un imbécile pour ne porter au cœur nul désir de progrès moral, *c'était, en moi, l'égoïste seul qui parlait.*

— Qui ne porte dans son cœur aucun désir de progrès moral est un imbécile!

Pour la deuxième fois, je rendis cet arrêt. Puis je suivis attentivement sur son visage la réaction de K :

— Oui, je suis un imbécile : un vrai imbécile!

Cloué sur place, il fixa sur le sol un regard tragique. Moi, cette attitude me frappa de stupeur. Je ne l'avais pas prévue. N'avais-je donc réussi qu'à le détourner à jamais du chemin sur lequel je voulais le pousser avec plus de force encore? Brusquement, K m'apparaissait sous les traits d'un voleur qui, surpris et déjà capturé, tire, d'un coup, une arme cachée, et, à son tour, vous tient à sa merci. Cependant, pour ce rôle, il avait voix si tristement faible! J'eusse voulu, en ses yeux, lire sa vraie pensée. Mais il détournait obstinément la tête. A la fin, tête toujours baissée, lentement, il se remit à marcher.

XLII

Maintenant, K et moi marchions côte à côte. Moi, ce que j'attendais sous mon air égal, c'était la première parole qui allait sortir de ses lèvres. Et quand je dis attendais, *c'est* guettais *que je devrais dire :*

— Vas-y, abats-le par surprise : tu le peux! me répétais-je à moi-même.

Ce n'était pas que je fusse un monstre. J'avais retiré de l'éducation reçue tout le sens moral qu'elle comportait. Si quelqu'un m'eût à ce moment glissé dans l'oreille « Tu es un lâche! », il est probable que je fusse sur-le-champ revenu à moi. Oui, si K m'eût parlé de la sorte, j'eusse devant lui rougi de honte. Mais, pour me soupçonner d'une pareille vilenie, K lui-même était trop droit. Trop simple de cœur; trop crédule d'âme. Moi, dans la haine qui m'aveuglait, je ne voyais rien. Je ne respectais rien de cette profonde bonté. Simplement, j'en abusais pour abattre mon adversaire.

Nous marchâmes un moment. Soudain, K m'appela, relevant la tête. Je m'arrêtai : lui aussi. Alors seulement, je vis ses yeux. K, de taille, me dépassait. Je le regardais d'en dessous. Ainsi le loup le mouton.

— Ne parlons plus jamais de cette histoire, veux-tu? me dit-il.

Dans ses yeux, dans sa voix, il y avait une douleur étrangement lugubre. Je restai sans répondre. Il reprit :

— N'en parlons plus, veux-tu?

Sa voix, cette fois, sonnait comme une prière. Moi, je ne voyais qu'une chose : c'est que le mouton tendait la gorge. Férocement, je bondis et refermai sur lui mes dents :

— N'en plus parler! Mais, dis-moi, est-ce moi qui ai commencé, ou toi? N'en plus parler : soit! Mais crois-tu par hasard qu'il te suffise de clore la bouche pour en être quitte? Et ton cœur, lui, as-tu pris la résolution de le clore? Et sinon, ton bel idéal, qu'en fais-tu?

Alors, je vis s'affaisser la haute taille de K. Tout entêtement, mais tout honnêteté, K ne pouvait résister à ce que je venais de lui jeter au visage : la contradiction où il était avec lui-même. Et moi, devant cette loque affaissée, enfin, je respirai. Mais K, brusquement :

— Prendre une résolution... ?

Et, sans me laisser le temps d'intervenir :

— Oui, prendre une résolution... Eh bien, cette résolution... je ne dis pas que je ne l'aie pas prise!

On eût dit qu'il se parlait à soi-même, et comme en rêve.

Sans plus rien dire, nous reprîmes le chemin de la maison. Il y avait peu de vent, il ne faisait pas très grand froid. Mais quand même, c'était l'hiver. Le parc était triste. Brûlés de gelée, les cryptomères aux colonnes jaunâtres alignaient dans le ciel leurs fuseaux obscurs. Comme, tête tournée, je les regardais une dernière fois, je sentis le froid me mordre l'échine. Le plateau de Hongô traversé, nous descendîmes dans la vallée pour remonter vers Koishikawa le versant opposé. Dans cette descente seulement, j'arrivai à me réchauffer, et, sous mon pardessus, à sentir vivre mon corps.

Était-ce la hâte avec laquelle nous marchions ? Durant ce retour, nous ne nous dîmes presque rien. Une fois à table :

— Vous êtes bien en retard! s'inquiéta la mère.

— K m'a entraîné du côté d'Uéno!

— Par ce froid! fit-elle, surprise.

La jeune fille, de son côté, se mit à rire :

— Tiens! Et peut-on savoir ce qu'il y avait de si beau, à Uéno ?

— Mais, rien! dis-je. Nous nous y sommes promenés, c'est tout!

D'habitude silencieux, K, ce soir-là, était muet. Ni la gentille inquiétude de la mère, ni le rire de la jeune fille ne purent lui arracher un seul mot de réponse. Il mangea en hâte, avalant sans mâcher. Puis, nous laissant là, il fut s'enfermer chez lui.

XLIII

Au temps dont je vous parle, les mots comme Éveil, *ou* Vie nouvelle *n'étaient pas encore à l'ordre du jour. Mais n'allez point croire que si K ne se décidait pas à laisser là son vieux moi pour s'orienter nettement dans une direction nouvelle, c'était faute de ces mots neufs et des aspirations qu'ils traduisent. Ces aspirations, sinon ces mots, avaient déjà cours en ce temps-là. Non. La vraie raison de l'attitude de K, c'était que son passé pesait trop lourd en lui pour qu'il lui fût possible de l'abandonner. C'est, peut-on dire, pour édifier ce passé que K avait jusqu'alors vécu. Et pourtant, il aimait. Vous me direz qu'il ne mettait guère d'empressement à courir à l'amour : mais c'est un bien pauvre argument, et qui ne prouve en rien que l'amour de K ne fût que tiède! La vérité est celle-ci : son amour le brûlait; mais, de quelque ardeur que lui flambât, il ne pouvait impunément faire un seul pas en avant. Il eût fallu une commotion à lui enlever sa personnalité pour qu'il eût une chance de retrouver sa liberté, et d'aller le chemin de l'amour. Son seul chemin à lui, c'était, en ligne droite, le prolongement de son passé. Il pouvait, bien sûr, comme par accident, s'arrêter un instant sur ce chemin. Mais pour peu qu'il se retournât, et il ne pouvait pas ne pas se retourner, la route parcourue lui indiquait la route à parcourir. Et puis, il y avait chez lui cette obstination, cette endurance que n'ont plus les hommes d'aujourd'hui. Sentiment d'obligation envers son idéal premier, et force morale peu commune, voilà K. Sur ces deux points essentiels de son caractère, mes yeux l'avaient percé à fond.*

Le soir où nous rentrâmes d'Uéno, je savourai au fond de moi une relative accalmie. Je suivis K dans sa chambre, et, m'imposant à lui, m'intallai là, à lui parler de choses et d'autres. Lui, en paraissait importuné. Moi, j'avais dans mes yeux du triomphe; dans ma voix, de la suffisance. Je restai là un moment, tendant les mains à son brasero. Puis, je passai dans ma chambre. En quelque ordre d'activité que ce fût, j'avais toujours eu le sentiment de mon infériorité devant K : ce soir-là, pour la première fois, je m'affranchis de ce complexe à son égard.

Je tombai vite dans un calme sommeil. Mais, soudain, je m'éveillai, avec le sentiment qu'on m'appelait. J'ouvris les yeux : K était là, debout entre les choisons ouvertes. K, ou du moins son ombre noire. Dans sa chambre, sa lampe continuait de brûler. A changer si brusquement d'univers, je restai un moment sans voix, la tête vague, regardant seulement ce fond de tableau.

— Tu dors déjà? demanda K.

K était l'homme des longues veilles.

— Qu'est-ce qu'il y a? dis-je à l'ombre noire.

— Rien. Je passais dans le couloir, et je venais voir si tu étais couché!

K interceptait la lumière, et ni de son visage ni de ses mains je ne pouvais rien distinguer. Mais, plus encore que d'ordinaire, sa voix était posée.

K referma sèchement les cloisons qu'il avait ouvertes, et l'ancienne obscurité se rétablit dans ma chambre. Moi, j'avais désir d'un rêve plus calme encore que cette obscurité, et refermant les yeux, je perdis toute conscience. Le matin venu, à revivre en pensée les événements de la nuit, je trouvais bizarre cette visite de K. Mais n'était-ce pas un rêve? Au petit déjeuner, j'interrogeai K :

— Oui, me dit-il : hier soir, j'ai ouvert les cloisons et je t'ai appelé!

— Tiens! Et pourquoi?

K ne me répondit pas tout de suite. Mais comme, déjà, je n'attendais plus de réponse :

— Tous ces jours-ci, fit-il, tu peux vraiment dormir? Et d'un sommeil aussi profond?

A mes oreilles, cette question sonna étrange.

Ce matin-là, nos horaires coïncidaient. Nous sortîmes ensemble. Et comme le souvenir de sa visite nocturne ne cessait de me tracasser, je poursuivis K de mes questions : en vain, il s'y dérobait. J'insistai :

— Ce n'est pas de ton affaire que tu venais me reparler?

— Ça, non! dit-il d'un ton sec.

Et cela voulait dire :

— Hier, à Uéno, je t'ai demandé de ne plus faire allusion jamais à cette chose-là : souviens-t'en, je te prie!

K avait au plus haut point ce respect de soi-même qui défend de revenir sur une décision prise. J'en étais là de mes réflexions quand, d'un coup, sur le fond de mes souvenirs, se détacha ce mot de résolution *qu'il avait, la veille, répété avec insistance. Jusque-là, ce mot ne m'avait pas frappé. Mais je le sentais m'oppresser maintenant avec une force singulière.*

XLIV

J'étais persuadé d'avoir parfaitement démêlé la psychologie de K : d'une part, sa nature mystique et décidée; de l'autre, l'indécision où sa passion le plaçait. Et d'avoir ainsi su distinguer de la ligne générale de son comportement d'ensemble la ligne particulière de son comportement exceptionnel, je n'étais pas peu fier. Mais voici qu'à ruminer ce mot de résolution *par lui répété à Uéno, ma belle suffisance s'effaçait peu à peu, déjà prête à s'effondrer. Et si, me disais-je, et si, de cette ligne de passion que je considérais chez lui comme exceptionnelle, comme secondaire, K s'apprêtait résolument à faire la ligne principale de sa conduite ? Et si, tous ses doutes, toutes ses angoisses, tous ses chagrins, K venait de trouver en son propre fonds le moyen de les résoudre, d'un seul coup, par un changement radical dans l'orientation de sa vie ? Ce soupçon se levait en moi. Ce mot de* résolution *m'apparaissait dans une lumière nouvelle, qui me semblait alors une saisissante révélation. Hélas, à revivre aujourd'hui tous les instants de ce drame, comme je me trouve stupide! Que voulez-vous, j'étais borgne : je ne voyais qu'un seul côté des choses, et le mauvais! Si j'eusse alors examiné d'une tête plus froide tous les contenus possibles de ce mot de* résolution, *peut-être eussé-je eu le temps encore de réparer toutes choses! Mais, à ce moment-là, je ne donnais à* résolution *qu'un seul sens : K, à coup sûr, allait s'acharner à m'enlever la femme que j'aimais! Sa hardiesse foncière, que je connaissais si bien, il allait la mettre tout entière au service de sa passion! La voilà, me disais-je alors, sa résolution! Hélas, quelle terrible erreur était la mienne!*

Quoi qu'il en fût, dès que j'eus interprété de cette manière les intentions de K, j'entendis dans mon cœur une voix me dire :

— Eh bien, vas-tu te décider, à la fin ?

Obéissant à cette voix, je secouai mon courage, et résolus de tout régler à mon profit avant même que K ne s'aperçût de rien. De ce moment, je guettai en secret une occasion propice. Deux, trois jours se passèrent sans que cette occasion se présentât. Mon plan, c'était de profiter d'une absence simultanée de K et de la jeune fille pour parler à la mère. Mais quand l'un était absent, l'autre était à la maison. J'attendis encore : en vain. Les jours avaient beau passer, nulle chance ne m'était donnée. Je devenais de plus en plus nerveux.

Une semaine s'était écoulée. Un matin, n'y tenant plus, je feignis d'être malade. La mère, la fille, K lui-même m'exhortèrent à me lever : je me débarrassai d'eux avec de vagues réponses. Enfin, K sortit; puis la jeune fille. C'est ce que j'attendais. Dès que tout bruit eut cessé, vite, je me levai. La mère vint :

— Où avez-vous mal? Je vais vous apporter à déjeuner. Mais restez au lit, c'est mieux!

Je me portais fort bien, et ne me souciais guère de rester couché. Je me débarbouillai, et, comme d'habitude, me rendis au salon pour déjeuner. De l'autre côté de la table-brasero, la mère me servit. Je n'aurais su dire si c'était là repas du matin ou repas de midi. Mais, mon bol de riz à la main, je ne pensais qu'à la manière d'amorcer la conversation : j'en étais si préoccupé que je devais, si l'on m'eût jugé sur la mine, ressembler de très près à un malade.

Mon repas achevé, je me mis à fumer. Comme je ne me levais pas, la mère, de l'autre côté de la table-brasero, ne pouvait, elle non plus, me quitter : la politesse la liait. Elle appela la bonne, fit desservir; puis, par contenance, tout en me tenant compagnie, remplit la bouilloire, essuya les rebords du brasero.

— Êtes-vous occupée? demandai-je.

— Non! Pourquoi?

— C'est que... j'ai une petite chose à vous dire!

— Tiens! A quel sujet?

Elle leva les yeux sur moi. Mais son ton léger contrastait si fort avec mes pensées que j'hésitai à poursuivre.

Je parlai de choses et d'autres. Enfin :

— K ne vous a rien dit de particulier, ces jours-ci?

— Non! A quel sujet?

Et, sans me laisser le temps de répondre :

— Il vous a dit quelque chose, à vous?

XLV

Le secret que K m'avait confié, je n'avais aucun désir d'en faire part à la mère. Aussi, à sa dernière question :

— Non! répondis-je.

Aussitôt, mon mensonge me pesa. Mais, après tout, K ne m'avait nullement chargé de répéter à la mère la confidence qu'il m'avait faite, et j'orientai la conversation sur le droit chemin :

— Au reste, ce n'est pas de K que je voulais vous parler!

— Ah! dit-elle seulement, attentive à ce qui allait suivre.

Au point où j'en étais, je devais parler, coûte que coûte. Et, brusquement :

— Votre enfant, donnez-la-moi!

La mère ne parut pas si surprise que je m'y fusse attendu. Tout de même, elle resta un moment sans réponse, ses yeux dans les miens. Moi, les premières paroles jaillies, peu m'importait d'être dévisagé :

— Donnez-la-moi! Donnez-la-moi, je vous en supplie! Donnez-la-moi pour femme!

La mère — l'âge, sans doute — avait plus de calme :

— Oui, je puis vous la donner : mais ne croyez-vous pas que tout cela est un peu rapide ?

— Mais c'est tout de suite que je la veux!

Elle se mit à rire :

— Voyons! avez-vous bien réfléchi ?

— Il n'y a que ma demande de précipitée : ma décision, elle, est prise depuis longtemps!

Je lui parlai en ce sens, avec cette force que la sincérité donne aux mots.

Nous échangeâmes deux ou trois phrases encore, dont il ne me souvient plus. La mère avait, dans son caractère, tout un côté décidé, net, presque masculin : ce qui lui permettait, à l'inverse du commun des femmes, de parler, en pareil cas, tout à fait librement :

— Eh bien, je vous la donne! D'ailleurs, notre situation à nous n'est pas de celles qui autorisent une fierté exagérée! Daignez donc vous-même l'accepter pour femme, je vous prie! Comme vous le savez, c'est une enfant qui n'a plus de père...

A son tour, elle m'adressait comme une prière.

C'est ainsi que, de manière toute simple et claire, notre accord fut scellé. Le tout n'avait pas pris un quart d'heure. La mère ne posait aucune condition. Il n'y avait, précisait-elle, aucune nécessité de consulter la famille : il suffirait de l'aviser plus tard. Quant à la jeune fille, il était superflu de s'assurer de son consentement. Sur tous ces points cependant, les traditions dans lesquelles j'avais été élevé commandaient à mes yeux plus de formalités. Les parents, passe encore! Mais la jeune fille? N'était-il pas dans l'ordre des choses de s'assurer de son consentement? C'est ce dont je m'inquiétai devant la mère. Mais elle, d'un mot, me rassura :

— Allons donc! Vous ne supposez tout de même pas que j'irais donner ma fille à un homme dont je saurais qu'elle ne l'aimerait pas!

De retour dans ma chambre, il me sembla que tout s'était par trop facilement arrangé : j'en restais comme étrangement incrédule. Vraiment, était-ce possible? Je doutais de mon bonheur. Et que ma vie se fût ainsi toute décidée faisait de moi un homme neuf.

Vers midi, je revins au salon retrouver la mère :

— Mais, à elle, quand lui parlerez-vous? demandai-je.

— Du moment que j'ai pris, moi, ma décision, cela n'a pas telle importance!

C'était net : la mère, toute femme qu'elle était, avait plus que moi de caractère : je n'avais qu'à la laisser faire. J'allais me retirer, quand, m'arrêtant :

— Écoutez! me dit-elle. Si vous êtes anxieux, eh bien, je lui parlerai aujourd'hui même, dès qu'elle rentrera de sa leçon : êtes-vous content?

— Oui, parlez-lui, je vous prie!

Je regagnai ma chambre. Mais, allais-je rester là, muet devant ma table, à écouter comme en cachette la conversation des deux femmes? Non! Et puis, cette immobilité me pesait trop. Je pris ma casquette et sortis. Au bas de la côte, je rencontrai la jeune fille. Elle qui ne savait rien, eut, à me voir, un geste de surprise. Je la saluai :

— Alors, on est de retour?
Elle, de son côté :
— Mais, dites-moi, et cette maladie? Déjà guéri?
— Guéri? Bien sûr que je suis guéri!
Et je m'enfuis à toutes jambes vers Suidôbashi.

XLVI

Je traversai Sarugakuchô, puis Jimbôchô, et me dirigeai du côté d'Ogawamachi. D'habitude, je ne passais jamais là sans m'arrêter chez les bouquinistes. Mais, ce jour-là, je ne sentais plus le goût des vieux livres crasseux. J'allais. Je ne songeais qu'à ce qui se passait là-bas. Je me rappelais l'attitude de la mère, le matin même. J'imaginais, en contrepartie, celle de la fille, à son retour. Et souvenir et imagination pressaient mes pas. Ou bien encore, je m'arrêtais au beau milieu de la rue :

— Maintenant, ça y est : la mère doit être en train de lui parler! calculais-je.

Puis :

— Maintenant, ça doit être fini : elle a parlé!

Je traversai le pont Manseibashi, montai la côte du temple Myôjin, débouchai sur Hongô, redescendis la côte Kikuzaka, et me retrouvai dans Koishikawa. A traverser ces trois quartiers de Kanda, Hongô et Koishikawa, j'avais fait un bien long tour : pourtant, tout au long de cette promenade, la pensée de K ne m'avait presque pas effleurée. Aujourd'hui encore, à revivre ces instants, je ne me l'explique pas très bien. Cela m'étonne seulement. Sans doute, mes préoccupations du matin, emplissant mon champ psychologique, repoussaient à l'arrière-plan l'image de K. Mais je ne m'y trompais point : ma conscience veillait, et conservait intact, prêt à ressurgir, le spectre de mes actions coupables.

Au reste, je repris vite conscience de l'existence de K. Il me suffit d'ouvrir la porte à claire-voie et d'aller à sa chambre. Il était là. Il leva les yeux de dessus son livre et les posa sur moi. J'attendais son habituel :

— Te voilà revenu?

Mais lui, avec une grande douceur :

— Tu te sens mieux? Reviens-tu de chez le médecin? me dit-il.

Alors, j'eusse voulu poser mes deux mains sur les nattes, et, agenouillé, lui demander pardon. Si je ne le fis point, n'en concluez pas que j'étais si insensible que de n'avoir pu, à me retrouver en face de lui, éprouver le choc même que vous imaginez. Me fussé-je trouvé seul avec lui dans un grand champ, que j'eusse obéi à ma conscience et me fusse agenouillé devant lui. Mais, en cette maison, le respect humain arrêtait mon élan. Et le plus triste est que, de ce moment-là, jamais plus je ne devais pouvoir réparer ma lâcheté.

Au dîner, je me retrouvai en face de K. Il était là, sans soupçons, taciturne sans doute, mais étranger à tout sentiment de méfiance. La mère, elle, ne soupçonnait rien non plus de tout ce qui se cachait dans le cœur de K. Moi seul savais, de tous, toutes choses : le riz que j'avalais me pesait comme du plomb. La jeune fille ne parut point. Quand sa mère l'appelait :

— Oui, je viens! répondait-elle.

Mais elle ne venait pas. K s'informa :

— La demoiselle ne vient pas?

— Sans doute est-elle gênée! fit la mère.

Et, ce disant, elle me regardait. K, plus intrigué encore :

— Gênée? Et pourquoi? insista-t-il.

La mère, en souriant, posa longtemps les yeux sur moi.

Dès l'instant où je m'étais mis à table, j'avais lu sur le visage de la mère que tout s'était bien passé. Mais si, devant moi, elle allait, tranquillement — elle était femme à le faire — tout apprendre à K, moi, qu'allais-je devenir? Je tremblais de peur. K, par bonheur, cessa ses questions. Et de son côté, malgré un exceptionnel entrain, la mère en resta là. Avec un soupir de délivrance, je regagnai ma chambre. Mais là, l'inquiétude me ressaisit. Quelle attitude prendre désormais devant K? Je forgeai plusieurs défenses pour plaider éventuellement ma cause : aucune ne me semblait digne. A la fin, en lâche que j'étais, je résolus de ne donner à K, pour le moment, aucune explication.

XLVII

Deux ou trois jours, je laissai les choses en l'état. Cependant, vous le comprendrez, le remords pesait sur mon cœur. Eussé-je été seul en face de K, que j'eusse eu déjà l'obligation morale d'un aveu. Mais, outre cette obligation intérieure, les comportements de la mère et de la fille m'acculaient eux aussi, heure par heure, à cet aveu : et mon trouble en devenait plus intolérable encore. Avec la nature si nette qui était la sienne, ne pouvais-je tenir pour certain que, d'un moment à l'autre, fût-ce à table, la mère allait tout apprendre à K ? La jeune fille, de son côté, avait, du lendemain même de ma demande, pris envers moi l'attitude douce et familière d'une fiancée : n'était-ce pas plus qu'il n'en fallait pour que K, doute à doute, sentît s'amonceler dans son cœur tous les nuages d'un ciel d'orage ? D'une manière ou de l'autre, il fallait révéler à K quel lien nouveau m'unissait à cette maison. C'était pour moi une nécessité. En même temps, avec la lâcheté que je me connaissais, c'était pour moi une insurmontable difficulté.

J'avais bien pensé, faute de mieux, à prier la mère de parler à K : en mon absence, il va sans dire. Mais qu'elle se chargeât d'apprendre à K la vérité n'empêcherait pas la honte de rejaillir sur moi. L'aveu serait indirect, ce serait toute la différence. Il y avait aussi le procédé d'inventer je ne sais quelle histoire que la mère eût racontée à K. Mais il eût fallu la connivence de la mère. Elle m'eût demandé la raison de ces mensonges. Lui avouer l'entière vérité, ç'eût été aussi étaler mes lâchetés devant la femme que j'aimais. Or, toute ma vie était en jeu : je ne pouvais courir le risque de m'aliéner à jamais la confiance des deux femmes. Perdre, dès avant le mariage, si peu que ce fût de la foi que ma future femme mettait en moi m'eût paru malheur irréparable.

Bref, parti sur le chemin de l'honnêteté, j'avais, par mégarde, fait un faux pas : et j'étais, comme on le voudra, un imbécile, ou un roublard. Ce faux pas, personne n'en savait rien encore, hors Dieu et moi. Mais pour me relever, pour reprendre le droit chemin, j'étais contraint d'afficher ma faute aux yeux de tous ceux qui m'entouraient : telle était ma grande détresse. Je voulais jusqu'au bout cacher ma faute, et ne le pouvais qu'en restant sur place; mais, en même temps, la vie me poussait, et je ne pouvais rester sur place : tel était le cercle vicieux où je me trouvais enfermé.

Quelque cinq ou six jours plus tard, la mère, à brûle-pourpoint, me demanda si j'avais annoncé à K mes fiançailles :

— Pas encore! lui répondis-je.

— Mais pourquoi ?

Je restai comme pétrifié. C'est alors que la mère eut à mon adresse ce reproche dont, aujourd'hui encore, chaque mot est présent à mon esprit :

— Voilà donc pourquoi, me dit-elle, votre ami avait cet air bizarre quand je lui ai, moi, parlé de vos fiançailles! Vraiment, ce n'est pas bien à vous! A votre ami le plus intime, vous avez caché cela! Et vous avez pu lui faire le même visage que si de rien n'était!

Je restai muet. Enfin :

— Quand vous lui avez parlé, que vous a-t-il dit ? demandai-je.

— Mais... rien!

Je ne pus me défendre d'insister : je voulais le plus de détails possible. La mère n'avait nulle raison de me rien cacher : sans rien voir là de particulier, elle me conta comment la chose s'était passée.

Le peu qu'elle me dit me suffit à reconstituer la scène. Ce dernier coup, K l'avait reçu avec une stupéfaction très calme. Quand il avait appris la chose :

— Tiens! avait-il dit seulement.

Là-dessus, la mère :

— Puisque nous sommes heureux, veuillez, vous aussi, partager notre joie!

K l'avait regardée en face. Et, souriant :

— Acceptez, je vous prie, tous mes vœux!

Il s'était levé, et s'en était allé. Simplement, avant d'ouvrir les cloisons, il s'était retourné :

— A quand le mariage ? avait-il demandé.

Puis, après un temps :

— J'aurais tant voulu, moi aussi, offrir un présent! Mais je ne le puis, faute d'argent : pardonnez-moi, je vous prie!

Quand la mère me dit cela, j'étais sur un coussin, en face d'elle : l'angoisse m'obstruait la poitrine.

XLVIII

A compter, cela faisait un peu plus de deux jours que la mère avait parlé à K. Mais l'attitude de K avait été à mon égard si parfaitement égale que je n'avais pu soupçonner qu'il eût appris ma trahison. Sublime détachement, et qui, fût-il tout en surface, inspirait le respect. A mesurer, en K, l'homme, comme il était plus grand que moi!

— En ruse, je l'ai emporté sur lui, pensais-je : mais en grandeur, il m'a vaincu!

Et cette pensée tournait en moi comme un cyclone. Puis :

— En ce moment même, il doit tellement me mépriser! me disais-je à chaque instant.

Et devant moi-même, je me sentais rougir. Pourtant, au point où en étaient les choses, j'hésitais à aller m'accuser devant lui : reconnaître ma honte paraissait dur à mon amour-propre.

Irais-je, n'irais-je pas? J'hésitais toujours. Je me donnai jusqu'au lendemain pour arrêter ma conduite. Or, ce jour-là était un samedi, et, le soir même, K se suicidait. A revivre ce drame, je frissonne encore.

Je me couchais d'ordinaire la tête à l'est : ce qu'on ne fait jamais, car de tourner les pieds vers l'ouest, qui est le côté de la Terre pure, est offenser le Bouddha. Ce soir-là, je ne sais pourquoi, j'installai mon oreiller à l'ouest, du côté du paradis. Simple coïncidence? Signe mystérieux? Qui sait! Or, avant l'aube, un courant d'air glacé m'éveilla en sursaut. Quand, chaque matin, j'ouvrais les yeux, les cloisons qui me séparaient de K étaient, de règle, hermétiquement closes : je les trouvai ouvertes sur la même largeur à peu près que le soir où K m'avait tiré de mon sommeil; pourtant, son ombre noire ne s'y encadrait pas. J'eus une espèce de pressentiment. Je me dressai sur les coudes, épiai sa chambre. La lampe y brûlait, déjà basse, et cependant le lit était là : mais si, ayant sorti sa literie et fait son lit, K reposait, pourquoi cette lampe brûlait-

elle? Je regardai le lit. La couverture du dessus était restée repliée au bout du lit : K n'avait-il donc point froid? Il était comme agenouillé, le dos bombé.

— Hé? appelai-je.

Aucune réponse. Encore une fois :

— Hé! Qu'as-tu?

Le corps restait immobile. Je bondis jusqu'aux cloisons entr'ouvertes. A la lumière basse de la lampe, je fis des yeux le tour de la chambre.

L'impression que je reçus à ce moment était la même, tout à fait, qui m'avait saisi lorsque, pour la première fois, K m'avait révélé son grand amour. A regarder de près cette chambre, mes yeux, sur l'instant, étaient devenus de verre : je ne pouvais plus les tourner. Et mon corps s'était pétrifié. Pourtant, quand cette première frayeur m'eut traversé comme un vent de tempête, je me repris un peu :

— Ça y est : je suis perdu!

Oui, c'était trop tard. J'avais sous les yeux comme une flèche noire : je la voyais traverser tout mon avenir, toute ma vie, désormais et à jamais lugubres. La flèche parlait :

— Trop tard! sifflait-elle.

Je me mis à grelotter.

Cependant, si terrible que fût ce moment, c'est à moi-même que je pensai d'abord. Tout de suite, j'aperçus, sur la table, une lettre. Je l'avais pressenti : elle m'était adressée. Je l'ouvris, comme dans un rêve. Mais je n'y trouvai rien des malédictions que j'attendais. J'avais eu si grand-peur que chaque ligne ne m'en condamnât! Si grand-peur que cela ne tombât sous les yeux des deux femmes! Si grand-peur de leur mépris! Quand j'eus, d'un bout à l'autre, parcouru l'adieu de K :

— Ça y est : je suis sauvé! respirai-je.

Sauvé, bien entendu, aux seuls yeux des autres. Mais, à ce moment-là, ces autres étaient tout pour moi.

La lettre était simple, presque banale :

Faible de volonté, pauvre d'action, je n'ai aucun avenir : je meurs volontairement. Je te remercie de ce que tu as fait pour moi. Ajoute à tant d'autres ce dernier service de prendre soin de ma dépouille, de m'excuser près de la maîtresse de la maison de tout le souci que je lui cause, et de prévenir les miens.

Il avait tout prévu. Seule, la jeune fille n'était pas nommée : omission volontaire, je le comprenais. Mais, plus que toute chose, ce qui me transperça, ce fut une sorte de post-scriptum, tracé de l'encre pâle qui était restée dans le pinceau : J'aurais dû me tuer plus tôt : pourquoi faut-il que j'aie vécu jusqu'à présent!

De mes doigts tremblants, je repliai la lettre, la remis dans son enveloppe, replaçai le pli, bien en évidence, là où je l'avais trouvé. C'est alors que, me retournant, j'aperçus sur les cloisons le sang qui avait giclé.

XLIX

Comme pour la prendre dans mes bras, je soulevai de mes deux mains la tête de K. Une fois encore, je voulais revoir son visage. K était tombé en avant, et c'est d'en dessous que je le regardai. Mais, à peine soulevée, je lâchai la tête : dans mon effroi, je n'en pouvais porter le poids. Je me penchai sur lui. Son oreille glacée, que je venais de toucher, et ses cheveux, qu'il avait si épais et coupés ras, je n'en pus, un temps, détacher mes yeux. Je n'avais pas envie de pleurer. J'avais peur. Non de la seule peur banale dont pareil spectacle ébranlait mes nerfs. Mais aussi d'une autre peur, comme suggérée par ce cadavre froid qui avait été mon ami : peur, vision profondes de la terrible Nécessité.

Que faire? Je regagnai ma chambre. En ces huit nattes, je me mis à tourner. Ma tête me criait : « Marche! » Marcher n'avait aucun sens. Mais je marchais. Je pensais : « Il me faut faire quelque chose! » Et, en même temps : « Trop tard : il n'y a rien à faire! » Je tournais. Je ne pouvais que tourner dans ma chambre. Un ours dans sa cage.

Allais-je éveiller la mère? Étaler cette scène aux yeux d'une femme? Non! A la rigueur, la mère... Mais la jeune fille! Impossible! J'abandonnai cette idée. Je recommençai de tourner en rond.

J'allumai ma lampe. Je me mis à regarder la pendule : rien ne peut donner idée de l'impuissance et de la lenteur d'une pendule à pareil moment! A quelle heure m'étais-je levé? Je ne le savais pas. Mais quand je m'étais levé, l'aube, déjà, ne devait plus être loin : de cela, j'étais sûr! Je tournais toujours. L'aube, enfin, allait-elle venir? Était-elle là pour l'éternité, cette nuit de ténébreuse terreur? L'angoisse me tenait.

Quand il était vivant, lui et moi nous levions avant sept heures, car, presque toujours, les cours commençaient à huit. La servante, elle, se levait vers six heures. Je regardai la pendule : elle ne marquait pas six heures encore. Mais j'allai éveiller la servante. Alors, j'entendis la voix de la mère :

— Mais... n'est-ce pas aujourd'hui dimanche?

Sans doute, mes pas l'avaient éveillée. Moi, du couloir :

— Vous êtes éveillée? Venez, je vous prie!

Elle vint. Sur son kimono de nuit, elle avait jeté son manteau de tous les jours. Je la précédai dans ma chambre. Vite, je refermai, du côté de K, les cloisons restées ouvertes. Puis, à voix basse :

— Il est arrivé quelque chose!

— Quoi?

Du menton, je désignai la chambre voisine :

— Ne vous effrayez pas!

Elle pâlit. Je lui dis :

— K s'est suicidé!

Elle restait là, pétrifiée, les yeux fixés sur moi, muette. Alors, tout d'un coup, mains sur les nattes, tête baissée :

— Pardon : c'est ma faute! Pardon à vous et à votre enfant!

Ainsi, je m'excusai. Avant qu'elle vînt, je n'avais pas prévu que j'aurais envers la mère ce geste spontané. Mais, à la voir là, je ne pus m'empêcher de lui demander pardon. A elle? Ou à K? Je ne savais plus. Mais je ne pouvais plus demander pardon à K. Tout cela, vous, vous le comprendrez. Mon moi profond triomphait, pour une fois, de mon moi vulgaire, et, dans un vertige, se confessait par ma bouche. Elle, bien sûr, ne pouvait comprendre ce qu'il y avait sous mes paroles; et c'était heureux pour moi :

— C'est un accident, dit-elle doucement : nous n'y pouvons rien!

Elle voulait me consoler. Mais, sur sa face, saisissement et frayeur se gravaient, creusant ses muscles.

L

Si pénible que ce spectacle dût être pour elle, j'allai rouvrir devant la mère les cloisons que je venais de refermer. La lampe de K, à bout de pétrole, s'était éteinte. La chambre était noire. Je revins chercher ma lampe, et, l'élevant à bout de bras dans l'ouverture des cloisons, fis à la mère signe d'approcher. De derrière moi, elle regarda. Sans entrer :

— Laissez tout tel quel : ouvrez seulement les volets! commanda-t-elle.

De ce moment, la mère eut le comportement qu'on pouvait attendre d'elle : celui d'une femme d'officier. Sans un seul faux geste, elle se borna au nécessaire. Si j'allai prévenir le médecin et la police, ce fut elle qui m'y envoya. Et jusqu'à ce que les formalités fussent accomplies, elle interdit l'entrée de la chambre.

L'enquête fut courte. D'un canif, K s'était tranché une carotide. La mort avait été immédiate. Nulle autre blessure. Le sang que j'avais aperçu sur les cloisons avait giclé d'un trait. À la lumière du jour, j'examinai ces traces : je restai stupéfait de la puissance du sang humain.

La mère et moi, de notre mieux, nettoyâmes la chambre. La plus grande partie du sang s'était absorbée dans les couvertures ouatées : les nattes étaient à peine tachées, le nettoyage fut plus aisé. Puis, transportant le corps dans ma chambre à moi, nous l'étendîmes sur une couverture ouatée, tout comme s'il eût simplement dormi. Alors, je sortis, pour télégraphier à la famille.

Quand je revins, déjà, près du corps, brûlaient les bâtonnets d'encens. En entrant, cette odeur de temple me saisit. Dans la fumée, les deux femmes étaient agenouillées. Je n'avais pas revu ma fiancée depuis la veille. Elle pleurait. La mère, elle aussi, avait les paupières toutes rougies. Moi, depuis le début du drame, je n'avais pas pleuré : enfin, j'allais pouvoir sortir de cette atmosphère de cauchemar pour me détendre en une tristesse toute simple et commune! Comme ces larmes me firent du bien! Sur mon cœur crispé de terreur, elles tombaient, ces larmes, comme une fraîche rosée. Exprimer cet apaisement m'est impossible.

Je restai agenouillé près des deux femmes, muet.

— Offrez, vous aussi, les bâtonnets d'encens! me dit la mère.

Je fis l'offrande et gardai le silence. A moi, ma fiancée ne disait rien. Avec sa mère, elle échangea deux ou trois mots à peine, et touchant seulement des choses urgentes. Elle était, sans doute, encore trop bouleversée pour évoquer le souvenir de K. Moi, à part moi, je m'approuvais d'avoir su lui cacher l'effroyable scène de la nuit. Mettre la jeunesse, la beauté en présence d'un spectacle horrible, cela équivaut à les souiller. Et la chose m'apparaissait comme un sacrilège. Au moment même où la frayeur m'envahissait jusqu'au bout des cheveux, même alors, cette volonté de respect ne m'avait pas quitté. Mêler à ce sang une jeune fille, c'eût été, il me semblait, briser d'un coup la tige d'une fleur épanouie.

De la province, le père et le frère vinrent saluer le corps. Quant au lieu de la sépulture, j'exprimai mon avis :

— Nous nous sommes souvent, dis-je, lui et moi, promenés dans Zôshigaya. Il aimait ce quartier. Une fois même, il me souvient, je lui ai dit, en riant que, s'il s'y plaisait tant, je pourrais, plus tard, l'y ensevelir...

Mais tout en parlant, je pensais, à part moi :

— Est-ce vraiment la seule piété qui te pousse à rappeler ce souvenir?

Non, ce n'était pas là pure piété. Ma vie durant, chaque mois, je venais de faire le vœu d'aller sur sa tombe lui demander pardon : et il ne fallait pas qu'on emmenât sa dépouille : il fallait que sa tombe fût à Tôkyô!

— Nous l'avons abandonné, presque renié, reconnurent les deux hommes : vous, jusqu'au dernier jour, vous avez pris soin de lui. Nous sommes vos obligés : qu'il soit fait comme vous le désirez!

LI

Au retour de l'enterrement, un camarade de K :

— Mais pourquoi s'est-il tué ? me demanda-t-il.

Depuis le drame, je n'entendais que cette torturante question : les deux femmes me l'avaient posée, puis, à leur arrivée, le père et le frère, puis ceux qui avaient reçu les faire-part, puis des journalistes qui n'avaient même jamais vu K. A chaque fois, ma conscience me piquait à petits coups, et, me poussant :

— Mais dis-leur donc, que c'est toi qui l'as tué! me soufflait-elle.

Moi, à chaque fois, ma réponse était la même : sans y ajouter un mot, je répétais les termes de la lettre que K m'avait laissée. Donc, au retour de l'enterrement, la même invariable question posée, la même invariable réponse reçue, le camarade de K me tendit un journal qu'il sortit de sa poche. A l'endroit indiqué, j'y lus, tout en marchant, que, chassé de sa famille, K s'était tué par neurasthénie. Je repliai et rendis le journal. Le même camarade m'apprit qu'un autre journal attribuait ce suicide à une folie subite. J'avais été si débordé tous ces jours-là que je n'avais pas trouvé une seconde pour lire les journaux : mais une peur profonde me tenaillait de ce qu'ils pouvaient dire. N'allaient-ils pas compromettre les deux femmes ? Que le nom de ma fiancée pût être mêlé à cette affaire me paraissait épouvantable :

— C'est tout ce que les journaux ont dit ? demandai-je au camarade de K.

— Je n'ai, quant à moi, rien lu d'autre! me tranquillisa-t-il.

A quelque temps de là, nous prîmes le parti de déménager, pour nous installer dans la maison que vous connaissez bien. Les deux femmes supportaient mal de rester là-bas, et moi de revivre chaque soir sur les lieux mêmes le cauchemar de cette nuit tragique. D'accord commun, nous changeâmes de maison.

Deux mois plus tard, j'achevai mes études, et, six mois après ma licence, me mariai. Qui m'eût regardé du dehors eût vu en moi un homme comblé. Les deux femmes paraissaient très heureuses, et j'avais tout pour être heureux moi-même. Mais, mon bonheur, un spectre noir le pressait. Mon bonheur!... N'était-ce pas plutôt le chemin même par où le destin m'allait conduire à ma perte? J'en avais le pressentiment.

Après notre mariage, ma fiancée, ou plutôt ma femme — quel souvenir la poussait? — voulut aller avec moi saluer la tombe de K. Sans raison, une frayeur me saisit. Pourquoi avait-elle eu cette idée? Elle, simplement :

— Allons tous deux saluer sa tombe : son âme en sera heureuse! me dit-elle.

Moi, je ne savais que scruter fixement l'innocent visage :

— Cela vous trouble à ce point? fit ma femme surprise.

Vite je me maîtrisai.

Comme elle le désirait, nous nous rendîmes tous deux au cimetière de Zôshigaya. Je lavai symboliquement, selon l'usage, la tombe toute neuve. Ma femme y déposa une gerbe, y alluma de l'encens. Puis tous deux, tête baissée, joignîmes les mains. Ma femme, j'imagine, voulait apprendre à K notre mariage. Moi, je ne savais rien d'autre que de répéter, au fond de mon cœur :

— Pardonne-moi, pardonne-moi!

Ma femme, passant la main sur la pierre :

— C'est une belle tombe! dit-elle.

La tombe n'avait rien d'extraordinaire. Mais je l'avais choisie moi-même chez le tailleur de pierres, et c'était là, de la part de ma femme, une manière de compliment. Moi, je pensais à cette tombe toute neuve, qui était la sienne; à cette femme toute neuve, qui était la mienne; à ces os blancs, tout neufs, qui étaient les siens : et j'entendais contre mes oreilles le rire cynique de la Nécessité.

Je décidai de ne plus jamais amener ma femme sur la tombe de K.

LII

Ces remords envers mon ami ne me lâchaient pas. Je savais, du jour même du drame, qu'ils ne me lâcheraient plus. Le mariage que j'avais tant souhaité, c'était dans la peur que je l'avais célébré : l'expression n'est pas trop forte. Tout de même, l'homme ne peut prévoir son propre avenir, et je me disais que peut-être le mariage allait me redonner une âme neuve, comme s'il eût été pour moi le premier jalon sur le chemin d'une nouvelle vie. Mais il me suffit de commencer, aux côtés de ma femme, notre existence commune pour voir, en un seul jour, devant l'implacable réalité, cet espoir s'évanouir comme de la rosée. Entre nous deux, sans cesse le spectre de K se dressait. Ma femme était l'inconscient intermédiaire qui m'enchaînait à l'ombre de K sans jamais me laisser m'en affranchir. C'est pourquoi, moi qui la savais sans reproche, je ne pensais pourtant qu'à la fuir. Mais cela, son cœur le sentait. Et son cœur le sentait sans que son esprit en saisît la raison :

— Pourquoi êtes-vous si triste? Avez-vous des ennuis? s'inquiétait-elle.

Ainsi, elle me poursuivait de ses questions. Quelquefois, je me forçais à en rire, et ses craintes se dissipaient. Mais, chez la femme, les nerfs s'aiguisent très vite. Et, à la fin, comme avec rancœur :

— Vous ne m'aimez plus!

Ou bien :

— Que me cachez-vous?

Je subissais en silence tous ces reproches, qui, chaque fois, me torturaient.

Allais-je donc me décider à dire à ma femme la vérité? J'y pensais souvent. Mais, au moment de faire ma confession, chaque fois, d'un coup, une force m'arrêtait, sur laquelle je n'avais aucune prise. Vous qui maintenant savez tout de moi, vous comprendrez cela aisément. Mais il est quand même un point que je dois éclaircir. Ce qui m'empêchait de m'ouvrir à ma femme, ne croyez pas que ce fût la crainte vaniteuse de me rabaisser à ses yeux. Pas le moins du monde. Si, dans mon repentir envers mon ami mort, je m'étais sincèrement confessé à ma femme, nul doute que, les yeux pleins de douces larmes, elle ne m'eût pardonné. À tout peser, je n'avais qu'à y gagner. Mais je ne calculais pas. La seule préoccupation qui fût devant mes yeux, c'était de ne tacher en rien la conscience de ma femme. Je ne l'eusse pas supporté. Sur cette blancheur, de jeter ne fût-ce qu'une seule goutte d'encre, eût été pour moi la pire souffrance. Comprenez-le, je vous prie.

Un an s'était passé. Mais je ne pouvais oublier K. Je vivais dans une constante angoisse. Cette angoisse, j'essayai de la noyer dans l'étude. Et je me mis au travail avec une terrifiante ardeur. Le résultat de mes recherches, je voyais venir le moment où j'allais pouvoir le livrer aux autres. De jour en jour, cependant, je me rendais compte que le but que je m'étais imposé n'était pas un idéal sincère, mais un dérivatif imaginé par lâcheté, et que d'aller à ce but, eussé-je dû bientôt l'atteindre, était envers moi-même un mensonge. Non, je ne pouvais espérer, quelque peine que j'y prisse, enfouir mes remords sous une pile de livres. Du jour où j'eus senti cela, je me contentai de méditer, en regardant, de loin, vivre les hommes.

Ma femme, elle, interpréta à sa façon cette inaction. Simple relâchement, se disait-elle, provenant de ce que je n'avais nul besoin de travailler pour vivre. D'autant que, de leur côté, seules comme elles étaient, les deux femmes avaient assez d'argent pour vivre oisives, tant bien que mal. Ce n'était donc pas sans vraisemblance que ma femme donnait de mon oisiveté cette naturelle explication que mes moyens me permettaient une complète indépendance. De fait, je reconnais que le sort m'avait, de ce point de vue, un peu gâté. Là n'était pas cependant la vraie raison de ma complète inaction. Cette raison, la voici. Trompé que j'avais été par mon oncle, j'avais profondément senti à quel point l'humanité est méprisable. Mais, me méfiant du reste des hommes, je gardais encore au fond de moi au moins une certitude : quelque mauvais que fussent les autres, moi, je m'estimais moi-même; en moi-même, j'avais confiance. Or cette foi, la seule qui me restât, ma propre conduite envers K l'avait sapée, et fort proprement rasée. Je ne valais pas mieux que mon oncle, et la conscience de ma propre indignité me donnait le vertige. Désespérant à jamais d'autrui, j'en étais maintenant à désespérer à jamais de moi-même. Et c'était là la raison de mon absolue immobilité, de mon absolue inaction.

LIII

Le moi plein de remords que je ne pouvais arriver à ensevelir vivant sous une pile de livres, je tentai de le noyer dans le saké. Je ne saurais dire que j'aime vraiment le saké : mais je suis d'une nature solide, et, quand je le veux, je puis boire. Bref, ce que je recherchais n'était pas le goût particulier de l'alcool, mais une quantité d'alcool à noyer mon âme. Hélas, artifice, lui aussi, bien superficiel, et qui, sans tarder, devait ajouter encore à mon pessimisme. Au milieu de la plus profonde ivresse, je reprenais, tout d'un coup, conscience de ma déchéance. Vouloir se tromper soi-même à l'aide d'un pareil moyen, quelle bêtise! Et quel imbécile j'étais! Alors, les yeux et l'esprit soudain lucides, je frissonnais de dégoût. D'autres fois, j'avais beau boire, je n'arrivais pas même à un semblant d'ivresse, et ne faisais que sombrer plus profondément encore dans ma tristesse. Rarement, j'arrivais à m'oublier : mais quels tristes lendemains à cet artificiel oubli! A la femme que j'aimais plus que tout au monde, à cette femme et à sa mère, je devais imposer le spectacle de ces lendemains d'ivresse, les autoriser aussi à interpréter ma conduite!

Ma belle-mère parfois se plaignait à ma femme : mais ma femme me le cachait. Simplement, de son propre mouvement, elle me faisait quelques reproches, où transparaissait son inquiétude. Et reproches est un mot trop fort : jamais, ou presque, ma femme n'a laissé échapper de paroles qui m'eussent donné le droit de m'emporter à mon tour. Elle me disait :

— Si je suis en quoi que ce soit fautive, dites-le-moi sans la moindre gêne : mais pour vous, pour votre avenir, je vous en supplie, cessez de boire!

D'autres fois, les yeux en larmes :

— Comme vous avez changé, ces temps-ci!

Et si ç'avait été tout! Mais, un jour :

— Ah, si K était encore de ce monde, vous n'en seriez pas où vous en êtes maintenant!

— Cela, c'est peut-être vrai! lui avais-je répondu.

Mais le vrai sens de ma réponse lui échappait. Qu'elle ne pût comprendre m'attristait : mais, en même temps, je n'avais nul désir de rien lui faire comprendre.

Simplement, parfois, je lui demandais pardon : c'était presque toujours le matin, après être rentré tard dans la nuit, ivre. Alors, elle se forçait à rire; ou bien elle restait silencieuse; ou bien elle pleurait à larmes lourdes. Pour moi, cela revenait au même : un dégoût de moi-même me montait, et, en lui demandant pardon à elle, c'était comme si j'eusse demandé pardon à ma propre conscience. A la fin, je cessai de boire : moins pour ma femme que pour moi-même.

Je cessai de boire, mais retombai dans l'inaction. Je lisais, faute de mieux : mais sans tirer de mes lectures le moindre fruit. Un jour :

— Mais pourquoi lisez-vous donc tant? me demanda ma femme.

Je n'eus pour réponse qu'un rire amer. A part moi, je me disais :

— Ainsi l'être que j'aime le plus au monde peut me comprendre si mal!

J'en étais si triste! Sans doute, c'était à moi de me faire comprendre. Et le moyen en eût été simple : mais j'étais impuissant à trouver le courage de parler. Et c'est de cela, au fond, que je souffrais. Mon isolement était désespéré. Comme un arbre aux racines coupées, je me sentais séparé du reste du monde.

Cependant, retournant sans cesse et sans fin mes pensées, j'essayais d'éclaircir le vrai motif qui avait poussé K à se tuer. Au moment même du drame, l'amour gouvernant en moi toute pensée, je m'étais dit : « Suicide d'amour! » Mais ce jugement, dont je m'étais alors contenté, m'apparaissait, à la réflexion, par trop rapide, simple, facile. A examiner de plus près les choses, le problème était plus complexe, et j'arrivais mal à trouver une explication qui me satisfît. Heurt, en lui, de l'idéal et du réel? Sans doute : mais cette hypothèse non plus ne rendait pas compte de tous les faits. Finalement :

— Et si la raison profonde de ce brusque suicide, ç'avait été, supposai-je, une impuissance foncière de sa part à supporter la tristesse de sa solitude?

Ce soupçon me figea. Car il était gros, ce soupçon, d'un pressentiment qui me traversait avec la force, la rapidité du vent : n'allais-je pas déjà, moi aussi, le même chemin que K, et d'un cœur identique?

LIV

Cependant, ma belle-mère tombait malade. Le médecin la déclara perdue. Je la soignai de tout mon cœur. Pour elle, d'abord. Puis pour ma femme, que j'aimais tant. Mais surtout, en un sens plus large, pour l'univers des hommes, qu'elle représentait à mes yeux. Le désir m'avait jusque-là tourmenté de me rendre, moi aussi, utile : mais, faute de savoir à quoi, à qui, j'avais, pour ainsi dire, gardé une attitude de mains dans les poches. Coupé du reste du monde, j'allais enfin, pour la première fois, pouvoir tendre à quelqu'un une main secourable, et, si minime fût-elle, accomplir ce que je saurais être une bonne action. A parler net, l'idée d'expiation était sur moi.

Ma belle-mère morte, ma femme et moi restâmes seuls :

— Désormais, me dit ma femme, vous êtes la seule personne au monde sur qui je puisse m'appuyer!

Mais, moi qui me savais incapable de m'appuyer sur moi-même, à regarder alors ma femme, les larmes me vinrent aux yeux. Je pensais : « Comme elle est à plaindre! » Et :

— Comme tu es à plaindre! lui dis-je.

— Mais pourquoi? fit-elle.

Elle n'avait pas compris le sens de mes paroles, et je ne pouvais le lui expliquer. Elle se mit à pleurer :

— Pourquoi, me dit-elle, toutes ces idées compliquées, du haut desquelles vous ne cessez de m'observer? Ce sont ces idées-là qui vous font me dire si sottes paroles!

Elle m'en gardait presque rancune.

Sa mère morte, je m'ingéniai à traiter ma femme avec la plus grande douceur possible. Je l'aimais, sans doute. Mais ce n'était pas seulement cela. Ma douceur, tout sentiment intime mis à part, avait comme un arrière-fond, plus vaste : le même qui se cachait sous le dévouement avec lequel j'avais soigné ma belle-mère. Les deux comportements avaient le même ressort profond. Ma femme semblait heureuse. Mais elle ne me comprenait pas, et dans son bonheur il y avait des points noirs. Ma femme, au reste, m'eût-elle compris, que ce sentiment vague de carence qu'elle avait en face de moi, s'il ne se fût pas accusé, ne se fût non plus estompé en rien : la chose était sûre. Les femmes sont ainsi. Être aimées d'un amour qui embrasse l'entière humanité les touche peu. A un amour aussi universel, elles préfèrent, dût-il manquer parfois à l'obligation morale, un amour plus attentif, et concentré sur elles seules. En cela, le caractère féminin diffère du nôtre.

Ma femme, un jour :

— Quoi qu'on fasse, dit-elle, jamais cœur d'homme et cœur de femme ne se peuvent hermétiquement ajuster l'un sur l'autre!

— Si, peut-être, répondis-je distraitement : quand l'homme et la femme sont jeunes!

Je n'avais pas voulu être méchant... Ma femme, songeuse, sembla se retourner sur son passé, et un léger soupir s'échappa de sa poitrine.

De ce temps-là, déjà, une ombre effrayante traversait parfois mon cœur, comme une flèche noire. D'abord, cette ombre qui m'envahissait me venait chaque fois du dehors, et comme fortuitement : j'en restais étonné, saisi. Mais, bientôt, mon cœur, de lui-même, se mit à répondre à cette ombre. A la fin, sans que, du dehors, rien lui vînt, mon cœur trouvait en lui cette ombre. Y était-elle, en puissance, cachée depuis le jour même où j'étais né à ce monde? Je me prenais à le penser. Quoi qu'il en fût, chaque fois que cette ombre m'envahissait, je doutais si je n'étais pas devenu fou. Mais l'idée ne me venait pas de m'ouvrir à un médecin, ni à qui que ce fût.

Cette ombre, c'était le péché qui est sur l'homme. La seule chose profonde que j'aie sentie en ce monde, c'est le péché qui est sur l'homme. C'est ce sentiment qui m'avait fait soigner de tout mon cœur ma belle-mère malade. C'est ce sentiment qui m'avait commandé d'être doux envers ma femme. C'est ce sentiment toujours qui me faisait souhaiter d'être cravaché dans la rue par chacun des inconnus que j'y croisais. Et, à monter marche par marche l'escalier de cette expiation, c'est ce même sentiment qui me poussait, non content d'appeler la cravache des autres, à désirer me cravacher moi-même. Et, plus encore qu'à désirer me cravacher moi-même, à désirer me détruire moi-même. J'hésitais à me détruire d'un coup. Mais, du moins, je décidai de vivre comme si j'eusse été mort.

Du jour où je pris cette décision jusqu'au jour où j'ai, pour *vous, commencé d'écrire cette confession, beaucoup d'années ont passé. Entre temps, ma femme et moi avons vécu en parfaite harmonie, tout comme aux premiers jours de notre mariage. Nous n'avons pas été malheureux : nous avons même été heureux. Simplement, ce quelque chose de ténébreux qui ne cessait de tenir en moi si grande place, ma femme l'a toujours senti, sans jamais pouvoir le définir. A cause de cela, je l'ai toujours tenue en grand-pitié.*

LV

Tout résolu que j'étais à vivre comme si j'eusse été mort, je sentais pourtant, parfois, mon cœur répondre à l'appel de la vie extérieure. Aussitôt, et de quelque côté que me vînt cet appel, je tentais de me frayer un chemin vers le dehors, de sortir de moi-même. Mais, alors, venue je ne sais d'où, une effroyable force saisissait mon cœur et le clouait sur place. Et, me clouant, elle me disait, la Force :

— Toi, agir? Et de quel droit, s'il te plaît?

A ces seuls mots, je sentais mon corps se vider. Je me relevais, j'essayais de me mettre en marche : la Force resserrait ses griffes. Je me débattais, je grinçais des dents, je rageais :

— Qu'as-tu donc, toi, à me barrer le passage? criais-je.

Mais la Force éclatait de rire :

— Ce que j'ai? Allons donc! Ne fais pas l'imbécile : tu le sais fort bien!

De nouveau, je m'affaissais, anéanti.

Vie sans vagues, ni hautes ni basses, vie sans zigzags, ma vie continuait, monotone. Mais au fond de moi, sans cesse, entre la Force et moi, l'âpre lutte continuait. Cela, comprenez-le, je vous prie. Cette perpétuelle impuissance, plus encore qu'elle n'impatientait ma femme, me mettait, moi, hors de patience : et à quel point, je ne saurais le dire. J'étais dans une prison. Prison si étroite que je n'y pouvais tenir. Mais prison, en même temps, dont je ne pouvais briser les barreaux. Le seul effort qui ne me fût pas d'avance interdit, la seule issue qui ne me fût pas d'avance bouchée, c'était le suicide : cela, je le sentais. Mais pourquoi? me direz-vous. Vos yeux vont, d'étonnement, s'ouvrir tout grands. Mais, ses griffes perpétuellement resserrées sur mon cœur, cette Force m'arrêtait, de quelque côté que je voulusse aller. Le seul chemin qu'elle me laissât libre, c'était le chemin de la mort. Si j'avais pu ne pas bouger d'un pouce! Mais telle immobilité n'est pas humaine. Et si peu que je dusse bouger, je ne pouvais le faire que sur le chemin de la mort.

Ce chemin de mort, le seul qui me fût permis, deux ou trois fois déjà, sous la poussée de la Nécessité, j'avais été sur le point de m'y avancer résolument. La pensée de l'abandon où j'allais laisser ma femme m'avait chaque fois retenu. D'un autre côté, je n'avais pas, vous le devinez, le courage de l'emmener avec moi dans la mort. Moi qui, déjà, ne pouvais trouver la force de rien lui avouer, pouvais-je accepter l'idée de la sacrifier à mon propre destin? Pouvais-je accepter de lui enlever moi-même aussi brutalement la vie? La seule pensée m'en glaçait. J'avais ma destinée, ma femme avait la sienne. De nous lier l'un à l'autre comme deux branches d'un même fagot, et de jeter ce fagot au feu, c'eût été le comble de la cruauté : il n'était pas d'autre manière de voir la chose.

En même temps, je revenais sur l'image de l'abandon où je devrais, si je me tuais, laisser ma femme : et une grande tristesse m'envahissait. Elle m'avait dit, à la mort de sa mère, n'avoir plus que moi au monde. Ses paroles m'avaient comme pénétré les entrailles, et j'en gardais un souvenir vivace. C'est pourquoi, chaque fois, j'avais tant hésité devant la mort. Je regardais le cher visage :

— Comme tu as bien fait de différer! pensais-je.

Et je me résignais à vivre sous les regards anxieux de ma femme.

Si vous voulez me bien comprendre, vous ne devrez jamais perdre de vue que, jusqu'à présent, ma vie fut cela, et cela seulement. Au temps de notre rencontre à Kamakura comme au temps de nos promenades dans la banlieue de Tôkyô, ma vie n'était que cela. A mes pas, sans cesse, une ombre noire restait attachée. Seule la pensée de ma femme me faisait accepter de continuer mon chemin en ce monde, traînant derrière moi ma vie au bout d'une laisse. Quand, vos études finies, vous êtes retourné chez vous, ma vie encore n'était que cela. Non que je vous aie menti en vous disant que je vous attendais cet automne. Je pensais sincèrement que je vous reverrais. Dût l'automne passer, dût l'hiver venir, tôt ou tard, je pensais vous revoir.

Mais voici qu'en plein été l'Empereur est mort. Alors, brusquement, j'ai eu ce sentiment que, né avec l'Empereur, l'esprit de la génération de Meiji disparaissait avec lui. C'est de cet esprit que, nous autres, nous avons été nourris. A quoi bon, dès lors, y survivre, retardataire désuet? Cette pensée

m'assaillait. J'en fis part à ma femme. Elle se mit à rire, refusant de me prendre au sérieux. Puis — quelle idée lui vint ? — elle me dit :

— Si telle est votre conviction, alors, pendant que vous y êtes, suivez, vassal fidèle, votre seigneur dans la mort!

Ainsi, gentiment, elle se moquait.

LVI

Pour désigner ce suicide par fidélité, ma femme avait employé le vieux mot de junshi. *Ce mot était en moi comme oublié. Tombé en désuétude, il s'était enlisé au fond de ma mémoire, à demi perdu déjà. La plaisanterie de ma femme l'en avait fait ressurgir :*

— Oui, lui dis-je, si c'est par fidélité envers l'esprit de Meiji, je suis tout prêt à commettre ce genre de suicide!

Cette réponse, bien sûr, n'était, elle aussi, qu'une plaisanterie. Pourtant, sans raison, j'avais l'impression d'avoir su redonner en moi à ce mot de junshi *comme une vie nouvelle.*

Un mois environ s'écoula. La nuit des obsèques impériales, comme j'étais, à mon habitude, assis dans mon bureau, j'entendis le coup de canon annonçant que le cortège funèbre venait de quitter le palais. Ce coup de canon sonna à mes oreilles comme le glas de l'entière génération de Meiji. Un autre signe de la mort de cet esprit de Meiji, c'était le suicide du Général Nogi, qui, lui, venait de se tuer à la minute précise où il avait entendu le même coup de canon. Le lendemain, quand je l'appris par une édition spéciale, mes lèvres, spontanément :

— Suicide par fidélité, suicide par fidélité! murmurèrent-elles devant ma femme.

Je lus dans les journaux le texte de la lettre laissée par le Général Nogi. La raison qu'il donnait de sa mort était qu'il avait à expier cette faute de s'être, lors de la guerre du Kyûshû, laissé enlever par l'ennemi le drapeau qu'il portait. Depuis, disait-il, c'était avec l'idée de mourir qu'il avait vécu. Machinalement, je comptai : la guerre du Kyûshû avait eu lieu en 1877, et nous étions en 1912. Trente-cinq années durant, le Général Nogi n'avait pensé qu'à la mort. Mais lequel des deux avait été pour lui le plus dur : le supplice de ces trente-cinq années d'attente, ou le fer qui, d'un coup, lui avait scié le ventre? Je me le demandais.

C'est deux ou trois jours plus tard que je pris la résolution de me tuer. De même que je ne puis tout comprendre des raisons profondes du suicide du Général Nogi, de même vous ne pourrez tout comprendre des raisons profondes de mon suicide à moi. Écart de conceptions d'une génération à l'autre ? Sans doute. Mais aussi, et plus justement peut-être, écart des réseaux sensibles avec lesquels nous naissons à ce monde. A tout le moins, désireux de vous expliquer cette mystérieuse entité que j'appelle mon moi, ai-je fait mon possible pour me mettre tout entier en cette confession.

Abandonnant ma femme, je m'en vais. Du moins, moi disparu, n'aura-t-elle aucune inquiétude matérielle : et cela m'est un grand réconfort. Je veux lui causer le moins de frayeur possible : je me tuerai sans répandre mon sang. Même, je voudrais mourir à son insu, comme en cachette. Je ferai en sorte qu'elle me puisse croire mort de mort subite, ou de folie.

Voilà dix jours déjà que j'ai décidé de mourir. Mais vous, vous saurez que la plus grande partie de ce temps, je l'aurai employée à écrire pour vous cette longue histoire de ma vie. J'eusse préféré vous la conter de vive voix. Mais, à en avoir achevé la narration écrite, elle me semble plus claire, et c'est mieux ainsi. Je ne l'ai pas écrite par passe-temps. Non. Ce passé qui m'a fait ce que je suis, moi seul pouvais en livrer la somme d'expérience humaine qu'il contient. C'est pourquoi je l'ai ici rapporté sans mensonge. Puisse cette confession vous aider, vous et d'autres, à connaître l'humanité. Pour peindre son tableau L'Illusion, le grand Watanabé Kazan différa son suicide de huit jours : j'ai appris cela récemment. Il est permis de voir là geste vain. Cependant, pour lui, c'était là exigence propre du cœur, à laquelle il ne pouvait se soustraire. Aussi bien, cette confession n'est pas entièrement motivée par la promesse que je vous ai faite. Pour une bonne part, c'est, en moi, un besoin profond qui m'a poussé à l'écrire.

Ce besoin, voici que je l'ai satisfait. Je m'arrête là. Quand vous aurez cette lettre entre les mains, moi je ne serai plus de ce monde : depuis longtemps, je serai mort. Ma femme, depuis près de dix jours, est chez sa tante d'Ichigaya. Cette tante était malade. Il y avait, là-bas, beaucoup à faire : j'ai insisté pour qu'elle offrît son aide. En son absence, j'ai écrit la plus grande partie de cette lettre. Quand, de temps à autre, elle rentrait à la maison, vite, j'en cachais les pages écrites.

Mon passé, je vous en livre le bon et le mauvais, sans en

rien masquer. A vous; et, par vous, aux autres. Une seule personne au monde n'en doit jamais rien apprendre : ma femme. Retenez cela, je vous prie. Je ne veux rien dire à ma femme. Il faut que la trame de ses souvenirs reste blanche, sans souillure. C'est la seule chose que je désire encore. Je vais mourir, mais ma femme vivra. Tant qu'elle vivra, nul autre que vous ne doit rien savoir du secret qui vous est confié à vous seul. Respectez ma volonté : du vivant de ma femme, gardez tout cela pour vous seul!

TABLE

DU MÊME AUTEUR

Aux Éditions Gallimard

JE SUIS UN CHAT
SANSHIRÔ

CONNAISSANCE DE L'ORIENT

1. Tchouang-tseu : *Œuvre complète.*
2. Bibhouti Bhoushan Banerji : *La complainte du sentier.*
3. Zeami : *La tradition secrète du nô*, suivi de *Une journée de nô.*
4. *Contes du Vampire.*
5. Sei Shônagon : *Notes de chevet.*
6. Hymnes spéculatifs du *Véda.*
7. *Au cabaret de l'amour* (Paroles de Kabîr).
8. Natsume Sôseki : *Je suis un chat.*
9. Ihara Saikaku : *Cinq amoureuses.*
10. Chen Fou : *Récits d'une vie fugitive (Mémoires d'un lettré pauvre).*
11. Wou King-tseu : *Chronique indiscrète des mandarins,* I.
12. Wou King-tseu : *Chronique indiscrète des mandarins,* II.
13. Akutagawa Ryûnosuke : *Rashômon* et autres contes.
14. Mythes et légendes extraits des *Brâhmanas.*
15. Urabe Kenkô : *Les heures oisives.* Kamo no Chômei : *Notes de ma cabane de moine.*
16. P'ou Song-ling : *Contes extraordinaires du Pavillon du Loisir.*
17. *Histoires qui sont maintenant du passé.*
18. Natsume Sôseki : *Le pauvre cœur des hommes.*
19. Z. Safâ : Anthologie de la poésie persane (XIe-XXe siècle).
20. Ihara Saikaku : *Vie d'une amie de la volupté.*
21. *L'antre aux fantômes des collines de l'Ouest* (Sept contes chinois anciens, XIIe-XIVe siècle).
22. Nguyên Du : *Kim-Vân-Kiêu.*
23. Bankim Chandra Chatterji : *Le testament de Krishnokanto.*
24. Ling Mong-tch'ou : *L'amour de la renarde (Marchands et lettrés de la vieille Chine* — Douze contes du XVIIe siècle).
25. Nagaï Kafû : *La Sumida.*
26. Lou Siun : Contes anciens à notre manière.
27. *Contes d'Ise.*
28. Kouo Mo-jo : *K'iu Yuan.*
29. Mori Ogai : *Vita sexualis (ou L'apprentissage amoureux du professeur Kanai Shizuka).*
30. Tara Shankar Banerji : *Râdhâ au lotus* et autres nouvelles.
31. Chota Roustavéli : *Le Chevalier à la peau de tigre.*
32. *David de Sassoun.*
33. *Aventures merveilleuses sous terre et ailleurs de Er-Töshtük le géant des steppes.*
34. *Le Livre des Héros* (Légendes sur les Nartes).

35. Confucius : *Les Entretiens.*
36. Lie-tseu : *Le Vrai Classique du vide parfait.*
37. Nguyên Du : *Vaste recueil de légendes merveilleuses.*
38. Toukârâm : *Psaumes du pèlerin.*
39. *Upanishads* du Yoga.
40. Taha Hussein : *Au-delà du Nil.*
41. Lieou Ngo : *L'odyssée de Lao Ts'an.*
42. Lao-tseu : *Tao-tö king.*
43. Ueda Akinari : *Contes de pluie et de lune.*
44. Prince Ilangô Adigal : *Le roman de l'anneau.*
45. Rabindranath Tagore : *La Fugitive,* suivi de *Poèmes de Kabir.*
46. Dazaï Osamu : *La déchéance d'un homme.*
47. *Le poisson de jade et l'épingle au phénix* (Douze contes chinois du XVIIe siècle).
48. Kouo Mo-jo : *Autobiographie (Mes années d'enfance).*
49. Bhairava Prasâd Gupta : *Gange, ô ma mère.*
50. Rabindranath Tagore : *Mashi.*
51. Tcheng T'ing-yu, Ts'in Kien-fou : *Le signe de patience* et autres pièces du théâtre des Yuan.
52. *Pañcatantra.*
53. Soûr-Dâs : *Pastorales.*
54. Rabindranath Tagore : *Souvenirs.*
55. *Les questions de Milinda.*
56. *La chute de Yayâti* (Extraits du *Mahâbhârata*).
57. *De serpents galants et d'autres* (Contes folkloriques japonais).
58. Nagaï Kafû : *Une histoire singulière à l'est du fleuve.*
59. Wu Yuantai : *Pérégrination vers l'est.*
60. *La sagesse de Balahvar (Une vie christianisée du Bouddha).*
61. Pramoedya Ananta Toer : *La vie n'est pas une foire nocturne.*
62. Luxun : *Brève histoire du roman chinois.*
63. Machrab : *Le vagabond flamboyant* (Anecdotes et poèmes soufis).
64. Amaru : *La centurie* (Poèmes amoureux de l'Inde ancienne).
65. Sayd Bahodine Majrouh : *Le suicide et le chant* (Poésie populaire des femmes pashtounes).
66. Hò Kyun : *L'histoire de Hong Kiltong.*
67. Qian Zhongshu : *Hommes, bêtes et démons.*
68. Collectif : *Anthologie de la poésie turque (XIIIe-XXe siècle).*
69. Anonyme : *Tigre et kaki et autres contes de Corée.*
70. Natsumé Sôseki : *Sanshirô.*
71. Collectif : *Aigrette sur la rivière.*
72. Unnâyi Vâriar : *Jours d'amour et d'épreuve.*

Achevé d'imprimer par Dupli-Print,
à Domont (95), le 2 mars 2015.
Dépôt légal : mars 2015.
Premier dépôt légal :mars 1987.
Numéro d'imprimeur : 2015023373.

ISBN 978-2-07-070924-3/Imprimé en France

285782